ALEJANDRO SAWA
MITO Y REALIDAD

© Allen W. Phillips
© Ediciones Turner, S. A.
  Génova, 3. Madrid-4. Teléf. 419 20 37
  ISBN: 84-85137-38-8
  Depósito legal: M. 36.608-1976
  Diseño de la cubierta: Diego Lara
  Encuadernación: F.A.E., S.A.
  Torrejón de Ardoz (Madrid)
  Imprime: Closas-Orcoyen, S. L. Martínez Paje, 5. Madrid-29
  Papel fabricado por Torras Hostench

ALLEN W. PHILLIPS

ALEJANDRO SAWA
MITO Y REALIDAD

EDICIONES TURNER

MADRID

La edición de este libro ha sido favorecida con la ayuda económica de la Universidad de Texas, a través de su decano de la Escuela Graduada, doctor Irwin Chester Lieb. Tanto el autor como el editor agradecen esta generosa colaboración.

A la memoria de Luz Zea
y a mi mujer Patricia,
que la quería tanto como yo...

PROLOGO

He intentado en este libro ofrecer a los lectores de hoy
una semblanza literaria de Alejandro Sawa (1862-1909),
escritor español poco menos que olvidado ahora, no obstante haber sido durante muchos años una figura de considerable relieve en la bohemia artística del Madrid finisecular. Aunque haya consagrado mayor empeño al estudio de la vida literaria y de la obra del escritor, he
recogido también sobre su vida exterior, transcurrida
principalmente en Madrid y en París, todos los datos a
mi alcance. Incluso la vida de Sawa ofrece todavía algunas incógnitas, muy difíciles de aclarar sin disponer de
mayores facilidades para una investigación más completa. Sin embargo, su vida literaria, interrumpida por una
extendida estancia en París (1890-1896), se divide fácilmente en dos partes, ambas transcurridas en Madrid: la
primera, de unos diez años (1880-1890), durante la cual
escribe sus novelas, de un fuerte sabor naturalista, y la
segunda, también de otros diez o doce años (1897-1909),
en la que se dedica casi exclusivamente al periodismo
(ensayo, crónica, cuento, semblanza literaria o política)
y también adapta, en 1899, para la escena española Los
reyes en el destierro, una novela de Alfonso Daudet. Es
en esta última etapa cuando cambia sensiblemente de
rumbo la obra de Sawa, muy familiarizado ya con la literatura francesa, que conoce directamente en uno de sus
grandes momentos de ímpetu creador y de modo especial
el simbolismo. Dejando muy atrás el naturalismo de antes, nuestro autor se entrega a una expresión mucho más
idealista, aunque no abandone jamás su creencia en la
vida como raíz del arte.

9

En mi aproximación a la obra y a la persona de Alejandro Sawa, el método utilizado es convencional, quizá con una sola pequeña novedad. Me ocupo primero de la muerte de Sawa (Capítulo I), ocurrida en circunstancias novelescas que movieron después a Baroja y a Valle-Inclán a recrearlas en sus ficciones (El árbol de la ciencia y Luces de bohemia). Prosigo cronológicamente los períodos de su vida, desde la juventud andaluza de nuestro autor (Capítulo II) hasta sus últimos años, incluyendo un largo paréntesis (Capítulo III) sobre la temporada francesa entre la primera y segunda etapas madrileñas (Capítulos II y IV). No ha sido fácil documentar siempre con exactitud la vida de Sawa, ni aun en algunas fechas de capital importancia. He concedido, sin embargo, especial atención a los aspectos esencialmente literarios de su breve existencia: sus amistades, su ubicación en las letras nacionales, su ideología y su creación. Me he esforzado también por conocer a Sawa a través de los testimonios de sus amigos en cada período. Dada la fama que siempre tuvo de ser personaje singular que desempeñaba un papel en la vida, he procurado (Capítulo V) precisar además la imagen de Sawa a través de sus propios textos. En los dos capítulos más extensos del libro (VI y VII) se estudia con algún detalle la obra de Sawa en sus dos vertientes más significativas: la del novelista y la del periodista.

Como preámbulo casi obligado, debo confesar que originalmente me interesé en la figura de Alejandro Sawa incitado por mis repetidas lecturas de Luces de bohemia *(1920) de Valle-Inclán. Siempre tuve, sin embargo, el deseo de acercarme algún día de modo directo al escritor que fue en gran parte el modelo vivo para la figura quizá menos cómica que trágica del poeta ciego Max Estrella, protagonista de* Luces de bohemia. *Valle-Inclán captó en su obra genial la imagen fiel de su antiguo amigo, muerto unos diez años antes, y en su primer esperpento parece compadecer al bohemio arrojado en medio del arroyo. Hasta ve aparentemente con cierta nostalgia y buen humor aquella gran época de la bohemia heroica, desaparecida ya para siempre.*

Al margen de mis otros trabajos, he estado durante mucho tiempo reuniendo materiales para poder escribir algún día la presente monografía sobre Alejandro Sawa. Su obra nunca ha logrado la difusión que merece. Más aún, poco se ha escrito sobre él; y por un curioso caso de transfiguración literaria, la atención de los críticos se ha demorado en el protagonista de Luces de bohemia. Con ello, las páginas consagradas a Max Estrella vienen a ser lo más importante que tenemos para intentar el trazado de su perfil espiritual. Hasta las obras originales de Sawa resultan difíciles de conseguir; todavía se encuentra sepultada en los diarios madrileños y en otros lugares una buena porción de su labor periodística. Sin haber podido verlo todo, por supuesto, mis investigaciones parciales comprueban que hay seguramente más páginas dispersas de Sawa que no he logrado conocer. Además, ¿cómo explicar de modo satisfactorio por qué existen en manuscrito fragmentos de su libro póstumo Iluminaciones en la sombra escritos en francés?

Debido a la generosidad de la John Simon Guggenheim Memorial Foundation, de Nueva York, y del University Research Institute, de la Universidad de Texas, en Austin, me fue posible pasar seis meses en España durante el año 1973. A ambas entidades, mi más ferviente expresión de agradecimiento. En España pude trabajar directamente en los periódicos y revistas de la época valiéndome de las facilidades que encontré en la Hemeroteca Municipal de Madrid y en la Biblioteca Nacional. Por desgracia, resultó entonces imposible utilizar los fondos de la biblioteca del Ateneo, donde hubiera podido ensanchar, sin duda, el alcance de mis investigaciones.

Expresada mi gratitud a las dos fundaciones por la ayuda económica que me permitió completar mis investigaciones en España y terminar la presente monografía sobre Sawa, quisiera también recordar a muchos amigos, colegas y estudiantes que en alguna forma u otra me han ayudado en la elaboración de este libro, contribuyendo con datos bibliográficos o textos útiles para su preparación. Sería poco menos que imposible incluir en una nómina los nombres de todos aquellos a quienes me gustaría citar aquí. Me parece, sin embargo, una verdadera falta de cortesía no mencionar a algunas personas a las que debo un agradecimiento especial: a Nicasio Hernández Luquero, viejo periodista a quien conocí en Arévalo (1),

_____

(1) López Sawa, en su carta fechada el 15 de diciembre, me da la triste noticia de que Nicasio Hernández Luquero murió el 4 de octubre de 1975, y así quedan rotos, creo, los últimos vínculos que de modo literario unían nuestra época con la ya remota de Alejandro Sawa.

y a *Alonso Zamora Vicente, alta autoridad en estas cuestiones, que tuvo la gentileza de recibirme en varias ocasiones durante mi estancia en España y proporcionarme segura orientación en mi trabajo. Los nombres de otros colegas y amigos, cuya amabilidad se agradece, se incorporan en las notas.*

En un apartado final quisiera consagrar también un sentido recuerdo a tres personas que, por su constante interés y su inestimable auxilio, han influido mucho en la realización de este ensayo. A Fernando López Sawa, *nieto del escritor aquí estudiado, y a su gentil esposa, mi más sincero agradecimiento por su amistad y por la ejemplar generosidad con que me permitieron consultar los papeles relacionados con Alejandro Sawa que todavía conserva la familia. Debido a su bondad, se publican aquí por primera vez unos textos epistolares muy significativos, y se aportan algunos datos totalmente desconocidos. A mi colega* Pablo Beltrán de Heredia, *quien desde un principio mostró un interés sostenido por mi ensayo sobre Sawa, debo también la expresión de mi gratitud, no sólo por la atenta y cuidadosa lectura del original, sino también por toda una serie de favores que se relacionan con la preparación de este volumen, sin cuya eficaz y puntual ayuda no se habría publicado. A mi amiga* Bárbara Dianne Cantella de Konz *dos palabras de agradecimiento por haberme acompañado muchas veces con humor y comprensión, juntamente con mi mujer, en aquellos momentos de desaliento que experimenta todo investigador literario. Desde distintas perspectivas profesionales o personales, a las tres personas mencionadas en primer término mis más sentidas gracias.*

Tampoco debo olvidar aquí que a la señora Peggy Bynum, *quien trabajó anteriormente en el Departamento de Español y Portugués de la Universidad de Texas, se debe la copia definitiva del original. Para ella también mi agradecimiento.*

A. W. P.

1 de octubre de 1974
Universidad de Texas
Austin, Texas

12

Capítulo primero

LA MUERTE DE ALEJANDRO SAWA

En una humilde casa, que ocupaba el número 3 de la madrileña calle del Conde Duque, moría a los cuarenta y siete años de edad el escritor Alejandro Sawa, a la una menos cuarto de la madrugada del día 3 de marzo de 1909. Nacido el 15 de marzo de 1862, faltaba poco para que cumpliese los cuarenta y ocho años. Con la muerte finalizaron los sufrimientos físicos y espirituales que habían caracterizado la última parte de su vida. Murió ciego y loco, acompañado solamente por Juana, su mujer, y por su hija Elena, quienes vivían a su lado con ejemplar fidelidad y abnegación, a pesar de la extremada miseria y angustia económica de aquellos últimos años. El entierro de Sawa tuvo lugar el día siguiente, a las tres de la tarde, en el Cementerio del Este, según se anunció en la prensa [*El País*, 4 de marzo de 1909]. Acudieron al sepelio, presidido por sus hermanos Manuel y Enrique, entre otros, los siguientes amigos del finado [*Ibídem*, 5 de marzo de 1909] (1): Nakens, Valle-Inclán, Salaverry [*sic*], Castro-

(1) Vale la pena reproducir algún breve trozo de esta nota publicada en *El País*, por su acertada visión crítica tan poco frecuente en textos de este tipo: «¡Pobre Sawa! Se impuso como triunfador apenas vino de Andalucía en plena juventud. Se inició en la época en que moría el romanticismo y se iniciaba, como escuela revolucionaria, el naturalismo. Sawa fue un romántico adicto a la nueva escuela... Aquella estancia [la de París] mató al literato. Volvió a España, y, como sagazmente dice Luis Bello, fue aquí un emigrado del barrio Latino y de Montmartre. Fue un extranjero en su patria. Si Sawa hubiese podido permanecer en París, habría descollado en la literatura francesa, como el cubano Heredia en la poesía. Era un estilista magnífico. Más que a Víctor Hugo, se parecía a Paul de Saint Victor. Su crónica relatando la degradación de Dreyfus es impecable, perfecta, modelo de su género. Era un lector prodigioso y un orador espontáneo, natural, que nunca habló en público» (4 de marzo de 1909).

vido, Fernández Latorre, Bark, Dicenta, Fuente, Ginard de la Rosa, Salvador Rueda, Palomo Anaya, Domingo Blanco, Prudencio Iglesias, Arizmendi, Rigabert, Germaix, Peláez, Bernardo G. de Candamo, Hernández Luquero, Manuel Iglesias y la redacción de *El Despertar*, de Arévalo (2). Un nombre brilla por su ausencia: el de Rubén Darío.

La noticia del fallecimiento de Sawa apareció en los periódicos madrileños del mismo día en que ocurrió. En casi todas las notas necrológicas, además de testimoniarse el pésame a sus familiares, se insiste en el talento del notable y distinguido escritor, cuya ceguera le había mantenido un poco al margen de la vida literaria de Madrid durante los últimos años de su dolorosa existencia. Otros textos recalcan su fama de bohemio impenitente y su romanticismo ingénito, así como los años de residencia en París, adonde había marchado hacia 1889 o 1890 en busca de más amplios horizontes. Se menciona casi siempre su amistad con Daudet, Maupassant y, sobre todo, con Verlaine y algunos otros poetas del grupo simbolista. No deja de señalarse que Sawa fue en vida un tipo singular, un extravagante, en el gesto y en la palabra. Expresado el dolor causado por la desaparición de tan pintoresca figura del mundo literario, se facilitan en los periódicos algunos datos, muchas veces incompletos o equivocados, acerca de su obra de novelista y de sus colaboraciones en la prensa madrileña.

A pesar de las naturales exageraciones y del tono algo hinchado, debido a las circunstancias, copio algunos fragmentos de los diarios de Madrid como muestra de lo que se escribió sobre Sawa a raíz de su fallecimiento (3):

---

(2) Como la familia guarda otra lista de los que asistieron al entierro, a los nombres dados en el texto puedo agregar los siguientes: Andrés González Blanco, Domingo Blanco, Enrique Guijo, Emilio Prieto y Villarreal, Rodrigo Varela, Fernando López, Otelo Bark, José María Gascón y Francisco Ginestal. La lista en posesión de la familia la reproduce Alonso Zamora Vicente, «Tras las huellas de Alejandro Sawa», *Filología* (Buenos Aires), año XIII, 1968-1969, nota 5, p. 394.

(3) Otras notas necrológicas pueden leerse en los siguientes periódicos, en las entregas que corresponden al día 3 de marzo: *A B C*, *El Correo*, *La Epoca*, *Heraldo de Madrid* (con fotografía), *El Imparcial*, *El Motín* y *La Correspondencia de España*.

El 4 de marzo se publica una larga nota en *La Voz de Galicia* (La Coruña), periódico que dirigía en aquella época Miguel Sawa, hermano del finado. También, con fecha del día 15, se inserta una breve nota

...uno de los más primorosos estilistas... cuya firma fue un tiempo codiciada, cuya fama literaria pasó las fronteras.

Sawa, que en la plenitud de su fuerza creadora supo destacarse en Madrid y en París de entre la masa de luchadores por la gloria y la fortuna; Sawa, que fue alentado en los albores de su producción por el aplauso y la amistad bondadosa de Pi y Margall, batalló incesantemente contra la adversidad y la rutina, los dos enemigos inmortales de la intelectualidad en España. El libro, el periódico, la revista, el teatro, todos los géneros le fueron fáciles, sobre todos los escollos triunfó; pero si venció a la rutina y a la inepcia, no consiguió que la adversidad se le rindiera...

Ha muerto con la sola y amante compañía de su esposa y de su hija. Los amigos no abundan en los hogares humildes y menos en los días de prueba. Sawa hizo escribir una carta de despedida dirigida a un célebre dramaturgo, presintiendo su fin, queriendo decirle adiós, y ha muerto sin esta satisfacción que le sonreía en sus horas últimas. (*El Globo*, 3 de marzo de 1909) (4).

Con Sawa, desaparece una figura notabilísima y prestigiosa del Madrid literario. Pertenecía a aquella brillante bohemia, artista y animosa, que señalaba en España la existencia de una juventud más apta para subir a las cumbres del ideal, que para rastrear por el campo de la política en busca de un acta o de un partido...

En París permaneció varios años, los mejores de su vida, y el arte francés completó su temperamento meridional con un

---

necrológica en *La Ilustración española y americana* (LIII, núm. X, 15 de marzo de 1909, p. 155).

A mi amigo y antiguo colega Ramón Martínez López debo copia del texto publicado en *La Voz de Galicia*. Para él mis m2s sinceras gracias.

(4) Zamora Vicente [Art. cit., nota 5, pp. 389 y 394] reproduce esta última carta de Sawa, dirigida nada menos que al célebre dramaturgo Jacinto Benavente, en la cual presiente, desde luego, su fin y pide que vaya a verle con urgencia. Advierte con acierto Zamora Vicente, al comentar esa misiva: «Realmente, estas cartas [ésta y las publicadas por D. Alvarez] encierran una respetable dosis de literatura, de ese vivir en libro de que hablaba Rubén...» (p. 394). La carta en cuestión dice así: «Mi ilustre y querido amigo: Me estoy muriendo. Y me estoy muriendo como en mitad de un camino, camino de Pasión que no conduzca a ninguna parte. Estoy solo y perseguido por goces que me anuncian el infierno. Yo sé que es usted un hombre de corazón y lo llamo. ¿Quiere usted, urgentemente y sin pérdida de momento, venir a verme? Es una voz de la Eternidad la que lo llama a V. ¿Verdad que no me he equivocado, pensando que su corazón de V. está en relación de igualdad con su talento? Un abrazo, que tiene la pretensión de ser eterno; y la expresión de mi inmortal agradecimiento. Alejandro Sawa.» Y luego se añade: «Es copia. Nota: Esta carta no llevaba fecha. Fue firmada el 18 de febrero de 1909. Se entregó el mismo día, sin que se dignara contestar al llamamiento aquel a quien fue dirigida.»

15

refinamiento exquisito, que luego había de aromar sus futuros escritos...

Sawa, en fin, supo hasta el último instante ser bohemio, dentro de una caballeresca altivez, que acusaba el aristocratismo de su espíritu. (*El País*, 3 de marzo de 1909.)

... Ha muerto uno de los escritores más brillantes, de verbo más fecundo y de imaginación más espléndida que teníamos, aunque la actual generación no conocía tanto su nombre como debiera. Culpa de ello fueron dos males de este literato verdaderamente exquisito. El más cruel, la enfermedad que lo aquejaba y había llegado a privarle de la vista. El más imperdonable, su abandono de las letras en los últimos tiempos...

... Su barba hirsuta y su enmarañada melena, placíanle porque le recordaban la cabeza de Daudet. Otras veces se peinaba y usaba bigote solo, porque él decía que así se parecía a Edgar Poe, y no faltó época en que anduvo completamente afeitado, a título de evocación de Baudelaire...

Siempre grande, siempre fabuloso, viviendo en desterrado de una patria ideal, Alejandro Sawa, que hasta nombre tenía triunfal, ha arrastrado con dignidad de emperador destronado su existencia, hasta el último día. Ciego ya (él diría como Belisario), veíasele pasear lentamente al sol por la calle de la Princesa, apoyándose en un brazo familiar. Y caminaba con tal aspecto, que parecía que sus ojos iban desafiando la luz...

... A pocos escritores concedió la Naturaleza mayores dotes, y la suerte más halago para sus comienzos. De todas maneras, su personalidad queda en el recuerdo de la época. Así como su memoria puede quedar para una vida de leyenda. (*El Liberal*, 3 de marzo de 1909.)

Además de las notas necrológicas, en parte seguramente improvisadas con prisa en las mesas de redacción de los periódicos madrileños, se publicaron en aquellos días por lo menos dos artículos mucho más sustanciosos, acerca de los cuales quisiera llamar la atención ahora. El primero, titulado «Los malogrados: Alejandro Sawa», se debe al cronista Luis Bello y aparece en la primera plana de *El Mundo* (3 de marzo de 1909). El segundo texto es de Luis Bonafoux, quien dedica su habitual columna «París al día», en el *Heraldo de Madrid* (8 de marzo de 1909), a Alejandro Sawa. En recuerdo del viejo amigo y compañero, Bonafoux reproduce el artículo que había publicado hacía años en *El Español* con el título de «Sawa, su perro y su pipa»; título especialmente acertado, que obtuvo larga fortuna en el mundo literario de entonces, al fijar para siempre los dos atributos quizá más característicos del escritor andaluz (5).

_____

(5) Sería injusto no mencionar aquí otra página sobre Sawa escrita en los días inmediatamente posteriores a su muerte: José San

Luis Bello, al referirse a su pobre amigo y compañero de letras, prefiere no hablar de la dura y negra realidad de la vida de Sawa en los últimos años, sino recordar aquella época «...en que al verle pasar, seguido de sus perros, tan cortés como altivo, decíamos, con frase suya: "Ahí va el último olímpico"». Bello ve en él un símbolo de toda una juventud malograda:

... Sawa era, a los veinte años, la osadía, el talento, la elocuencia. Sawa era el triunfo. Bajo su cabellera de romántico, todas las audacias de pensamiento eran legítimas, y la época le llevó a cultivar la audacia del naturalismo, con el mismo aire de reto a la burguesía, a la vulgaridad que antes habían tenido Larra y Espronceda. Empezó a vivir cuando agonizaban los tiempos en que el lirismo era una cosa aceptada y estimada en el medio social, y en que los idealistas, hijos de la revolución, podían aspirar al premio de una posición positiva. Ese lirismo, esa pompa de la fantasía no fue para él un aspecto de la vida, sino toda la vida...

Un ambiente hostil al idealismo había apagado, pues, su juventud. Sobre la estancia de Sawa en París y el efecto producido en su vida escribe Luis Bello sagaces palabras:

La primera derrota de Sawa fue la expatriación. Emigró a París en cuerpo y alma, y cuando volvió había perdido su nacionalidad espiritual. La vida de Sawa en París no puede escribirla ya nadie, puesto que no la escribió él. Fue el único español de quien se sabe positivamente que arraigó en la vida del barrio latino y de Montmartre. Habló el francés como un clásico. Trató a los hombres más notables de las letras francesas, como un poeta entre los poetas, y los que conocemos la inexpugnable resistencia de París ante el extranjero, debemos admirar el talento y el carácter de este hombre, que con sangre mitad andaluza, mitad griega, fue alguien en París, sin fortuna y sin grandes obras...

Regresó, pues, a España como un extranjero, desarraigado, que aún vivía en París «por sus lecturas, por sus amores, por sus preferencias estéticas, y alguna vez, en

---

Germán Ocaña, «Iconografía literaria: Alejandro Sawa», *El Nuevo Mundo*, XVI (núm. 793, 18 de marzo de 1909). Además, como se desprende del texto mismo, el autor parece haber sido uno de los amigos que llevaba el féretro de Alejandro Sawa; a él dedica R. Cansinos-Assens unas breves páginas [*La nueva literatura*, vol. I, 2.ª ed., Madrid, 1925], en las cuales escribe: «...el noble discípulo de Alejandro Sawa, que prestó su juventud como una colina para que en ella reverberasen los últimos rayos del solar genio esplendente del maestro...» (p. 247).

la afectación aparatosa de sus maneras, sorprendió a sus amigos preguntándoles la traducción española de una frase corriente». Para Bello, quien reconoce que Sawa vivió entre gente insensible a sus ideales, sin posibilidad por ello de realizarse plenamente, pertenecía a la clase de los malogrados: «y que al hacer balance en la hora de la muerte hallan que su vida vale menos que ellos. Y por eso también creo que Alejandro Sawa encarnó el símbolo de toda una juventud». Muy comprensiva y acertada es esta página de Luis Bello.

De muy distinta índole es, por supuesto, el artículo de Bonafoux, escrito desde otra perspectiva temporal y que tan bien refleja el temperamento siempre irónico de su autor. Ese texto lejano tiene, sin embargo, cierto valor de profecía al censurar la consabida propensión de Sawa a la bohemia, que éste cultivaba, según Bonafoux, por mero gusto y no por necesidad («Estudiar la bohemia como carrera, con mucho amor y vocación, es sencillamente un desatino; hacerla inviolable, como la prerrogativa, es mayor desatino todavía»). Y ello permite al periodista hacer el pronóstico de que el vivir en medio del arroyo va a llevar a Sawa directamente a la tumba. Creo que en estas páginas se cuenta por primera vez la más conocida anécdota entre las mil y una que dejó nuestro escritor: para conocer a Víctor Hugo hizo a pie un viaje a París; el poeta francés le besó en la frente (aquí se habla de los labios), y para no borrar jamás la huella de este beso, Sawa no volvió a lavarse más la cara (6). Aunque siga todavía repitiéndose hasta hoy el hecho pintoresco, hasta el punto de que es casi lo único que se recuerda de Sawa, Rubén Darío precisó que se trataba de

---

(6) El novelista Eduardo Zamacois, al recordar cómo contaba la anécdota el propio Sawa, introduce alguna variante en el relato: «Dos años tenía yo —explicaba— cuando me acerqué al "dios", y, todavía ahora, el recuerdo de su mirada fulgurante me hace temblar... Víctor Hugoó me acarició los cabellos. ¡Qué felicidad —exclamó profético— deshoje sobre tu cabeza las "grosas fragantes del Amor y del Exito"!... Y me besó en la frente. ¿Queréis creer que, no obstante ser yo un niño, desde aquel día, *paga mejog* conservar el beso "del dios", me negué a lavarme la frente?... Después supe que mi hermano Miguel, que es un vulgar, me la limpiaba, cuando yo *dogmía*, con una esponja húmeda...» *Un hombre que se va (Memorias)*, 2.ª ed. (Buenos Aires, 1969), p. 175. Cabe agregar aquí que las leves deformaciones hechas por Zamacois para imitar la pronunciación de Sawa corresponden al hecho de que, según el novelista, regresó de París con un acento exótico, que convertía las *erres* en *ges* (p. 174).

una pura invención del terrible Bonafoux (7). No es ningún secreto que Alejandro Sawa fue desperdiciando a lo
largo de los años su innegable talento de escritor, sin
llegar nunca a cuajar de manera completa como literato

(7) En efecto, Bonafoux reprocha a Sawa su gran amor por la obra
y la persona de Víctor Hugo: «Mucho perjudica a Sawa su exaltada
devoción a Víctor Hugo, porque su personalidad, que es relativamente
al maestro una gota de agua, se pierde en ese mar del genio, mar sin
orillas, ni horizontes, donde jamás se pone el Sol... ¿No comprende
Sawa que si le han ofrecido al autor de *La pitié suprême* dos mormo-
nas, a él, si trillara el camino de Víctor Hugo no le ofrecerían dos
perras?»

Recordemos, por nuestra parte, que en la obra de Valle-Inclán
Luces de bohemia, cuyo protagonista es trasunto de Sawa, don Latino
llama a Max Estrella hiperbólico andaluz, el Víctor Hugo de España
(escena V), y, después de muerto, dice a la hija: «Que te sirva de
consuelo saber que eres la hija de Víctor Hugo» (escena XIII). Asimismo, cuando el poeta ciego recobra momentáneamente la vista, ve
en un rapto de alucinación los funerales de Víctor Hugo, que murió
en 1883 (escena XII).

Alejandro Sawa, obviamente molesto por algunas cosas dichas por
Bonafoux en el artículo en cuestión, le contestó en el siguiente número·
de *El Español*. Se reproduce la respuesta de Sawa también con el
texto de Bonafoux en el *Heraldo de Madrid* (8 de marzo de 1909), y
años después vuelve a copiarse en el *Heraldo de París*, cuyo director
era Bonafoux, con título de «Reminiscencia del culto a Víctor Hugo»
(Año III, núm. 46, 1 de marzo de 1902), con la siguiente nota intro-
ductoria:

El otro día comentaba López-Ballesteros unas quejas de Alejandro Sawa por el poco eco que han hallado sus artículos respecto de Víctor Hugo, escritos con motivo del próximo centenario del gran poeta.

No siempre se perdió en el vacío el merecido culto de Sawa
a Víctor Hugo. Hace unos veinte años, cuando Sawa y Bonafoux
hicieron sus primeras armas en periódicos de Madrid y en el
Círculo Nacional de la Juventud, Bonafoux hizo una crítica de
la idolatría que su amigo Sawa tenía por Víctor Hugo, a la que
contestó Sawa con notable carta —publicada en *El Español*—,
cuya reproducción, aun a través de tanto tiempo, resulta ame-
na y de toda actualidad...

Por nuestra parte, quisiéramos aprovechar la ocasión de transcribir
unos fragmentos de la carta que Sawa escribe para responder al artículo de Bonafoux:

Amigo mío: Vengo a querellarme muy amargamente de V.
Porque, sépalo V., ha sido injusto conmigo. Mejor dicho, yo
creo que V., a juzgar por el artículo que me hace el honor de
dedicarme en el último número de *El Español*, no me conoce
siquiera de vista. Y su artículo «Sawa, su perro y su pipa» sería
una buena pieza de acusación en un proceso en que se castigara
a los literatos que escriben con ligereza...

19

especialmente dotado. Tenía, desde luego, fama de ocioso (8), aunque a nuestro juicio, sin negar en su vida algunas épocas de suprema indolencia, no dejan de advertirse en la misma otros momentos en los que intentaba superar las difíciles circunstancias de su trayectoria literaria

Pero nada de esto importa para que V. sea imparcial y yo sincero. Si imparcialidad aquí consiste en no llamarme vanidoso porque escribo esta carta. Mi sinceridad, en ser franco. Se trata de mí. ¡Figúrese V. si por dondequiera que pase su vista sobre estos renglones, no ha de ver mi alma!

Me dirijo a V., que es tan aficionado a las síntesis, para decirle: «Allá va ésta: El artículo de V. es falso desde el principio hasta el fin».

Yo lo he leído con el gusto que puede usted suponer sabiendo lo que lo envidio, pero ¡qué quiere V.!, no he visto en él más que dos cosas que ya sabía de muy antiguo: Que es usted un escritor con muy poca moral, pero con mucho talento. Seguramente se vería usted apurado si le preguntasen qué cosa es Moral. En cambio, es V. descocado como un demonio y no tiene pelos en la lengua. Si en obsequio suyo resucitaran todas las figuras simpáticas de la historia, sería V. capaz de llamar feo a Jesucristo...

Pero yo no soy sólo un hombre que fuma en pipa y que tiene un perro, porque soy algo más de eso, como V. mismo lo sabe y lo reconoce en sus raros momentos de justicia; ni yo he ido *a pie* a París para conocer a Víctor Hugo, que he ido en coche de primera, y no fue un tren particular *para mí solo*, porque no me lo hubieron concedido... quizá por *avaricia* de la empresa; ni Víctor Hugo me besó, afortunadamente, en los labios, ni yo he dejado de lavarme la cara desde entonces para conservar la impresión del beso, porque con haberme dejado de lavar la boca, hubiera estado todo concluido; ni yo detengo a mis amigos a medianoche para recitarles mis artículos debajo de una farola de la Puerta del Sol, sino que, por el contrario, me llaman ellos orgulloso, porque creo que he nacido para algo más serio que para complacerles siendo en una sola pieza actor y autor; y crea usted, amigo *Aramis*, que esto me ha valido más de un disgusto: ni muchísimo menos, a pesar de mi amor a la intemperie, que recuerde, no he dormido nunca en los bancos de la plaza de Oriente ni en ningunos otros bancos, como no sea en el de España, donde me quedé dormido una tarde que me leían una poesía de don Manuel Cañete, de la Academia Española, ni..., en una palabra, que V. es de los muy pocos españoles que no tienen necesidad para conmover y herir fibras con su palabra, de pedir prestados a la fantasía elementos que existen de sobra en la realidad y en el poderosísimo talento de V....

(8) Por ejemplo, en su columna «Indiscreciones literarias», en *El País* (8 de mayo de 1899), Ruiz Molinari escribe la siguiente nota jocosa: «Alejandro Sawa prepara una obra titulada *Recuerdos de quince años de ocio*».

y vital. Es decir, que no se mostraba siempre del todo indiferente a sus responsabilidades, y era capaz, a ratos, de cierto esfuerzo de trabajo para sostenerse a sí mismo y mantener a la familia. De ahí que Bonafoux, desde los buenos tiempos de unos veinte años atrás, evoque la «trinidad trágica» de Sawa hombre, su pipa y su perro, que se confundían en una sola personalidad (9).

Algo más sobre los últimos días de Sawa y las circunstancias de su muerte

Ha sido ya varias veces reproducida la siguiente carta que en 1909 dirige Valle-Inclán a su amigo Rubén Darío (10):

> Querido Darío:
> Vengo a verle después de haber estado en casa de nuestro pobre Alejandro Sawa. He llorado delante del muerto, por él, por mí y por todos los pobres poetas. Yo no puedo hacer nada; usted tampoco, pero si nos juntamos unos cuantos algo podríamos hacer.
> Alejandro deja un libro inédito. Lo mejor que ha escrito. Un diario de esperanzas y tribulaciones.
> El fracaso de todos sus intentos para publicarlo y una carta donde le retiraban una colaboración de sesenta pesetas que tenía en *El Liberal* le volvieron loco en los últimos días. Una locura desesperada. Quería matarse. Tuvo el final de un rey de tragedia: loco, ciego y furioso.

Tiene excepcional importancia este escrito, porque aclara la verdadera génesis de *Luces de bohemia*, obra que no se publicaría sino unos once años más tarde y cuyo protagonista Max Estrella, poeta ciego y dipsómano impenitente, parece ser en gran parte una réplica del pro-

---

(9) En su crónica «Mi gato. Su filosofía de la vida» [*El País*, 18 de febrero de 1905] Julio Camba escribe: «Así como Azorín tiene un paraguas de seda roja y Saint Aubin una cigüeña y Sawa una pipa, yo tengo un gato negro».

(10) Dictino Alvarez, *Cartas de Rubén Darío* (Madrid, 1963), pp. 70-71. Ya me he ocupado de esta carta en una nota titulada «Sobre la génesis de *Luces de bohemia* [*Insula*, núms. 236-237, julio-agosto de 1966, p. 9] y, con anterioridad, en unas páginas más extensas con el título «Las cartas de Valle-Inclán a Rubén Darío» [*El Nacional* (México), núm. 1000, 29 de marzo de 1966]. Véase también, en relación con esto, mi nota «Sobre *Luces de bohemia* y su realidad literaria», en *Ramón del Valle-Inclán. An Appraisal of his Life and Works* (Nueva York, 1968), pp. 601-614.

pio Sawa. El sincero dolor de Valle ante la muerte patética del escritor, antes gallardo y teatral, ahora *ciego* y *loco*, informará de manera directa la compleja elaboración, en 1920, del primer esperpento (11). La citada carta es además un vivo testimonio del proceso creador de Valle, que toma un hecho de 1909 para trasladarlo a «un Madrid absurdo, brillante y hambriento», en época más contemporánea, al mismo tiempo que con su gran inventiva enriquece y transforma aquella antigua realidad. Por otra parte, las palabras de Valle facilitan datos significativos acerca del libro póstumo de Sawa, *Iluminaciones en la sombra*, que no deja de ser «un diario de esperanzas y tribulaciones», aunque en rigor encontramos pocas notas esperanzadoras en esas crónicas. De la obra y de las circunstancias en que se publicó hablaré en otra parte del presente libro. No he visto la carta de *El Liberal*, que, según Valle, contribuyó a precipitar la locura del desdichado escritor, pero en aquel periódico, donde tanto colaboraba Sawa en otros tiempos, no he hallado su firma hacia finales de su vida.

En esa misma carta quizá sea aún de mayor importancia otra frase sobre la cual quiero llamar ahora la atención. «He llorado —afirma Valle-Inclán— delante del muerto por él, por mí y por todos los pobres poetas.» Encuentro que estas palabras, sin duda sinceras y sentidas, evidencian no sólo ternura, sino también una actitud afectiva, entre sentimental y nostálgica, ante la bohemia literaria y los pobres artistas que la vivían. La muerte de aquel escritor amigo conmovió a Valle, como seguramente conmovería a otros que luchaban entonces para abrirse paso en el mundo literario. Triste es el olvido, y el eco de muchos escritores totalmente olvidados hoy pasará por estas páginas que ahora escribo: amigos y compañeros de Alejandro Sawa, desde Pedro Barrantes y Joaquín Dicen-

---

(11) Entre lo mucho que se ha escrito últimamente sobre *Luces de bohemia*, acerca de la elaboración de la obra y sus fuentes, resulta de imprescindible consulta el exhaustivo estudio de Alonso Zamora Vicente, *La realidad esperpéntica. Aproximación a "Luces de bohemia"* (Madrid, 1969).

Más reciente es la preciosa edición de *Luces* hecha por el mismo Zamora Vicente, publicada en Madrid en 1973, con importante prólogo (IX-LXVIII).

También tiene gran utilidad el ya citado artículo del propio Zamora, que se publicó en 1968-1969, con el título «Tras las huellas de Alejandro Sawa (Notas a *Luces de bohemia*)».

ta hasta Ricardo Fuente y Candamo. Quizá Valle pudo verse a sí mismo desdoblado en aquel escritor muerto que era, según Gómez de la Serna, «su parigual y su testigo» (12). Ni que decir que Valle conocía personalmente la penuria y hasta la absoluta miseria que rodearon a Sawa en los últimos años de su vida.

En este mismo texto que comentamos, Valle-Inclán alude necesariamente a la locura desesperada de Sawa y a su final de un rey de tragedia: *loco, ciego* y *furioso*. Otro de los más incondicionales admiradores del escritor andaluz fue Prudencio Iglesias, que solía dirigirse a él llamándole «querido gran maestro don Alejandro» (13). Le con-

---

(12) Ramón Gómez de la Serna, *Don Ramón María del Valle-Inclán* (Buenos Aires, 1944), p. 39.

Del mismo libro me permito citar aquí algunos fragmentos más destinados a explicar esa estrecha relación entre los dos escritores:

> «Sawa imbuyó en Valle-Inclán la idea de que en la miseria pura con atisbos de lo poético, hay algo muy grande que no tiene que ser secundado ni por el acierto ni por el éxito.
>
> Valle soportaba más su vida difícil porque se vio desdoblado en este inacabado literato que sólo tenía el lamento y el aullido del grande hombre pisado, poseyendo además la delectación de los ojos elevados hacia la cabalgata de los grandes ideales.
>
> Enseñaba así a los demás, pasando de una acera a otra al ciego ungido de orgullo artístico, a que cuando a él le llegase la hora alguien le sirviese de lazarillo.»

(13) Varias son las cartas de Prudencio Iglesias que conserva la familia López Sawa; en una de ellas, al acusar recibo a Juana Sawa de un ejemplar de *Iluminaciones en la sombra*, dice Iglesias que la portada del libro le recuerda «la casa del Conde Duque donde aquel Emperador sufrió y murió».

A la memoria de Alejandro Sawa dedica Iglesias su libro *La España trágica* (Madrid, 1913); la dedicatoria, muy extensa, dice así:

> «A aquel loco genial, bueno como un niño y malo como un pobre, espléndidamente dotado de las más altas y encontradas virtudes y vicios; estilista más formidable que existió jamás en lengua humana; no con el respeto inconsciente que a todos nos merece la tumba, sino con la veneración espantada que profesé siempre a aquel cerebro desquiciado y genial, le dedico mi libro.
>
> El nombre de Alejandro Sawa forma para mí una música lejana que me da escalofríos.
>
> Aquel ciego, mielítico y hambriento a quien escuché diariamente durante los dos últimos años trágicos de su vida, fue el único hombre de genio que yo he tratado. La incorrección moral, el impulso sin reflexión, la ira, la tempestad, pero siempre el genio.
>
> Ni Costa, ni Cajal, ni Pi..., nadie.

sideraba incluso superior a Galdós, aun cuando éste fuera el triunfador y aquél el vencido (14). En las generosas y afectuosas páginas en que habla de su amigo y de los postreros meses de su existencia, incorporadas al libro *De mi museo* (1909), Iglesias también se refiere a la locura de Sawa, abandonado ya por los amigos y cruelmente acosado por la vida. Y estas tristes circunstancias sirven de trasfondo a las siguientes palabras, que transcribo a pesar

> El genio era aquello —un genio del mal a ratos—, un genio roto por los riñones, sin guía, sin voluntad, sin método. Un genio loco que al comprenderse incapaz de disciplinarse, se desesperaba y mordía, como un lobo rabioso, todo lo existente. Grande como Hugo. Contradictorio, deslumbrante y peligroso como un hermano gemelo de Benvenutto.
>
> Aquél si que era Alejandro el Grande, tan grande, por lo menos, como el Macedonio.
>
> Bien, ¿y qué hizo?
>
> Nada. Leed el epitafio formidable de Manuel Machado» (pp. 5-7).

Quisiera dar las gracias a Angeles Prado por haberme proporcionado la copia de la dedicatoria que se reproduce en la presente nota.

He reproducido en su totalidad este texto por ser una buena semblanza de aquel hombre, dibujada por uno de quienes más íntimamente le trataron en los años finales de su vida.

(14) Me permito citar unos cuantos fragmentos de Iglesias en los que habla de Galdós y de Sawa:

> «... El público acepta con gusto la hegemonía de Galdós, porque lo ve a poca distancia de sí mismo, y lo considera, pues, como a uno de los suyos. Mientras que Sawa, por la jerarquía de su entendimiento, por el aristocratismo de su espíritu y hasta por su pulcritud física, no puede nunca formar entre los pelotones de la canalla contemporánea.
>
> Galdós es un novelista que domina la mecánica de su oficio; esto todos lo sabemos. Pero que se me señale una idea genial, una imagen, una escena plástica que acusen en Galdós una potencialidad creadora de primera fuerza...
>
> Los que han querido hacer de Galdós el hombre representativo de la literatura española contemporánea, ya verán cómo mi generación se revuelve airada contra ese acto inconsciente del autocratismo de unos pocos. Acordaos de Echegaray. La generación que precede a la mía, se alzó un día verecunda; y luego, en el choque de la lucha, enardecida, dejó de percibir los acentos de la verdad, y negó, injusta, a Echegaray hasta méritos rudimentarios.
>
> He dicho, pues, y repito, que no creo en D. Benito Pérez Galdós.»

Prudencio Iglesias, «Alejandro Sawa», en *De mi museo* (Madrid, 1909), pp. 85-87.

24

de su extensión, porque constituyen un importante testimonio sobre el final de la vida de Alejandro Sawa (15):

No hago en él [un artículo anterior, escrito el 1 de enero] más que una ligera referencia a los dolores de Sawa, porque en aquella época el enfermo se hallaba aún con toda la luz de su razón; y, por tanto, si yo hubiera relatado sus males, lo hubiera entristecido.

Hoy, que la inteligencia de Alejandro Sawa —algo desordenada, si queréis, pero compatriota del Genio— se abrazó con su hermana gemela la Locura; hoy, digo, ya puedo hablar sinceramente de este hombre, cuyo cuerpo sobrevive a su alma.

El día 18 de febrero del año actual, Alejandro Sawa amaneció completamente loco. El día anterior el enfermo presintió la catástrofe. Y este presentimiento, aunque tiene mucho de emocionante, no es extraordinario, si se piensa en las cualidades de vidente de este genial perturbado.

Alejandro Sawa siempre tuvo un plano de su espíritu vuelto completamente hacia la Locura. En los momentos de exaltación —y Alejandro Sawa se exaltaba por todo—, aquel hombre tomaba el aspecto imponente de un loco. En los momentos de intimidad, el Sawa que con voz sorda hablaba de sus abstracciones, hacía pensar al que le escuchaba si aquella poderosa inteligencia no se hallaría a muy escasa distancia de la Locura. Yo nunca he sentido la Locura tan cerca de mí como una tarde en que Alejandro Sawa, ciego mielítico, procuraba hacerme entender unas abstracciones algebraicas...

...Alejandro Sawa era un genio truncado, un genio al que le faltaba algo. Este algo era, indudablemente, equilibrio. En el cerebro de Sawa riñeron hasta última hora batallas sin cuartel el Entendimiento y la Imaginación. ¿Y quién venció de los dos? Ninguno. En los campos de batalla, sobre los cadáveres de los hombres revolotean los cuervos. Así hoy en el cerebro de Sawa reina la Locura. Para esto riñeron en aquel cerebro tan terribles batallas aquellos poderosos enemigos, para que se alzase con el botín esa maldita madre de los desgraciados.

Es indudable que Alejandro Sawa murió loco, pero quizá sea posible también pensar que fue la suya una locura intermitente. Es decir, que entre ráfagas de auténtica locura, sin duda muy violentas, tuvo momentos de relativa lucidez y tranquilidad. No sería dato perdido recordar a este respecto que su último artículo periodístico —sobre Napoleón, con el título «Tríptico»— lo publicó muy pocos días antes de morir (*El Imparcial*, 28 de febrero de 1909). Mediaría, en efecto, un período de unos diez días, si es que enloqueció el 18 de febrero, como afirma Prudencio Iglesias. ¿O sería este texto, como tantos otros, uno escrito mucho antes y meramente exhuma-

---

(15) *Ibídem*, pp. 91-93.

do años después, como era la inveterada costumbre de Sawa? Su obra póstuma, además de *Iluminaciones*, titulada *Calvario*, adaptación de *Jack*, de Alfonso Daudet, al español, vio la luz en *El cuento semanal* el 29 de junio de 1910, aunque en realidad no sé cuándo empezó a trabajar en ella. Por todo eso es muy posible suponer que en sus últimos días alternaran los raptos de locura con otros momentos de calma, en los que parecía haber recobrado la razón (16).

Otros testimonios sobre la muerte de Sawa

Uno de los concurrentes a los funerales de Sawa, el ya fallecido periodista Nicasio Hernández Luquero, describió en un artículo escrito a raíz de la muerte del escritor el velatorio en su casa de la calle del Conde Duque [«Alejandro Sawa, muerto», *El País*, 7 de marzo de 1909]. Copio de aquel texto algún fragmento:

¡Oh!, cómo llegó a impresionarme la pobre cámara augusta —porque allí yacía la envoltura carnal de un espíritu que yo tanto admiré, hierática, en una palidez divina—, la cámara pobre donde exhaló entre una locura postrera, horrible de varios días, la etereidad de su último aliento el poeta amigo de Verlaine.

Llegué atravesando un zaguán pobrísimo, de portón viejo, de una sola hoja y ascendidas unas limpias escaleras humildes, a la puerta de un interior de estos del Madrid antiguo, que caen a un patio de corredores.

Una joven llorosa, su hija Elena, me franqueó el paso, sentido el leve tintineo de una campanilla que yo hice sonar apenas, con emoción.

El cadáver del artista admirado, que nunca traté, descansaba en una sencilla caja negra sin hachones, ni emblemas religiosos, velado su último sueño por mujeres afectas —su Juana,

---

(16) Transcribo otro testimonio sobre la parte final de la existencia de Sawa: «Sus últimos tiempos han sido de martirio. Primero la disnea, después la nefritis, en seguida la ceguera; por último, la locura. Porque ha sido grande hasta para morir; porque ha sido magnífico hasta la última vibración tremenda de sus células mentales, que se rompieron de pensar en su tragedia íntima. Murió loco, como mueren los dioses menores de la tierra para quienes la débil caparazón craneana no basta a contener la fuerza gestacionaria de las ideas definitivas y solemnes. Ya decía Lombroso que el genio y la locura van del brazo por los caminos de la vida. Sawa ha salvado el abismo de transición entre estas paralelas que no son del todo de la tierra». José San Germán Ocaña, *art. cit.*

que tantas veces nombró cariñoso en su bella prosa; su hija, su hermana— y por la mirada fría de algunos retratos, con dedicatoria los más: Zola, Hugo, Musset, Poe y uno grande afectuosamente autografiado del «Panoze Lelián».

Según ese testimonio, además de la viuda y de la hija del difunto, se encontraba presente la hermana de Sawa, y también, quizá en un rapto de fantasía, escribe Hernández Luquero que «...una esbelta mujer extranjera, elegante, rubia, emergió de la oscuridad del angosto pasillo, mezcló en un abrazo sus lágrimas a las tristes de la compañera del poeta y orló de flores silvestres de casto aroma el ataúd sencillo...». Pero lo que impresionó sobre todo al periodista fueron las notas de blancura y de palidez que aureolaban el cadáver del escritor muerto:

... en muerte, envuelto en la blancura sencilla de un sudario, triunfal de aspecto, con su rostro de perfil clarísimo, como iluminado aún por la luz interna que encendió esplendorosamente de los más puros matices toda la magna urdimbre de sus soberbias quimeras... el que hoy se tiende aquí envuelto en blanco lienzo del que destaca la cabeza iluminada, marfilina... Ya se habían ido del cristal de un balconcito estrecho los tonos suaves del crepúsculo. En la estancia, en silencio, sólo era luminosa la frente blanca del artista iluminada aún, diríase, por la luz interior que encendió esplendorosamente de los más puros matices toda la urdimbre de sus soberbias quimeras, la luz que iluminó el cerebro creador...

Transcurridos muchos años, al evocar otra vez la muerte de Alejandro Sawa, Hernández Luquero recuerda otro detalle visual que antes no había señalado, cuando tanto insistía en la luminosidad y palidez del rostro del difunto. Ahora ha escrito (17):

(17) N. Hernández Luquero, «Recuerdo literario: Alejandro Sawa», *El Diario de Avila* (2 de marzo de 1967). Debido a la gentileza de mi amigo Ildefonso-Manuel Gil tengo copia de este texto, y quisiera darle las más sinceras gracias por ella.
En el texto de 1909, ya citado, Hernández Luquero afirma claramente que no trató a Alejandro Sawa, pero en 1967 dice haberle conocido, aunque sólo hablara con él una vez, en la redacción del periódico *La Lucha* (bisemanario republicano), que dirigían Joaquín Dicenta y Eduardo Zamacois. De aquella rara publicación de 1905, donde seguramente colaboró Sawa, he podido ver un solo número, que no tiene nada de Sawa.
En un artículo reciente [«Alejandro Sawa, un olvidado», *A B C*, 22 de mayo de 1974], Hernández Luquero se olvida del hilillo de sangre, pero nuevamente insiste en aquella blancura: «Su semblante era magníficamente blanco, la frente se dijera iluminada por la luz interna que alumbraba sus soberbias quimeras».

Sawa murió en plena penuria económica, y envuelto, en sus últimos días, en el velo siniestro de la locura. Le vi en el ataúd, en un humilde piso de la travesía del Conde Duque. De una de sus sienes corría un hilo leve de sangre, que se había coagulado. Obra fortuita de un clavo de la pobre caja...

El novelista Eduardo Zamacois, amigo íntimo de Sawa desde la bohemia de París, al rememorar su velatorio, había destacado el detalle de la blancura de la piel del muerto manchada por un hilillo de sangre (18):

> Murió Sawa «en belleza», sin una contracción en el hermoso semblante, sin una frase torpe ni un gesto feo. Dentro del ataúd y a la luz de los cirios, parecía un mármol. Detalle escalofriante. Un clavo de la caja le había lastimado la sien y de la herida salió un hilillo de sangre, que cuajó en seguida. Ese clavo, sobre el que apoyaste la frente para dormir tu último sueño, ¡pobre hermano!... es el símbolo cruel de tu historia triste.

Alonso Zamora Vicente ha estudiado de manera exhaustiva y con pleno conocimiento de causa la casi increíble exactitud real de muchos de los detalles que entran en la compleja factura de *Luces de bohemia* de Valle-Inclán. Un elemento, aunque mínimo, en el que se fija el crítico es el clavo a que se refiere Zamacois y luego Hernández Luquero (19). En las apostillas con las cuales se abre la escena XIII de *Luces*, Valle escribe:

> Velorio en un sotabanco. Madama Collet y Claudinita, desgreñadas y macilentas, lloran al muerto, ya tendido en la angostura de la caja, amortajado con una sábana, entre cuatro velas. Astillando una tabla, el brillo de un clavo aguza su punta sobre la sien inerme...

y Zamora Vicente comenta (20):

> ...Realmente, ese clavo no tiene mucho que hacer dentro de la armonía total del esperpento, ni siquiera en la de la escena... Pero es que resulta que el tal clavo existió, y existió como Valle lo retrata, y que, probablemente, el hecho de que ese clavo hiriera en la sien de Sawa, produjo la suficiente impresión estremecedora para que no fuese olvidado. Muchos otros elementos podrían haber sido recordados en el ambiente triste y helado del sotabanco donde se vela el cadáver... Lo hirió [el

(18) Eduardo Zamacois, *ob. cit.*, p. 177.
(19) Alonso Zamora Vicente, Prólogo a la edición citada de *Luces de bohemia*, pp. LII-LIII.
(20) *Ibídem.* Sobre el mismo particular, véase del mismo *La realidad esperpéntica*, pp. 125-126.

clavo] y brotó sangre. ¿No tenemos derecho a pensar ahora que la afirmación de Soulinake, sosteniendo que Sawa no estaba muerto, pudo decirse *en serio* en algún momento, quizá en el instante inmediato al hilillo de sangre, que causaría el natural asombro, y que, cosa bien natural, se echase de menos la presencia de «una autoridad completamente mundial» que refrendase o aclarase la situación? Sí, claro que sí.

Vistos hasta ahora con cierta prolijidad algunos pequeños detalles que rodearon la muerte de Alejandro Sawa, cabe preguntarse por qué dedicarles tanto espacio y qué importancia pueden tener para los fines del presente ensayo. En parte hemos hablado de tales hechos mínimos porque a veces lo que aparece con toda objetividad en otros textos (el caso del clavo) ha sido aprovechado por su valor novelesco en algunas obras de ficción de la época. Paradójicamente, resulta todavía posible enriquecer nuestro conocimiento de aquellas trágicas circunstancias de los últimos días de la vida de Sawa a través precisamente de las creaciones de Valle y de Baroja. Y otra cosa debiera aún agregarse aquí. Al menos en parte, Sawa vive en los recuerdos de la época, tanto por su muerte como por su vida; quizá más por la teatralidad y pintoresquismo de la persona que por los méritos intrínsecos de su obra.

Fue Baroja el primero que traslada, en 1911, la realidad de la muerte de Sawa a un capítulo de *El árbol de la ciencia* (sexta parte, capítulo VIII), donde se presenta la muerte del escritor loco y ciego, Rafael Villasús, que había pasado, antes de fallecer, tres días y tres noches vociferando y desafiando a sus amigos literarios. La escena no ocupa demasiado espacio en la novela, puesto que en realidad el poeta bohemio no es en ella sino un personaje muy secundario. Por otra parte, Baroja, como más adelante veremos, sentía poca simpatía por Alejandro Sawa, y no creo que le preocupara gran cosa su desaparición. Aquella realidad de 1909, por lo demás, era para Baroja seguramente una realidad vivida de manera indirecta o lejana y no un motivo de verdadera compasión. Quizá vale la pena anotar que en las memorias de don Pío no aparece la muerte de Sawa. Algunos años más tarde también Valle-Inclán se ocupará de la misma circunstancia, pero con mayor extensión por tratarse del protagonista de *Luces de bohemia*, cuya escena decimotercera se consagra a una descripción pormenorizada y en diálogo

29

del velatorio grotesco de Max Estrella. Es decir, que ambos autores consideraron aptos para sus respectivas figuraciones novelescas ciertos hechos reales de la muerte de Alejandro Sawa, y cada uno a su modo reelabora aquella realidad penosa para aprovecharla en su propia creación artística. Hay, sin embargo, una significativa diferencia. Para Valle se trataba de una realidad que le conmueve de veras, aun cuando el tratamiento artístico a que la somete en 1920 sea tragicómico. No olvidemos que frecuentó la casa de Sawa en aquellos últimos días de su existencia y asistió también a su entierro. Revivía, pues, una realidad conocida, y esa característica, mezcla de ficción e historia, es presentada en un tono en que se confunden los elementos de la farsa y de la tragedia.

No me interesa comparar aquí en detalle las dos versiones de la muerte de Sawa. Los hechos presentados por Baroja y Valle son sustancialmente iguales, a pesar de ciertas claras divergencias. Veamos algunos puntos de semejanza. La turba de desharrapados y bohemios, los amigos de Villasús en la versión de Baroja, son los poetas del parnaso modernista que Valle caracteriza como «tres fantoches en hilera». En el texto de Baroja aparece un viejo:

> En esto entró un viejo con melena blanca y barba también blanca, cojeando, apoyado en un bastón. Venía borracho completamente. Se acercó al cadáver de Villasús, y con una voz melodramática gritó:
> —¡Adiós, Rafael! ¡Tú eras un poeta! ¡Tú eras un genio! ¡Así moriré yo también! ¡En la miseria, porque soy un bohemio y no venderé nunca mi conciencia. No!

En *Luces de bohemia* se trata, naturalmente, de don Latino, el compañero inseparable de Max y, según Claudinita, el asesino de su padre, que irrumpe en la casa, en idéntico estado de embriaguez, y que desvaría con una típica retórica:

> —¡Ha muerto el Genio! ¡No llores, hija mía! ¡Ha muerto y no ha muerto!... ¡El Genio es inmortal!... ¡Consuélate, Claudinita, porque eres la hija del primer poeta español! ¡Que te sirva de consuelo saber que eres la hija de Víctor Hugo! ¡Una huérfana ilustre! ¡Déjame que te abrace!

En las páginas de Baroja, los amigos del difunto creen que se hallan frente a un caso de catalepsia; antes de la llegada del médico Andrés Hurtado, habían hecho ya horrores con el cadáver, quemándole incluso los dedos con fósforos para ver si reaccionaba. El mismo fenómeno de la catalepsia se encuentra, como se recordará, en *Luces de bohemia*, aunque sea otro personaje, Basilio Soulinake (Ernesto Bark), quien insiste en la idea de hallarse ante un hombre dormido. Se discute el asunto con la portera, y a ésta se le ocurre aplicar un espejo a la boca del muerto, comprobación que es rechazada por anticientífica (21). En esto llega el mozo del coche fúnebre para conducir el cadáver al Cementerio del Este, y él falla el caso aplicándole una cerilla encendida al dedo pulgar de la mano.

Sobre estas dos variantes literarias de la muerte de Sawa existe ya una pequeña bibliografía. Me refiero al interesante pero a veces poco afortunado artículo de Ricardo Senabre titulado «Baroja y Valle-Inclán, en dos versiones de la muerte del poeta Alejandro Sawa» (22). Dejando a un lado algunas pequeñas inexactitudes acerca de la ·

---

(21) Un dato interesante sobre este pequeño hecho: Hernández Luquero, que se encontraba en la casa del difunto, recuerda así el episodio del espejo, en su citada nota «Recuerdo literario: Alejandro Sawa»: «... Pero a Valle-Inclán, siempre extraño y fantástico, se le antojó que Alejandro estaba vivo. Hubo que buscar un espejo, que, ¡cosa natural!, no reflejó el aliento del elegante cronista».

Cuando en su carta a Guillermo de Torre sobre la identificación de los personajes de *Luces de bohemia* Azorín habla de Soulinake (Ernesto Bark), dice: «... ni Ernesto Bark es tal Ernesto Bark. En los días en que se publicó el libro tuve ocasión —casualmente— de ver cuán irritado, indignado, estaba Bark». Guillermo de Torre, «Valle-Inclán o el rostro y la máscara», en *La difícil universalidad española* (Madrid, 1965), p. 141.

Para más datos sobre Ernesto Bark, véase Alonso Zamora Vicente, *La realidad esperpéntica*, pp. 34-37. De interés especial, dentro de este contexto, es la confirmación que se ofrece del enojo de Bark contra Valle-Inclán: «... Azorín me ha recordado en una conversación privada que Ernesto Bark, al leer la entrega de *Luces de bohemia* donde se narra el entierro, se dejó arrebatar por la furia y arremetió contra Valle-Inclán a bastonazos, calle de Alcalá, acera del Banco de España. Azorín recuerda cómo Valle-Inclán, "un poco asombrado", le consultó que debía hacer» (p. 37). También se cita un fragmento de las Memorias de Baroja en que el novelista habla de la riña con Valle: «... era Ernesto Bark, letón, alto, rubio y con aire de alucinado, extraño. Bark daba lecciones de varios idiomas y se mostraba radicalísimo. Tenía tipo verdaderamente raro...»; y luego añade: «... Le conozco [a Bark] de verle en la calle y porque es amigo de Sawa. Ha tenido últimamente una riña con Valle-Inclán, no sé por qué, y se han amenazado, y Bark ha levantado el bastón». *Desde la última vuelta del camino* (Barcelona, 1970), vol. I, p. 762.

(22) Ricardo Senabre, «Baroja y Valle-Inclán, en dos versiones de la muerte del poeta Alejandro Sawa», *Despacho literario* (Zaragoza), 1960, p. 10. Debo la lectura de esta página a la bondad del amigo Jorge Campos.

persona y la obra de nuestro autor que poco importan en el presente contexto, resumamos a grandes rasgos el estudio comparativo que hace Senabre de esas dos versiones. Al examinar la forma en que se presentan los hechos en *El árbol de la ciencia*, Senabre ve desde luego un trasunto de Sawa en la persona de Villasús; pero luego, después de reproducir las palabras con que Baroja describe la llegada del viejo borracho al cuartucho del bohemio, no duda en identificar a este personaje algo grotesco con el mismo Valle-Inclán. Asimismo copia el crítico la perorata melodramática del recién llegado para afirmar:

En resumen: es indudable que la copia trasluce el original. Baroja oiría contar la muerte de Sawa y, modificando el relato, lo aprovechó en su novela. Pero no cambió lo material, siguiendo en esto los propósitos estéticos que gobernaron la realización de *El árbol de la ciencia*, ya que lo que Baroja pretendió fue plasmar una contrafigura suya en el personaje de Andrés Hurtado, con una intención autobiográfica.

Cierto es, como dice Senabre, que Baroja no gustaba de la bohemia literaria, pero dudo que viera «con ojos compasivos» el caso de Villasús. Más dudoso aún, a mi juicio, es ver en aquel viejo melodramático, de barba y melena blancas, un trasunto de Valle-Inclán, ni en lo físico ni en lo espiritual, aunque las relaciones entre Baroja y Valle tuvieran sus momentos de tensión.

Cuando se ocupa Senabre de la segunda de las versiones, la que ofrece Valle en *Luces*, cree que en la persona de don Latino se nos quiere recordar a aquel viejo que figura en la versión de Baroja: «¿Sería muy arriesgado —pregunta el crítico— aventurar que intentó pintarse a sí mismo, a su modo, a través del personaje de don Latino?»; y afirma: «Podemos aceptar la hipótesis provisionalmente, a falta de otros datos más concluyentes.» Como no me parece muy convincente la tesis de Senabre, me permito abrir aquí un breve paréntesis sobre la figura nunca del todo identificada de don Latino de Hispalis. Azorín, a quien consultó Guillermo de Torre sobre la identidad de los personajes de *Luces de bohemia*, no pudo precisar la filiación del asiduo compañero de Max Estrella (23). Torrente Ballester cree percibir en él algo de Die-

(23) En su aludida carta a Guillermo de Torre [*ob. cit.*, p. 141], dice Azorín: «... Se me escapa Latino Hispalis; pero debe de ser un tipo imaginario. La carpeta de revistas que lleva consigo, ¿qué significa? ¿Repartidor de revistas?»

go de San José (24), y hace tiempo escribía yo mismo (25):

... nos preguntamos si se ha de ver, quizá, en este amigo de Marx, siempre calificado de perro, alguna vaga alusión a los perros que solían acompañar a Sawa por las calles de Madrid. También don Latino encierra otros rasgos genéricos del escritor de aquel entonces: había hecho periodismo en París y llevaba mala literatura de entregas.

Más tarde Zamora Vicente, a quien siempre hay que acudir al referirnos a estos asuntos, ha creído que se trata en realidad de «una contrafigura de Alejandro Sawa, representada con otra cara de la medalla» (26). Por último, quiero recordar que Hernández Luquero me ha dicho que don Latino siempre le había hecho pensar en otro tipo bohemio, Vicente del Olmo, que llevaba constantemente del brazo a Sawa en los meses finales de su vida. En el último artículo del mismo sobre Sawa [*ABC*, 22 de mayo de 1974] encuentro confirmación del dato que me proporcionó verbalmente Hernández Luquero: «Claudicante la salud de Sawa, paseó las calles que fueron escenarios de su ex soberbia prestancia del brazo de un lazarillo, y de tal hacía Vicente del Olmo. Aquel perro, que irrumpía con él teatralmente en el Café Colonial, vagaba mohíno, sin rumbo y triste, y a su señorial dueño había que encenderle la pipa. Tras la ceguera advino la locura; pero antes de que huyera la luz de su cerebro decía a sus íntimos: "Sólo me consuela en esta perpetua tiniebla el no poder ver los abominables dibujos de Juan Gris".»

_____

(24) Gonzalo Torrente Ballester, «Historia y actualidad en dos piezas de Valle-Inclán», *Insula* (núms. 176-177, julio-agosto de 1961), p. 6.
(25) «Sobre *Luces de bohemia* y su realidad literaria», *art. cit.*, página 609.
Sobre Sawa y sus perros ha escrito Zamora Vicente [*La realidad esperpéntica*, pp. 47-48] lo siguiente: «... el hombre que andaba y andaba por las calles de Madrid con un perro, ese perro que Sawa empleaba para llamar la atención, que usaba seguramente no por afición, sino por elemental necesidad de lazarillo, y que Sawa literatizaba equiparándose a sí mismo con Alfonso Karr, el escritor francés a quien quería parecerse y quien también siempre andaba con un perro...».
Para otras anécdotas sobre Sawa y los perros, véase Rafael Cansinos-Assens, «Alejandro Sawa, el gran bohemio», *Indice*, XV (núm. 149, mayo de 1961), y de Hernández Luquero la nota ya citada «Recuerdo literario: Alejandro Sawa» publicada en *El Diario de Avila*.
(26) Alonso Zamora Vicente, Prólogo a la edición citada de *Luces de bohemia*, p. 83, nota 13. También *La realidad esperpéntica*, p. 47.

Regresemos ahora un momento al estudio de Ricardo Senabre. En él se apunta que Baroja toma en serio la muerte de Villasús, mientras que Valle nos da una deformación paródica y ridícula de la realidad, actitud que caracteriza el arte del esperpento:

> Baroja, por otra parte, no podía tampoco ni siquiera esbozar una alusión al modernismo como escuela literaria, ni al pomposo «Parnaso Hispano-Americano» de don Latino. El sólo ve allí un grupo de desharrapados, y le parece demasiado desagradable y mísero para intentar una parodia... Lo que para Baroja es un bohemio constituye para Valle-Inclán la esencia del español digno. Valle-Inclán está recordando sus contactos con esta bohemia. Baroja, en cambio, tiene unas opiniones muy distintas...

Finalmente, Senabre contrasta otra coincidencia final: la del mozo del *coche fúnebre* (Baroja) o de la *carroza fúnebre* (Valle):

> Lo que para Baroja era un «coche fúnebre», en Valle se convierte en una «carroza»; es decir, algo suntuoso, como corresponde al «maestro» del «Parnaso Hispano-Americano», y a la vez ridículo, si pensamos que el muerto es un pobre hombre, que ha muerto en la miseria, ciego y loco. A continuación, Valle-Inclán nos presenta un muñeco, caracterizado por sus detalles más sobresalientes, pero siempre deformados... En conjunto, el ridículo no puede llegar a extremos más feroces y deprimentes. Estamos ya alejadísimos de la técnica barojiana de observación realista y objetiva. Digámoslo una vez más: hemos tropezado con la clave del «esperpento» valleinclanesco.

Sin embargo, para precisar la actitud de Valle, no del todo desvalorizadora, remitimos de nuevo a la carta dirigida por él a Darío, en la que se advierte la verdadera génesis de *Luces de bohemia*. Agreguemos también el dato importante de que uno de los rasgos más notables de todo esperpento es la tensión estética lograda por la continua fluctuación entre lo trágico y lo cómico.

En 1967 se publicó un excelente trabajo de Peter N. Dunn con el título «Baroja y Valle-Inclán: la razón de un plagio» (27), donde se precisa, sobre todo, una significativa diferencia de actitud entre los dos escritores al presentar el mismo material. Dunn señala con perspicacia la posibilidad de que cuando Valle escribe *Luces de bohe-*

---

(27) Peter N. Dunn, «Baroja y Valle-Inclán: la razón de un plagio», *Revista Hispánica Moderna*, XXXIII (núms. 1-2, enero-abril de 1967), páginas 30-37.

mia no sólo tome como punto de arranque la realidad de la muerte de su amigo Sawa, sino que reaccione además «ante la interpretación barojiana de una manera moral, artística y personal» (p. 32). Aporta para ello también el recuerdo de un fragmento anterior de *El árbol de la ciencia*, en que Andrés Hurtado reflexiona sobre el heroísmo cómico de Villasús, a quien llega a calificar de «¡pobre imbécil!» (p. 33), junto al desdén que Baroja parece sentir por su personaje (p. 35). Finalmente, Dunn escribe con innegable acierto la siguiente página, que copio en parte, porque puntualiza una sensible diferencia de actitud literaria:

> Se comprende que lo que parece, a primer vista, un plagio, no es un sencillo fenómeno literario, sino que responde a un complicado juego de actitudes personales y artísticas. Estas se reducen, *grosso modo*, a dos necesidades. Primero, el deseo de rectificar la injusticia de la versión barojiana... Baroja subraya lo cómico, lo absurdo, y ¡pobre imbécil! es su frase lapidaria. El género esperpéntico será todo lo intransigente que se quiera, pero en cuanto al protagonista, resulta más compasivo que en *El árbol de la ciencia*. En segundo lugar, se ve el deseo de sobrepujar a Baroja en el acercamiento a la realidad y en su recreación artística.

Entre otros muchos detalles, el mismo crítico pasa a estudiar como toque realista el episodio del perro que salta por encima del ataúd en que yacía Sawa, y cuyo antisentimentalismo «...se enlaza instantáneamente con el antisentimentalismo generalizado del *esperpento*; el "realismo" plástico del perro parece garantizar la terrible verdad reflejada en el espejo cóncavo. No es éste un realismo fotográfico, sino el realismo de la pesadilla, un *frisson* cinematográfico a lo Buñuel...». Y cuando un poco más adelante escribe Dunn lo siguiente, a mi juicio se aproxima a la verdad del caso:

> ...Teniendo en cuenta la presencia de Valle a la muerte de Sawa, los esfuerzos que hicieron él y Darío por reunir el dinero para publicar su libro póstumo, *Iluminaciones en la sombra*, se comprende que uno de los móviles en la composición de *Luces de bohemia* podía ser ese imperativo de imponer el respeto al dolor ajeno: el dolor de Sawa, de Darío, de Valle, de «todos los pobres poetas», ultrajados por Baroja (pp. 36-37).

En algún sentido, pues, la muerte de Alejandro Sawa, que sucumbe en la miseria a los cuarenta y siete años, víctima hasta cierto punto de su propia bohemia, representa quizá el final de una época. No quiero decir que fuera él el último de los bohemios profesionales, pero con Sawa murió en España algo que iba pasando y que ya no podía existir dentro del siglo veinte. Creo que algo de eso intuyó Gonzalo Sobejano en su excelente artículo sobre *Luces de bohemia*, cuyo escenario, aquel Madrid tantas veces calificado de absurdo, brillante y hambriento, es evocado con una vaga nostalgia por Valle-Inclán (28). Insisto: al morir Alejandro Sawa, el bohemio por antonomasia, algo que no se repetiría fácilmente pasó para siempre. Habían cambiado las circunstancias, y así su figura, real en 1909, comienza a adquirir poco a poco contornos míticos, sobre todo al incorporarse a la ficción en 1920 (29).

_____

(28) En el artículo aludido [«*Luces de bohemia*, elegía y sátira», *Papeles de Son Armadans*, XI (núm. 127, octubre de 1966), pp. 89-106] Gonzalo Sobejano ha visto con gran acierto una cosa singular: con la visión satírica, propia de todo esperpento, va fundida la visión lírica de la elegía. De este trabajo ejemplar quisiera citar unos pequeños trozos pertinentes aquí: «En los otros esperpentos todo lo invade la sátira con su ironía, comicidad grotesca o sarcasmo. En *Luces de bohemia* la sátira va al lado de la elegía o fundida con ella: el artista condena los desvaríos de una época y se despide, contristado, de un mundo caduco... El mundo caduco no es otro que el del individualismo de progenie romántica, contemplado al débil resplandor de sus últimas luces... La emoción elegíaca gira alrededor de la bohemia heroica de Max Estrella..., es el bohemio heroico. El bohemio heroico se distingue del bohemio golfante porque posee genialidad de artista sin talento para saber vivir, mientras que el bohemio golfante no posee genialidad de artista pero sí cierta maña para vivir la sombra del artista genial...» (pp. 89-90).

(29) Debido a la gentileza del autor, Ildefonso-Manuel Gil, y de nuestro común amigo Pablo Beltrán de Heredia, me han llegado ahora unas páginas muy importantes tituladas «De Baroja a Valle-Inclán» [*Valle-Inclán, Azorín y Baroja*, Madrid, 1975, pp. 9-46], en las cuales el fino crítico y escritor Gil examina, con detenimiento y conocimiento de causa, el tratamiento literario dado a las circunstancias de la muerte de Sawa en las citadas obras de Baroja y de Valle-Inclán, así como a la tantas veces repetida (y para Gil exagerada) identificación Sawa-Villasús-Max Estrella.

Aunque quizá no pueda aceptarse del todo la tesis de Ildefonso-Manuel Gil —mediante la cual parece restar a Valle-Inclán cierta libertad creadora en la semblanza que ofrece en *Luces de bohemia* de Alejandro Sawa—, argumenta su caso con suma eficacia y lo defiende con sutiles razonamientos. Por tanto, un resumen de tan denso e inteligente aporte al tema merece intentarse aquí. Es excusado decir que el ensayo de Gil es mucho más que un examen de hechos reales o inventados, ya que en él se puntualizan ciertos significativos rasgos de estilo en ambos escritores.

Gil no niega, naturalmente, la ecuación de Sawa-Max Estrella, pero le parecen discutibles ciertas circunstancias que envuelven al protagonista de *Luces:*

> ... Porque esas coincidencias biográficas no son elementos más importantes, ni aun más numerosos que los que proceden de la propia personalidad de Valle-Inclán y de un arquetipo de la bohemia modernista madrileña montado con rasgos procedentes de diverso origen, reales unos e imaginarios los demás... Max Estrella tiene del Sawa real mucho menos que del real Valle-Inclán que le atribuyó sus propias ideas, en vez de inventarle las que le pudieran corresponder como criatura de ficción; ni siquiera se preocupó por dotarlo de un lenguaje propio: lo usó como portavoz suyo.
>
> Los datos que el autor tomó de la vida de Sawa son valiosos y quizás concurrieron de modo importante en la génesis de *Luces;* en el proceso creador, lo que hizo Valle fue irse alejando cada vez más hacia una criatura superior al ser real de quien había partido inicialmente y mucho más completa que él. Pienso que la línea directa no fue de Sawa a Max Estrella, sino al revés... (pp. 18-19).

Opina, con razón, que la identificación ha sido llevada demasiado lejos por la crítica, y no deja de mencionar que Azorín, en carta a Guillermo de Torre, afirmó categóricamente que Max no tenía nada de Sawa. Es indudable, a mi juicio y conforme a lo que cree Gil, que en la persona de Max hay elementos tomados de las más distintas fuentes: de Sawa, de Valle mismo, y de todo bohemio de la época. Y en la creación del personaje de *Luces* se funden todos ellos de una manera u otra debido al genio creador de Valle.

Al comentar los dos velatorios, el mismo crítico plantea toda una serie de preguntas inteligentes, y llega a la conclusión de que «ver en el bohemio Villasús, cuando aparece en vida, un trasunto de Alejandro Sawa es poco admisible» (p. 26), y, más adelante afirma, «el hombre real que Baroja vio así, pese a no sentir por él ninguna simpatía, es inconciliable con el Villasús de *El árbol*» (p. 27). Resume Gil su pensamiento al escribir:

> ... Lo importante es que un tipo como Alejandro Sawa no puede ser novelizado en una criatura tan ridícula y vulgar como el viejo chiflado de esa página barojiana, salvo que la mala conciencia del autor lo llevara a ensañarse con el presunto retratado. Ni nuestro respeto por Baroja ni el tono de su escrito nos dejan admitir tal posición (p. 37).

Aquí Gil se acuerda, como lo hemos hecho nosotros también en el texto del presente libro, de otro personaje barojiano, el bohemio Betta de *Silvestre Paradox*, notable por la misma belleza física que era aparente en Alejandro Sawa. No deja de percibir el fino ojo del crítico en el mismo personaje algunos intencionados recuerdos de Darío («cara de cerdo triste», «admirable», p. 42); cita también las páginas de Baroja sobre el pintoresco Cornuty (pp. 27-30); y anota que don Pío, tan dado al relato de anécdotas de la bohemia, no hace una sola mención en sus *Memorias* del velatorio de Sawa. Tampoco hay referencia a él en una obra tan llena de episodios del mismo tipo como es la de Ricardo Baroja (pp. 30-31).

Se reproduce aquí por primera vez el artículo de Hernández Luquero publicado en 1967 sobre la muerte de Sawa, copia del cual el mismo Gil me había proporcionado hace años y por cuyo obsequio le he dado ya las gracias (ver capítulo I, nota 17). Ahora bien: el crítico cuyo excelente trabajo glosamos quiere aceptar esa página como testimonio directo de los hechos, pero pasa a escribir:

> ... No obstante... Los hechos se cuentan cincuenta y ocho años después de ocurridos; el autor había conocido a Sawa —y había hablado una sola vez con él— bastante tiempo antes de la muerte del novelista, con lo que todavía se retrocede cronológicamente. ¿A qué edad se escribió esta evocación de Sawa? ¿Qué edad tenía su autor cuando frecuentaba redacciones y tertulias literarias en Madrid? Hay en el artículo rasgos retóricos que lo identifican perfectamente con la época, pero hay otros detalles que hacen sospechar de la nitidez de los recuerdos. Si nuestro objetivo fuera estudiar la vida y la obra de Sawa, tendríamos que revisar cuidadosamente tal testimonio. Por de pronto, apuntemos nuestra mayor razón de desconfianza, directamente relacionada con nuestro tema: atribuir a Valle-Inclán las dudas y los absurdos hechos derivados de ellas es algo que nos resulta extremadamente difícil creer. Porque si hubiera sucedido así, sería mucho más desconcertante que nadie lo haya contado: que una anécdota valleinclanesca de tamaño calibre no haya sido contada por nadie, es algo muy cercano a lo inverosímil... (pp. 34-35).

Por experiencia personal, quisiera añadir aquí que los recuerdos que tenía Hernández Luquero no eran siempre nítidos, ni mucho menos; tampoco tenía un archivo de Alejandro Sawa, como afirma en su artículo de 1967, o por lo menos tengo graves dudas sobre la existencia de esos papeles.

Dentro del mismo contexto surge el grave problema del clavo, tantas veces señalado por la crítica, y también recuerda Gil al mismo tiempo que Zamacois no se refiere a las dudas expresadas sobre la muerte o la catalepsia (p. 37). Lo que no ha conocido Ildefonso-Manuel Gil es el primer artículo que escribió Hernández Luquero a raíz de los hechos, en 1909. En él no hace ninguna mención del clavo ni de la sangre coagulada ni la anécdota inverosímil de Valle-Inclán y el espejo. Todo esto pertenece al texto de 1967. En 1909 veía sobre todo la hermosura del finado, destacaba la blancura y palidez de su cara. Hay que suponer, pues, que, con el transcurrir del tiempo y a cierta distancia de los hechos, Hernández Luquero comenzó a fantasear mucho los últimos momentos de la existencia de Sawa.

Aunque Gil se equivoca, a mi juicio, al referirse a la escasísima atención que la prensa dedicó a la muerte de Sawa, afirma con innegable acierto que por las circunstancias tan macabras y pintorescas «... cada detalle de sus últimos días y de su muerte sería contado y recontado en las tertulias literarias y artísticas, ambientes propicios a la hipérbole, a la invención y a la reelaboración ingeniosa» (p. 38). Y finalmente opina:

En conclusión, creo que la versión del velatorio contiene elementos aportados por la imaginación del autor y que están presentes en la versión de *Luces*, en cuya génesis —por modo leve— y en cuya realización —por modo muy directo y «reactivo»— jugó un importante papel la novela de Baroja. Desde una fuente común, fuera de la índole que fuese, los dos autores habrían ido a parar necesariamente a visiones más alejadas. Las coincidencias— y el tono de las discrepancias— sólo se explican por una relación directa entre ambos textos, y no entre los hechos de que tratan (pp. 39-40).

Con razón Ildefonso-Manuel Gil rechaza, como lo he hecho yo arriba, la errónea hipótesis de Senabre (incidentalmente, no comparto el aparente entusiasmo que tiene Gil por esa contribución al tema) de que Valle-Inclán se reconociese en el viejo Villasús (p. 41), y luego va al grano advirtiendo el distinto punto de vista de cada autor ante las circunstancias tan similares narradas en las obras en cuestión y ante sus personajes. En Baroja se percibe la degradación y, en cambio, el tema en Valle adquiere cierta grandeza (p. 42). Creo que Gil acierta plenamente al establecer esa diferencia de actitud, y confirma una vez más algo que tantas veces he tratado de explicar: en el arte del esperpento hay un abismo entre la teoría del desinterés (la superación del dolor y de la risa) y la práctica misma. La toma de posición del autor ante la realidad y ante sus criaturas no puede ser desinteresada y totalmente sin compasión. Leamos las finas consideraciones de Gil, que merecen tenerse en cuenta en el estudio de todo esperpento valle-inclanesco:

... En cambio, el tema adquiere grandeza en manos de Valle-Inclán; lo grotesco y lo trágico se funden, demostrando la eficacia estética, emotiva y ética del esperpento.

La anécdota ha sido ampliada e intensificada. Ni uno solo de los elementos ha desaparecido al pasar de la novela al esperpento, y todos han resultado enriquecidos... (p. 42).

Con todo cuanto se ha escrito sobre la distancia a que Valle-Inclán se colocaba respecto a sus personajes esperpénticos, así como de esa perspectiva tan de arriba a abajo, el cotejo de ambos textos muestra frialdad en Baroja y pasión en Valle-Inclán. Por eso mismo, lo que en el primero no pasa de ser trivial, o a lo sumo pintoresco, se convierte en tragicomedia en el segundo (p. 43).

Pese a sus propias declaraciones, el autor de *Luces de bohemia* está junto a sus personajes y no en una lejana y elevada distancia. Cuando hace padecer a Max Estrella, lo compadece, padece con él. En el entierro del poeta fracasado, don Ramón estuvo representado por el Marqués de Bradomín, pero en otros pasajes de la misma obra estaba viendo la acción desde dentro, con sus ojos, su mente y su corazón al nivel de las miradas, ideas y sentimientos del personaje (p. 46).

Importantes son, pues, estas páginas y constituyen un verdadero aporte al tema de Sawa y al estudio de la literatura de Valle y Baroja. Así puede justificarse sin duda el amplio espacio que he dedicado al resumen de este capítulo del libro de Ildefonso-Manuel Gil.

CAPÍTULO II

LOS PRIMEROS AÑOS: DE ANDALUCIA A MADRID
(1862-1890)

Resulta hoy extremadamente difícil reconstruir con
exactitud y con todos los detalles pertinentes la vida breve de Alejandro Sawa, no sólo por la escasez de datos concretos, sino también por lo que pudiera denominarse el
mito de Sawa, que no deja de desvirtuar, en más de una
ocasión, la verdad de los hechos. Asimismo las infinitas
anécdotas que se cuentan de este pintoresco personaje,
tan ampliamente conocido por sus gestos exteriores en el
Madrid de entonces, ayudan muchas veces a la creación
de historias falaces, a las que el propio escritor gustó de
contribuir con su verbo cálido y declamatorio. Además,
una buena parte de la documentación que se llevó de Madrid Juana Poirier, su viuda, sufrió por lo visto daño irre-
parable; durante la última Guerra Mundial tuvo ella que
abandonar su casa cerca de París y refugiarse en Borgoña. Lo que ha quedado de los papeles que poseía la viuda
de Sawa, que se volvió a casar con otro español radicado
en París, llamado Enrique López, está ahora en manos de
uno de los nietos de Sawa, Fernando López Sawa, que
vive en Madrid, quien ha solido recibirme con toda generosidad y poner a mi entera disposición todo lo que tenía
de interés en relación con su abuelo. Conviene precisar,
además, que el propósito de mi ensayo no es hacer un estudio biográfico de la vida de Sawa, sino uno literario de
su obra de creador.
Con estas reservas, la vida de Sawa, que tantas incógnitas encierra todavía para el estudioso, puede dividirse
cómodamente en tres partes, de extensión distinta y de
actividad literaria de tipo variado. El primer período, que
podría considerarse el de su juventud, transcurrida en

Andalucía y luego en Madrid, abarca alrededor de unos veinticinco años y llega aproximadamente hasta 1889 o 1890. Hacia esta fecha el joven Sawa parte para París, con lo que se inicia otra etapa, aunque más breve, de su vida. Parece que permanece en Francia unos siete años, o sea hasta finales de 1896. De regreso a Madrid, comienza la última parte de su existencia, la más triste y más difícil, que durará unos doce años hasta 1909, cuando muere en las circunstancias de que hemos hablado en el capítulo anterior.

Su obra literaria puede también ajustarse, en términos generales, a las mismas divisiones cronológicas señaladas en su vida. Durante la primera etapa madrileña de su juventud, antes de marchar a París, Sawa publica sus cuatro novelas más largas y más conocidas, así como otros relatos menores. Parece que colaboró relativamente poco en los periódicos de aquella época, aunque lo afirme con las debidas reservas. Asociado con el anarquismo literario, forma parte, como veremos, de una generación intermedia entre los ya viejos del 68 y los jóvenes que iban a aparecer poco después, con el comienzo del nuevo siglo. Mientras vive en París poco trabaja Sawa, aunque existe la posibilidad de que colaborase en periódicos y revistas del país vecino. En aquellos años publicó poco en Madrid. Y luego, durante el último período madrileño, de 1896 en adelante, se dedica principalmente al periodismo, y aparecieron en distintos sitios las crónicas luego reunidas en *Iluminaciones en la sombra* (1910), de publicación póstuma, aparte de las muchas páginas que han quedado dispersas en la prensa de la capital. También a esta época corresponde el estreno de *Los reyes en el destierro* (1899), adaptación al español de la conocida novela de Alfonso Daudet.

Pero aún hay algo más. Sin querer falsificar su trayectoria literaria a base de esquemas simplistas y cómodos, es posible ver en Sawa una clara evolución ideológica que se adapta al mismo curso cronológico y geográfico. En su primera etapa, anterior a la parisiense, explora en sus novelas todas las posibilidades del naturalismo, uno heredado de Zola y otros epígonos del fin de siglo, en este caso entre los españoles López Bago. Luego, después de haber vivido en el extranjero, en íntimo contacto ya con la literatura simbolista y con sus representantes más destacados, regresa a Madrid fuertemente influido por el idealis-

41

mo. Ahora su obra de periodista, ya muy alejada del tono sombrío y bestial de sus anteriores novelas sociales, se caracterizará más que nada por una veta idealista, que proviene de modo directo de los años pasados fuera de España. De ahí que Rubén Darío pueda hablar en su artículo «Novelas y novelistas» de la época del naturalismo en España en los siguientes términos (1):

> ... Al surgir victoriosos esos nombres [la Pardo Bazán, Alas, Palacio Valdés], un grupo en que bien podía haber un talento igual, mas no certera orientación, se presentaba, en el deseo de hacer algo nuevo, de encauzar en España la onda que venía de Francia. Era la época del naturalismo. Nadie se atrevería a negar el valer mental de López Bago, de Zahonero, de Alejandro Sawa; pero la importación era demasiado clara, el calco subsistía. López Bago, en cuya buena intención quiero creer, tuvo un pasajero éxito de escándalo y de curiosidad. Sus obras eran abominadas por los pulcros tradicionalistas y por los mediocres que le envidiaban su buen suceso. Se trataba de verbosos análisis, de pinturas de vicio, escenas burdelescas, figuras al des-

---

(1) Rubén Darío, «Novelas y novelistas», en *Obras completas* (Madrid, 1950), p. 1119.
Dentro del mismo contexto, quisiera añadir aquí unas palabras que transcribo de una buena semblanza de Sawa que escribe Francisco Macein [«Bohemios españoles. Alejandro Sawa», *La Revista Blanca*, 15 de febrero de 1899, pp. 398-400], en la cual se lee finalménte:

> Con todo su talento, el autor de *Crimen legal* no sabe dónde volver los ojos para la realización de sus ideales, ni encuentra tribuna donde defenderlos, y cuanto más discurre, más se atolondra y menos acierta.
>
> Le encontraréis muchas veces vagando por las calles a la ventura, sin norte ni rumbo fijo; con la cabeza levantada, distraída la vista, obsesionado en un pensamiento, buscando la solución de un problema irresoluble por el momento: el de la lucha por la existencia.
>
> Sawa, como todos los pensadores jóvenes, no es hijo de este régimen. Si lo fuera, sería un hijo espurio. Es un soñador cuyas utopías no verá realizadas hoy porque ha vivido muy de prisa.
>
> De su pluma sólo gotean maldiciones lo mismo para los hombres que para las cosas. La sociedad le odia porque no ha llegado a comprenderle; él odia a la sociedad porque la ha estudiado a fondo y sólo ha visto vicios y defectos. En todas sus obras hallaréis la exhalación de un profundo pesimismo y la revelación palpable del desaliento.
>
> El publicista ruso Ernesto Bark afirma que Sawa y Dicenta son aquí los portaestandartes del naturalismo.
>
> Para mí, son de los pocos escritores españoles que se atreven a poner su pluma al servicio del ideal (p. 400).

Agradezco a la profesora Lily Litvak el haberme llamado la atención sobre este texto de Macein.

nudo y frases sin hoja de parra. Zahonero siguió un naturalismo menos osado. Sawa, muy enamorado de París, y más artista, se apegó a los patrones parisienses, y produjo dos o tres novelas, que aún se recuerdan. Alejandro Sawa es un escritor de arte, insisto, y el naturalismo no fue propicio a los artistas: era una literatura áptera.

Lo que me interesa señalar aquí es que muy pronto Sawa, como observó bien Darío, deja atrás las truculencias de su primera época, la del novelista afiliado al naturalismo, por ser incompatibles con el ideal artístico que cultivaría más tarde. Después de todo, el naturalismo tuvo una vida de relámpago en España, de apenas quince años poco más o menos.

Alejandro Sawa y Martínez nació en Sevilla, y no en Málaga, como tantas veces se ha dicho, a las siete y media de la mañana del día 15 de marzo de 1862. En Málaga, por lo visto, se crió (2). En efecto, años después Sawa se refiere al día 15 de marzo en los siguientes términos:

> Mes de San José para los devotos. Mes de los equinoccios para los navegantes. Mes de los equinoccios para mí. Si me fuere preciso probarlo me bastaría con decir, glosando el amargo decir de Larra, que en un día 15 de marzo nací.
> Y llueve sin interrupción desde hace más de veinte días. ¡Oh la triste letanía verleliana [sic]!
>
> *Il pleut dans mon coeur*
> *comme il pleut sur la ville.*
>
> (*Iluminaciones*, p. 122.)

Era hijo de un comerciante, que importaba vinos y productos ultramarinos de toda clase, llamado también Alejandro y natural de Carmona. La madre del futuro escritor, María Rosa Martínez, era oriunda de Sevilla. Alejandro fue el mayor de cinco hijos: Miguel, Manuel, Enrique y Esperanza.

Oportunamente hablaremos de los tres hermanos de Alejandro, dos de ellos escritores (Miguel y Enrique) y el otro una figura conocida de la bohemia madrileña de principios de siglo. En la partida del bautismo, que tuvo lugar en Sevilla el 18 de marzo, consta que el abuelo paterno, Manuel, era natural de Smirna (Grecia); recordemos que

---

(2) Sawa escribe categóricamente en su Autobiografía: «He nacido en Sevilla, va ya para cuarenta años, y me he criado en Málaga...». *Iluminaciones*, p. 178.

Alejandro aludía a ello años después, en una triste carta dirigida a Rubén Darío en 1908 (3):

> ... Pero ahora, hijo de griego y descendiente de griegos, mi vida no sería inferior, como tema si a de un Sófocles que la narrara en forma teatral, porque yo soy un Edipo abandonado en la mitad de un camino cualquiera que no conduce a ninguna parte. Luego estoy muy enfermo de todo.

En una ocasión, de la palabra *Grecia* escribe Sawa lo siguiente:

> El nombre de Grecia me hace pensar en el poder mágico que tienen algunas palabras fulgurantes. Aun siendo ese nombre la expresión de una realidad geográfica, de una realidad histórica y de una realidad étnica, parece un mito. (*Iluminaciones*, pp. 107-108.)

o en otra hay una variante sobre Grecia en un pequeño fragmento recogido en «Días pasados...», columna miscelánea de Sawa en el periódico *ABC* (27 de enero de 1904): «Es maravilloso lo que ocurre con las resurrecciones de la historia. ... Al mentar a Grecia, olvidamos la geografía contemporánea y parece como si en vez de nombrar al pasado se invocara al porvenir.»

Acerca de esta fusión de sangres, incluida la hebrea, y de su herencia biológica se ha fantaseado mucho para explicar en Sawa su exuberante temperamento artístico, así como su propensión al ensueño y a los hiperbólicos raptos de la imaginación, tan característicos del escritor. Por ejemplo, de Luis París, uno de los primeros amigos que tiene al llegar por primera vez a Madrid, son las siguientes palabras referidas a su personalidad y a su herencia (4):

> Andaluz de nacimiento y con antecedentes griegos en la familia, como lo prueba su apellido, posee todas las condiciones peculiares de los individuos que pertenecen a las actuales razas orientales: ampulosidad en la expresión, exuberancia en la hipérbole, ductibilidad de carácter, fantasía inagotable, amor entrañable a la oratoria y fe inmensa en el poderío de la forma. Con estos caracteres heredados, aumentados por la permanencia en Andalucía durante los primeros años de su vida, y con la educación puramente subjetiva que hoy recibe la juventud en los centros de primera enseñanza, herido más que impresionado por toda la literatura romántica que constituye la lectura habi-

---

(3) Dictino Alvarez, *Cartas de Rubén Darío*, p. 64.
(4) Luis París, *Gente nueva*, p. 105.

tual de los adolescentes, con Espronceda, Becquer y Lamartine, desleídos en la masa de la sangre, necesariamente tuvo que resultar un lírico fecundo y poderoso, más próximo a la rima que a la prosa, más hueco que macizo, más lleno de color que correcto en la línea, aljamiado y multiforme...

El padre de Alejandro Sawa, a quien aparentemente quería mucho, muere en 1905. A ese hecho alude en una carta a Darío, en la que le pide ayuda y luego en otra más concreta y más breve, donde le precisa que el fallecimiento ocurre a las once y cuarto de la mañana (5). También en *Iluminaciones* pueden leerse estas frases acerca del doloroso hecho:

> Mi padre acaba de morir, hoy 16 de junio de 1905, a las once y diez minutos de la mañana: son las once y media.
> Mi mano está firme al escribir estas líneas y mis ojos secos. Es que yo no concibo la muerte, que no tiene para mí sino un valor puramente verbal, que no tiene sino una transcendencia meramente fonética de consonantes y de sílabas. Ahí está en la alcoba de al lado, el cadáver de mi padre, y yo aquí, ante mi mesa, escribiendo estas líneas. Cuando se lo lleven para siempre, cuando lo pierda materialmente, entonces se asomará el dolor a mi boca y a mis labios. Ahora lo tengo aquí quieto en mi corazón como una fiera amodorrada.
> Ya rugirá, fatalmente, porque yo me voy a quedar sin lo mío y porque la naturaleza humana exuda en todas mis crisis el dolor. Lloraré también y haré, instintivamente, animalmente, lo que todos los hijos buenos con su padre.
> El está aquí, conmigo. Juana está aquí también, conmigo. Fue más de él que mía durante el lapso de su enfermedad, la santa. El muerto está conmigo, estamos juntos, está sereno, está tan bello como fue siempre, y más majestuoso, y más imponente que nunca (¡ah, ése sí ha sido el último condestable!) y yo, un poco aturdido por las veladas en que fui atolondrado colaborador de Juana para cuidarlo, me encuentro sentado aquí, ante mi mesa, escribiendo signos de alfabeto, automáticamente, como un vulgar amanuense que transcribiera cosas corrientes de la vida (pp. 202-203).

De la madre de Sawa he podido averiguar muy poco. Era de carácter excesivamente apacible, y durante la enfermedad que precedió a su muerte fue atendida también por Juana, la mujer del escritor. Después de haber fallecido hace años, Sawa alude a ella en otro fragmento de ese mismo libro (6); también he visto que en la dedicatoria

---

(5) Dictino Alvarez, *ob. cit.*, p. 62.
(6) Sawa escribe en *Iluminaciones* (p. 143) sobre su madre el siguiente fragmento: «Pido a Dios, si lo hay, tres cosas; y si no quisiera concederme sino una, le pediría Fe. Fe, aunque me obligaran a vivir

de *Crimen legal* a su hermano Miguel Sawa, añade Alejandro una breve nota que dice: «Dile a mamá que también hay para ella un cachito de dedicatoria.»

En realidad, escasos datos tenemos de la juventud de Sawa, transcurrida principalmente, como dijimos, en Málaga antes de que marchara a la corte. Fue estudiante en el Seminario de Málaga, y quizá se remonte a aquellos años la sólida cultura clásica, que con cierta frecuencia demuestra tener en sus escritos. Mucho tiempo después, en 1901, G. P. Arroyo recordará en un artículo de periódico el romanticismo suyo de aquellos tiempos. De él dice además (7):

> ... aquel muchacho serio, cetrino de color, de expresiva mirada, con su *pardesú* color verde botella, que, por tanto tiempo, con la inseparable pipa, fue la característica de su persona.

y un poco más adelante recuerda con nostalgia a su amigo y a sus inocentes diversiones juveniles:

> Después de la representación [la de *Los reyes en el destierro*] recordamos muchas cosas: aquellos barcos, surtos en el puerto, en los que, con las «Odas de Horacio» sin traducir y el Raimundo Miguel en olvido, pasábamos el tiempo, soñando con empresas homéricas; aquellos nuestros primeros versos, recitados al arrullo dulce de las olas y bañados por la luz irisada de la infancia; aquellas correrías en las que, con seriedad impropia de los años, queríamos aparecer como genios desconocidos; aquellos *premios* que, al siguiente día de nuestras excursiones, nos regalaban por el olvido en que yacían las «Fábulas de Esopo» y los versos de la gramática de Calixto Hornero...

El Sawa evocado por su compañero seminarista es el que publicó en 1878, a los dieciséis años y con dedicatoria al obispo de Málaga, un pequeño folleto titulado *El Pontificado y Pío IX (Apuntes históricos)*, que lleva como pie de imprenta la del Centro Consultivo. Constituye este peque-

---

en un estercolero; Fe, aunque los gusanos destruyeran mi cuerpo en vida; Fe, aunque los hombres me escupieran en la cara al encontrarme por la calle; Fe, aunque mi cuerpo fuera patria de la enfermedad y mi alma corte de la idiotez; Fe, Fe, Fe. Fe en Dios; Fe en su justicia infinita; Fe en la tierra y en el cielo.

El espectáculo de mi madre determina este deliquio; de mi madre hemipléjica; de mi madre clavada en un sillón y no pudiendo realizar movimiento alguno voluntario; de mi madre, tres veces santa —santa, santa, santa—, viviendo en un infierno y sonriendo a la vida con la sonrisa luminosa de los bienaventurados.»

(7) G. P. Arroyo, «Un poeta muerto», *El País* (25 de agosto de 1901).

ño folleto, de cincuenta y cinco páginas, una especie de apología y defensa de Pío IX, que acababa de morir entonces. ¡Y así resulta que el futuro colaborador de la biblioteca de *El Motín*, de Nakens, y autor de novelas naturalistas, con fuerte sabor anticlerical, inicia su obra literaria con estas juveniles páginas de apología católica en 1878! Del breve prólogo del autor, que ocupa las páginas V-VIII, copiamos a título de curiosidad algunos fragmentos:

... y nos hacemos cada vez más dignos de llegar a ese progreso indefinido, aspirada meta de nuestros constantes deseos, cuyo punto seguramente no se podrá alcanzar, al no ser que sea caminando por las vías morales; por las vías de la justicia, y, sobre todo, por las de la religión, que reasume en sí todas las conclusiones que del progreso podamos entresacar, porque en último resultado, ella es, o debe ser, la fuerza motriz que nos impulsa, que nos anima, que nos empuja, que coloca en nuestros corazones y en nuestras inteligencias todo lo que sea perfección, adelanto, cultura, ilustración, y en general progreso humano; no se puede concebir un pueblo culto sin ser religioso, como no se puede concebir un pueblo que viva, que lata, que exista compuesto de escépticos; son dos principios que se contradicen, son dos fuerzas que se destruyen y aniquilan.

... ...

El temor, pues, de que se propaguen por entre las cándidas masas que a todo muestran asentimiento, las infinitas patrañas, los criminales libelos, las rencorosas anécdotas que sobre Pío IX cunden conducidas por el vehículo de la prensa, de la palabra y hasta de la cátedra, me obligan bien a pesar mío, a romper el silencio que mi humildad de fuerzas intelectuales me imponen, y a dar como he dicho antes, un sonoro mentís a los adulterados hechos que en labios del vulgo corren, sobre la vida del que lo fue durante su apostolado santísimo del mundo, sobre el venerable Pío el Magno.

No se me oculta ciertamente, no soy el llamado, dada mi insignificancia, a romper lanzas en un torneo, donde la bondad de la causa que defiendo me anima, pero donde mis escasísimos conocimientos me confunden; bien comprendo que existiendo plumas tan potentes en España como las de los eternos paladines de la justicia que en ella existen, se presenta hasta cierto punto injustificada mi misión; pero el sentimiento de justa indinación que en mí se operaron por los agresivos ataques de que ha sido víctima el santo antecesor de nuestro amado León XIII, el afán de arrebatar de las mentes de los superficiales que todo lo acojan con igual beneplácito, las inmundas historietas que los destructores de la armonía social han dado en cundir, hacen que, olvidando todas estas causas, me presente audazmente ante un público a quien por vez primera me dirijo, suplicándole haga abstracción completa de mi humilde personalidad en esta trascendental cuestión, y que supla a las bellezas de la dicción y del fondo, la buena y decidida voluntad que durante su desarrollo me ha animado; es una súplica indispensable en todo prólogo, y doblemente más indispensable en el mío, que ha de servir de presentación a mi desconocido y humilde nombre en un mundo que desde luego reconozco no debe ser profanado por el que, como el que estas líneas escribe, ningún título le asiste, ninguna autoridad le recomienda para comulgar con la hostia de las ideas ante el altar de la Literatura y la Ciencia, esas dos hermanas gemelas que nos ennoblecen.

Así, con largas e interminables frases retóricas, escribía el casi adolescente escritor, que se creía destinado a la misión de disipar «las espesas nieblas de la ignorancia» en las que permanecía sumido su pueblo. También se sabe que hacia esa misma época estaba matriculado en la Facultad de Derecho de la Universidad de Granada, en el curso académico que correspondía a los años de 1877 y 1878.

Unos pocos años más tarde llega Alejandro Sawa a Madrid, donde permanecerá hasta su marcha a París. La fecha de su llegada a Madrid se ha fijado hacia el año de 1885, que es, desde luego, el año de la publicación de su primera novela (8), y en una de las páginas críticas iniciales sobre la obra de Sawa, el ya mencionado amigo Luis París afirma que «recién venido a Madrid, fue el autor de *La mujer de todo el mundo*» (9). Resulta lógico por tanto aceptar como fechas aproximadas las de 1884 o 1885 para señalar el momento en que Sawa comienza a residir en la capital. En efecto, puedo ofrecer ahora mayores precisiones sobre la fecha de llegada de Alejandro Sawa a Madrid, que debe de haber sido hacia 1881. Más adelante se citarán algunas palabras de Bonafoux, quien recuerda haber conocido a Sawa en el Círculo Nacional de la Juventud, organización intelectual formada por González Serrano en el año de 1881, que tuvo una existencia muy fugaz. Al redactar, en 1886, la «Nota al lector» que precede a *Declaración de un vencido*, la tercera novela publicada en 1887, donde se perciben indiscutibles resonancias autobiográficas, quizá recordara al autor de aquella época y a las ilusiones que pudo haber tenido a raíz de su llegada a Madrid:

> Muchas veces me ha ocurrido pensar lo que en esta sociedad nuestra, tan azotada por la ambición, deben sufrir esos inteligentes jóvenes que vienen desde provincias a comenzar por

---

(8) Luis S. Granjel, «Maestros y amigos del 98: Alejandro Sawa», *Cuadernos Hispanoamericanos* (núm. 195, marzo de 1966), p. 431.

(9) Luis París, *ob. cit.*, p. 105.

Madrid la conquista de Europa, sin más bagaje que un drama, una novela, o una obra literaria cualquiera, bien acondicionadas en el fondo del baúl, y dos o tres cartas de recomendación para otros tantos personajes en la corte.

Todo esto ha sido fielmente observado —sigue diciendo Sawa—, y al escribir su novela *D'après nature* llega a identificarse totalmente con su protagonista, cuya triste historia se narra en el libro:

... Lo titulo *Declaración de un vencido*, porque Carlos, con genio; Carlos, artísticamente hermoso; Carlos, potentemente organizado por dentro y por fuera, fue abatido, tirado a la trocha, vejado y maldito por sus raquíticos compañeros de jornada; y fue tan vencido, que lo obligaron al aniquilamiento propio. Sin embargo, merecía vivir.

... No tuvo, entre quinientos mil hombres que forman la población de Madrid, uno solo que lo animara en sus desfallecimientos, ni le tendiera la mano cuando iba a caer, y su cara acongojada lo revelaba a gritos. Verdad es que mi amigo era demasiado orgulloso para pedirle socorro a nadie...

En otra parte el propio Sawa nos ha hablado de modo más directo de lo que representa esa época madrileña en su vida de hombre y de novelista. Lo hizo en la Autobiografía publicada en *Alma española* (II, núm. 9, 3 de enero de 1904, pp. 10-11), que forma parte de la conocida serie denominada «Juventud triunfante», posteriormente recogida en su libro de crónicas. De aquellos primeros años madrileños escribe:

... Mis primeros tiempos de vida madrileña fueron estupendos de vulgaridad —¿por qué no he de decirlo?— y de grandeza. Un día de invierno en que Pi y Margall me ungió con su diestra reverenda, concediéndome jerarquía intelectual, me quedé a dormir en el hueco de una escalera por no encontrar sitio menos agresivo en que cobijarme. Sé muchas cosas del país Miseria; pero creo que no habría de sentirme completamente extranjero viajando por las inmensidades estrelladas. Véome vestido con un ropón negro de orfandad cuando recuerdo aquel período; pero yo llevaba por dentro mis galas. Eso me basta para mitigar el horror de algunas rememoraciones... (*Iluminaciones*, p. 178.)

Asimismo, facilita Sawa detalles concretos acerca de su producción literaria en aquel período remoto:

En poco más de dos años publiqué, atropelladamente, seis libros, de entre los que recuerdo, sin mortales remordimientos: *Crimen legal*, *Noche*, *Declaración de un vencido* y *La mujer de todo el mundo*. (*Ibídem*, pp. 178-179.)

Al referirse en el mismo texto a la etapa posterior de su vida, mucho más feliz que la de su estancia en Madrid, continúa Sawa diciendo: «Luego mi vida transcurrió fuera de España —en París generalmente— y a esa porción de tiempo corresponden los bellos días en que vivir me fue dulce» (*Ibídem*, p. 179).

Me he referido ya a dos de las novelas que menciona su autor y a las fechas de su publicación: *La mujer de todo el mundo* (1885) y *Declaración de un vencido* (1887). Conviene completar ahora los datos bibliográficos relativos a las otras dos obras mencionadas por Sawa. El ejemplar que yo poseo de la tercera edición de *Crimen legal* (1886) no lleva fecha, pero su publicación es sin duda anterior a la de *Declaración de un vencido*, cuyo prólogo se firma en octubre de 1886 y cuya aparición es por tanto de principios de 1887 con toda probabilidad. Finalmente, *Noche* se publicó en 1888; lleva dedicatoria a Luis París, fechada en octubre de aquel año. También en el ejemplar que yo tengo de esta novela, que corresponde a la segunda edición, se anuncia hallarse en prensa, como continuación de ella, otra novela de Sawa con el título de *Alborada*, que por lo visto nunca llegó a publicarse. He querido puntualizar con cierta exactitud las fechas de aparición de aquellas obras, de cierta rareza, porque creo que esto también ayuda a precisar el año de 1889 ó 1890 como el de su partida hacia París.

Completan la lista de los seis títulos mencionados por Sawa en su Autobiografía los dos tomos breves, publicados en 1888, en la biblioteca de *El Motín*: *La sima de Igúzquiza*, que narra dos episodios en la infame vida de Rosa Samaniego, el cabecilla carlista, y *Criadero de curas*, con dedicatoria a Silverio Lanza que dice «En desagravio de la estupidez de casi todos, y como homenaje de admiración» (10). Hasta ahora todos mis esfuerzos para localizar algún ejemplar del último de esos dos textos, rarísimos, han sido infructuosos. Ni siquiera la familia tiene *Criadero de curas*, y muy pocas personas, inclusive algunas que conocen bien la obra de Sawa, recuerdan haberlo visto. En virtud de los comentarios de Luis París sobre las dos obras de 1888 y otros anónimos publicados en *El Motín* sabemos definitivamente que formó parte de la mencio-

---

(10) *Ibidem*, pp. 113-114.

nada biblioteca ese tomo (11). Así, pues, Sawa no publicó, como dice en su Autobiografía, seis libros en un poco más de dos años, sino que salieron a luz aquellas obras entre los años de 1885 y 1888.

Para hacer más completo nuestro conocimiento de esa etapa, disponemos afortunadamente de algunos testimonios directos sobre Alejandro Sawa, recién llegado a Madrid para iniciar aquí su vida literaria y bohemia. Bonafoux, por ejemplo, le conoció en el Círculo Nacional de la Juventud, agrupación intelectual de existencia efímera que sirvió de plataforma a algunos escritores incipientes; parece que Sawa se reveló como uno de los mejores oradores del Círculo (12):

> Alejandro Sawa fue la figura más interesante del Círculo, hasta físicamente considerada. Acabado tipo meridional, bronceada la tez, tristones los ojos, negra y abundosa la cabellera, y con no sé qué de trágico en su figura toda. Sawa, vistiendo luto, y declamando sugestivamente uno de sus artículos desde la tribuna del Círculo, fascinaba al auditorio.
> Sawa..., ¡qué lástima!... Entonces, hace unos treinta años —como escribía al saber su muerte—, ofreció buen fruto literario y oratorio. Hablaba con brillantez y escribía artículos luminosos, muy bellos, aunque adolecía su estilo de imitar servilmente a Víctor Hugo. Luego vino a París, donde trabajó poco o nada, pero volvió a Madrid de *genio*, y de ese pedestal —*pour rire*— nadie le apeó...

El mismo Bonafoux, en un texto ya citado, reprocha al escritor andaluz su poco amor al trabajo y su excesivo apego a la bohemia por la simple bohemia. A él corresponden las siguientes palabras (13):

> Lástima que Sawa persiga ese empeño literario y personal, porque tiene condiciones para hacer que brille su propia personalidad, y lástima también que se ocupe tanto del perro y la pipa, con menosprecio de la literatura. No pasan de media

---

(11) Se lee, por ejemplo, en *El Motín* (19 de febrero de 1888): «Hemos puesto a la venta la preciosa novela titulada *La sima de Igúzquiza*, original del renombrado escritor D. Alejandro Sawa. Precio: una peseta.» Otro anuncio casi igual, aunque referido a *Criadero de curas*, aparece también en *El Motín*, con fecha de 29 de abril de 1888; el libro valía también una peseta.

(12) Luis Bonafoux, *De mi vida y milagros*, Los Contemporáneos, I (núm. 26, 25 de junio de 1909).
Sobre el Círculo Nacional de la Juventud, véase el libro recién publicado de José Fernando Dicenta *Luis Bonafoux, la víbora de Asnières* (Madrid, 1974), pp. 47-49.

(13) Luis Bonafoux, «Sawa, su perro y su pipa», *art. cit.*

docena los artículos que ha escrito Sawa en el curso de su callejera vida. Dotado de una memoria primorosa, se los sabe todos, y los recita en vez de leerlos. A las altas horas de la noche suele detener a un amigo, y debajo de un farol de la Puerta del Sol le declama un artículo o una leyenda. A estas veladas a la intemperie les temo yo mucho más que al perro o a Sawa.

También en su ya mencionado artículo necrológico Luis Bello rememora a Sawa en aquella década de los ochenta: «Yo he visto siempre en Alejandro Sawa la encarnación de toda una juventud malograda. Los que no conocieron de él sino sus últimos artículos vieron solamente la mueca, la caricatura. Sawa era, a los veinte años, la osadía, el talento, la elocuencia. Sawa era el triunfo...» (14). Poseemos, además, sobre este gran influjo que ejerció entre los jóvenes de entonces otro interesante testimonio. Se trata de un breve texto de Claudio Frollo (Ernesto López), escrito a raíz de la representación triunfal de *Los reyes en el destierro*, en enero de 1899. La obra se estrenó precisamente diez años después de la marcha de Sawa a Francia y fue considerada, en cierto sentido, como el símbolo prometedor del regreso de su autor a la vida literaria española de fin de siglo. Claudio Frollo pudo así escribir (15):

Hace diez años, cuando se fue a París, Sawa ejercía, sin haberla pedido, sin gozarla por ningún sufragio, algo que pudiera llamarse la jefatura de la juventud intelectual. Era un muchacho, y a los que entonces éramos niños se nos apareció como un apóstol. Hablábase del tipo de Sawa, de la pipa de Sawa, del perro de Sawa, del talento de Sawa. En aquel tiempo, hace esos diez años, acababan los bohemios. La literatura comenzaba a cepillarse las botas y el talento entraba en relaciones con el peluquero y con el sastre. Alejandro, radicalísimo escribiendo, era reaccionario en esto último, y fue el penúltimo bohemio —el postrero lo fue el pobre Delorme—. Era un tipo de los que ya no quedan...

(14) Luis Bello, *art. cit.*
(15) Claudio Frollo, «Escritores: Alejandro Sawa», *Heraldo de Madrid* (22 de enero de 1899), p. 1.
Sawa dedica a Claudio Frollo unas páginas recogidas en *Iluminaciones* (pp. 233-235); de ellas copio el último párrafo: «Yo amo a ese hombre singular, propietario de extensas y hondas minas de simpatía personal, y que nunca, jamás, lanzó una sola acción al mercado público para explotar esas riquezas que hubieran podido hacer de él uno de los hombres más notorios de nuestro tiempo. Y ante ese alto y abnegado aristocratismo, yo me paro respetuoso y hago una genuflexión muy de adentro, y que, por consiguiente, no tiene —¡oh, no!— nada de cortesana» (p. 235).

Finalmente, en su análisis de *Crimen legal* (16), López Bago saluda con fervor a Sawa como el nuevo y talentoso combatiente de las barricadas del naturalismo, aunque no deje de señalar en su correligionario la falta de disciplina y cierta tendencia a la declamación romántica. El mismo López Bago nos da una semblanza más del joven Sawa recién llegado a la corte; transcribo un breve fragmento, en el que parece hallarse un eco de lo que también había dicho Bonafoux sobre la memoria de Sawa y de cómo solía recitar sus artículos en todo momento (17):

... Seguimos hablando, y entonces giró nuestra conversación acerca de la literatura. Sawa está dotado de prodigiosa memoria. Le manifiesto mi deseo de conocer algo de lo que había escrito. «Voy a recitarle a usted un artículo.» A las pocas palabras, que serían escritas pocas líneas, me detuve maravillado por las bellezas de forma, las acertadas frases, la brillantez de aquel estilo. No me contenté con una sola muestra, y Sawa continuó recitando artículos, cuentos, semblanzas; estuvimos cerca de dos horas detenidos allí, recuerdo que era en la calle de Atocha. Por fin le dije: «Pero, ¿nada de eso se ha publicado?». «Muy poco —me contestó—; los periódicos se asustan de algo que hay en mis escritos, y que yo no quiero tachar.» Luego me contó que lo poco publicado se lo pagaron a cuatro duros. Y entonces adiviné algo de la lucha en que Alejandro Sawa vivía...

Hacia 1885 comenzó a formarse en Madrid una generación literaria levemente anterior a la del 98 e infinitamente menor en talento artístico y trascendencia estética. Los miembros de aquella agrupación de escritores disconformes y rebeldes habían nacido casi todos en la década de los cincuenta o los sesenta; parece que gustaron denominarse a sí mismos «gente nueva» (18). De hecho, éste era

---

(16) Eduardo López Bago, «Análisis de la novela», Apéndice a *Crimen legal* (Madrid, 1886), pp. 215-280.

(17) *Ibídem*, pp. 278-279.

(18) Luis S. Granjel, «Retrato de Silverio Lanza. Vida y obra de Juan Bautista Amorós», *Obra selecta* (Madrid, 1966), p. 38. Quisiera agregar también a la presente nota que en época posterior los términos *gente nueva* y *modernista* parecen haber sido sinónimos. Por ejemplo, al ocuparse de *Epitalamio*, de Valle-Inclán, Clarín, en un «Palique» de 1897, escribe: «¿Quién es Valle-Inclán? Un modernista, *gente nueva*, un afrancesado franco y valiente, que no se esconde para hablar de los flancos de Venus.» El texto de Clarín se publicó en *Madrid cómico* (25 de septiembre de 1897) y se reproduce ahora en José Esteban, *Valle-Inclán visto por...* (Madrid, 1973), pp. 13-16. En el mismo texto Clarín critica a Valle-Inclán, porque confunde a propósito lo erótico con lo religioso, tendencia muy difundida entre

el título de un libro de Luis París, crítico principal del grupo; en ese volumen de «crítica inductiva» (así era el subtítulo del pequeño volumen) entre los escritores menos olvidados ahora figuraron los siguientes: Pompeyo Giner, Bonafoux, Nakens, Mariano de Cavia, Alejandro Sawa, Zahonero, Paso, Dicenta, Amorós (Silverio Lanza) y López Bago. A esa nómina pueden agregarse algunos nombres más: Barrantes, Palomero, Fuente, Delorme y seguramente otros de la bohemia de fin de siglo que ahora no recuerdo. Manuel Machado, bajo el estímulo de una «reprisa» del primer acto de *Juan José*, de Joaquín Dicenta, se acuerdo de su mocedad y de aquel grupo de escritores aunque se refiera a una época algo posterior (19):

todos los modernistas. Dice que en algún momento el amante llama a Augusta *madona*, y añade: «También un señor Sawa comparaba el otro día en *El Imparcial* no sé qué porquerías con el culto de la Virgen» (p. 14.) Aquel Sawa, ¿era Alejandro o Miguel? Hasta ahora no he podido localizar el texto en cuestión.

(19) Manuel Machado, «La función de la Prensa», *Un año de teatro* (Ensayos de crítica dramática), Madrid, sin fecha, ¿1918?, p. 57.

Al comentar los juicios de Azorín sobre los caracteres ideológicos de la generación del 98 en un importante artículo, «El alma de 1898», aparecido en *Nuevo Mundo* [XX, núm. 1000, 6 de marzo de 1913], Ramiro de Maeztu no considera como novedad «el factor de la curiosidad mental por lo extranjero». Señala también que la generación anterior (Sawa, Palomero, Fuente, Luis París) había leído a Zola, a Ibsen y a Tolstoi en los cafés de Madrid. En el mismo lugar, Maeztu insiste en otra cosa olvidada por Azorín: que los escritores del 98 eran hijos del orgullo y la petulancia nacionales y «no sólo de influencias extranjeras, del espíritu corrosivo de Campoamor y del amor a la realidad de Galdós».

Sobre el orgullo hispánico añade Maeztu las siguientes palabras:

Este viejo pecado de la raza se había exacerbado durante los años de la Restauración y la Regencia. Menéndez y Pelayo nos había asegurado que en España le había habido todo —ciencia, filosofía, letras y artes— en su máximo grado y que bastaba ascender a las fuentes para hacerlo manar nuevamente... Más firmes que las intimidades de Campoamor retumbaban los tambores de Espronceda y de Núñez de Arce y resplandecían reflejos barrocos de las magnificencias de Zorrilla en la pluma de Rueda. La petulancia de la raza, ¿no trascendía a los periódicos en los artículos de los Figueroa, de Burell y de Tuero? *Juan José*, el albañil, ¿no era también don Alvaro y don Juan y el alcalde de Zalamea. La barba de Alejandro Sawa, ¿no era una marcha real?...

Percibían que la realidad española no correspondía a lo que pedía ese orgullo hispánico, y no quiero dejar de citar aquí un breve fragmento más del mismo artículo de Maeztu: «... Y precisamente porque

... No quisiera rememorarlos aquellos días tan próximos ¡y tan pasados!, en que una «elite» inteligente y fuerte, precursora de los renovadores puramente literarios y artísticos del 98, sentía ya acongojado su entusiasmo por algo así como el presentimiento de la gran catástrofe colonial y política y se debatía airada contra el *statu quo* y el marasmo de su España de entonces, no mucho más inconsciente y dormida que la actual. Se debatía y protestaba con motines, con asonadas, con libros subversivos y periódicos rojos. Vivía inquieta y desazonada. Vivió poco. Muchos acabaron jóvenes, víctimas de la bohemia a que los llevó su descontento y del alcohol en que ahogaron ansias de ideal. Sawa, Paso, Delorme. Otros cambiaron con los tiempos, y sólo tal vez Dicenta siguió mostrando el alma valiente y rebelde de su primera juventud...

A manera de caracterización del conflicto ideológico de esa generación, el propio Alejandro Sawa ha escrito lo siguiente en *La mujer de todo el mundo*, como sagazmente apunta Granjel (20):

... Quiso dar en Z la batalla del naturalismo y fue arrojado del Salón, rechazada su obra. En concepto del Jurado aquel cuadro era inmoral y dañino porque representaba la vida. La historia de siempre, la historia de las vacilaciones del siglo. Esta generación que en concepto de muchos es creyente —creyente de sus negaciones— y en su consecuencia entusiasta, no es más que nerviosa. Una generación víctima de la neurosis, que no puede reposar ni estar tranquila, marchar ni arriba ni abajo, correr ni estarse quieta, que parece enamorada del porvenir y sostiene y alimenta con su sangre a todos los odiosos parasitismos del pasado, que parece detestar a los organismos sociales picados de uso, y transige con la monarquía, y autoriza el monarquismo; una generación de convulsorios, en una palabra. Podría muy bien ser representada por la figura de un hombre que mirara hacia atrás con el cuello completamente vuelto, y hacia adelante con el rabillo del ojo. Por eso ha sido ella la que ha inventado el eclecticismo. (*Mujer*, pp. 97-98.)

Luego, el mismo personaje, de nombre Gamoda, piensa en una posible solución:

La derrota del Salón impresionó mucho a aquel espíritu grave y tierno al mismo tiempo, y entonces pensó en la emigración. No querían aceptar su obra en su país, la llevaría a Francia.

---

ese orgullo nacional, a pesar de la crítica, a pesar de los ojos, a pesar de la realidad, nos hacía suponer la existencia de una España en que las plazas de grandes hombres estuviesen cubiertas y desempeñados los servicios públicos, es por lo que alzamos la voz con iracundia cuando al desnudarnos el Desastre nos reveló que nuestro cuerpo exangüe no era apenas más que huesos y piel.»

(20) Luis S. Granjel, «Maestros y amigos del 98: Alejandro Sawa», página 432.

No querían reconocer en él el ideal artístico que la informaba, París le haría justicia. Y, sobre todo, nada de transigir. (*Ibídem*, p. 98.)

Conviene recordar también, dentro de ese mismo contexto, que Carlos Alvarado, protagonista de *Declaración de un vencido*, vive asimismo los idénticos conflictos sociales e ideológicos que desgarraron a quienes procuraban abrirse paso en aquel mundillo artístico anterior al desastre de 1898. Carlos Alvarado llega a Madrid, desde una lejana provincia (Cádiz) como antes señalamos, y se identifica con la juventud de una época así definida (21):

> De este malestar colectivo, de este malestar de todos, ha partido el grande e irresistible movimiento pesimista de la época. Literatura, artes, ciencias de abstracción, todo se resiente de este sudario de tristeza que nos cubre de arriba abajo, entorpeciendo la libertad de nuestros movimientos. La filosofía es positivista; la moral, determinista; el arte, rudo y atrevido, como si la nueva generación artística tuviera la misión de hacer con sus contemporáneos lo que los vándalos y los hunos con los pueblos afeminados y envilecidos que asaltaron para purificarlos. Todo es indicio de un renacimiento o del despertar de una nueva época. Sólo que, por próxima que se halle, yo no podré conocerla, no podré manifestarme en su seno, porque voy a morir. Sin embargo, palpitando entre estas líneas, yo envío a esa nueva época, yo envío al porvenir mis ardientes besos de enamorado.
>
> Creer en el porvenir, ¡bah!, ya es algo. Y yo necesito agarrarme a esa creencia para no morirme de pronto y del todo. (*Declaración*, pp. 46-47.)

(21) En la misma obra se describe la vida intelectual madrileña de la siguiente manera: «¡Ir a Madrid, vivir en Madrid; no ser un oscuro provinciano embrutecido en la tarea de poner en circulación los chismes de la localidad; pertenecer a la redacción de un periódico de esos cuyas afirmaciones y doctrinas constituyen capítulo de fe para los que las lean a veinte kilómetros de distancia; formar parte también de los Ateneos y Academias que ilustran en todas las cuestiones la opinión de España...; tomar activa y musculosa participación, toda la que me fuera posible, en las batallas constantemente renovadas del pensamiento contra la barbarie, de los espíritus emancipados contra las panzas esclavas; ir al Congreso de los Diputados todas las tardes, al Ateneo Científico y Literario todas las noches, a la Biblioteca Nacional todas las mañanas... ¡Todo eso y mucho más, mucho más —... ¡La fantasía trotando por los espacios del delirio como un caballo furioso! — iba por fin a verlo realizado! ¡Ah, Madrid, Madrid, solapada ramera, cuántas ilusiones seduces, atraes sobre tu seno, de todos los extremos de la patria, para darte luego el placer de exprimirlas, de dejarlas exhaustas, y de tirarlas adonde no vuelvan a incorporarse nunca, rendidas para siempre! ¡Cisterna, antro, sima, que mientras más devoras, más sientes aumentarse tu apetito! Pues bien: ¡yo te he amado! (*Declaración*, pp. 77-79)

56

Vistas las inquietudes de aquella incipiente generación que comienza a formarse en el penúltimo decenio del siglo XIX, según se explican en las dos novelas mencionadas de Alejandro Sawa, me permito una pequeña digresión, para referirme de nuevo al libro *Gente nueva* (1888) de Luis París. En su prólogo se hace un exacto diagnóstico de esa época de transición (22):

> El país entero está dominado por ese mismo escepticismo hacia todo lo serio que antes señalábamos, refiriéndonos a sus hombres más inteligentes, y puede afirmarse que hoy en España hay predilección manifiesta por todo lo que es fútil y vistoso, por lo ligero y lo festivo, la flamenquería y el chiste. Exageraciones de todos los afectos; lo dramático llevado hasta lo trágico; lo cómico rebajado hasta lo bufo. Andalucismo arriba y abajo, con todos los caracteres berberiscos que distinguen y diferencian a esa degeneración de razas que puebla la porción más bella de la Península. Gritos de entusiasmo ante el chiste grosero y procaz que encaperuza la lujuria; lágrimas prontas a asomar a todos los ojos ante los gritos guturales del «cante» y la poesía bárbara de la musa popular, y al mismo tiempo una seducción irresistible hacia los héroes legendarios y las grandes aventuras. He aquí los extremos del gusto actual.

Después, al estudiar la triste decadencia del teatro y la crisis en el gusto del público, Luis París percibe en la novela un panorama quizá menos desconsolador. No deja, sin embargo, de agregar (23):

> ... Tenemos muchos novelistas, tantos como autores dramáticos, pero deslabazados y sueltos, sin formar agrupación ni tendencia, escribiendo cada uno por las inspiraciones de su gusto y dejándose llevar casi todos de la índole general nuestra, de esa fantasía oriental que tanto nos perjudica y que tan malamente nos envanece. Además casi todos ellos adolecen de la misma falta que antes censurábamos en nuestros literatos; de la falta de cultura suficiente para ahondar ciertos problemas y plantear determinados asuntos, cuyo conocimiento a nadie importa conocer más y mejor que al novelista. Y de esa suerte la novela española es más descriptiva que analítica, y más pintoresca que útil.

Aunque no quiero abusar de la cita ajena, creo que es importante aludir al menos brevemente a ciertas conclusiones a que llega Luis París en su análisis de la decadencia de la literatura española en la época en que empieza a escribir Alejandro Sawa. El crítico advierte que España,

---

(22) Luis París, *ob. cit.*, pp. 31-32.
(23) *Ibídem*, pp. 40-41.

por ser la suma de diferentes razas y nacionalidades, caracterizadas a su vez por tendencias y actitudes antagónicas, carece de homogeneidad, y que no puede, por tanto, mantener de modo invariable un sentimiento nacional constante. Me permito transcribir un último texto, en el que París considera que España vive exclusivamente de la importación (24):

> ... Para ampliar nuestro teatro, aprovechamos el de los demás; para corregir la pequeñez de nuestros novelistas, necesitamos traducir a los franceses, y hemos de nutrirnos con las grandezas de Balzac y de Zola para compensar las diferencias de Pereda y de Galdós; para indemnizarnos de la musa barroca de los poetas nuestros, necesitamos de la robusta entonación de Hugo, y para acompañar dignamente a Bartrina y Becquer en el pesimismo lírico, tenemos que recurrir a Musset y a Heine...
> En todas partes se advierte nuestra pobreza y nuestra decadencia, y en todas partes también se advierten los fragores de una lucha sorda y desigual entablada por los caracteres vigorosos que aman a la patria y que desean ardientemente su regeneración moral y material; espíritus que tienen que pelear contra los convencionalismos y contra las hipocresías que bastardean el mecanismo de nuestra vida social; espíritus que creen sinceramente que estamos necesitados de amplia revolución que descubra nuevos horizontes, y que tienen fe inquebrantable en el porvenir...

Así caracterizado el espíritu de los tiempos y la situación de las letras nacionales en el momento en que llega a Madrid Alejandro Sawa, no debe olvidarse que en este mismo libro de Luis París hay un capítulo muy significativo dedicado a Sawa. Me interesa por ello, sobre todo, transcribir la semblanza que hace el crítico del joven escritor hacia 1885 (25):

> Hace algunos años que en los círculos literarios y en las redacciones de los periódicos más importantes, figuraba un joven de cabeza artística, melena romántica y barba árabe; de elocuente palabra, acción elegante, juicio rapidísimo, y tan genial en todo cuanto formaba su indumentaria, que constituía un tipo verdaderamente original.
> Alejandro Sawa presentaba, cuando comenzó a darse a conocer en Madrid, todas las características del joven soñador, hambriento y enamorado de todos los lirismos de la naturaleza, rebuscador de la paradoja y de la hipérbole, capaz de dejarse matar por una metáfora de grande espectáculo, aficionado hasta la demencia de todos los grandes histriones de la historia, y

---

(24) *Ibídem*, pp. 50-51.
(25) *Ibídem*, pp. 103-104.

dejándose llevar por su apasionamiento hasta el extremo de disputar a gritos las glorias doradas de Musset, Byron y Hugo; con el romanticismo metido hasta el tuétano de los huesos, y voluntario denodado de las huestes de la bohemia lúgubre, de la bohemia báquica, de la bohemia pobre y de la bohemia dorada, es decir, de todas las bohemias que pudo soñar Murger, practicadas de un modo simultáneo y delirante.
Tal era Sawa cuando llegó a Madrid.

Después de los comentarios críticos sobre la novelística de Alejandro Sawa, habla Luis París de la escuela naturalista y de los estudios de psicología fisiológica, cuyos puntos de partida y premisas han de ser siempre exactos y justificados. Y de nuevo afirma su firme creencia «en la personalidad literaria de Sawa y en la potencialidad de su inteligencia» (26), así como en sus preclaras aptitudes, en materia de cultura y preparación, que le permitirán crear, con tiempo y trabajo, la novela que hacía falta en España (27).

Para finalizar el diseño de esta primera etapa de Sawa en Madrid y poder conocer, además, la formación del grupo generacional Gente Nueva, merece la pena reproducir el comentario del alemán Hermann Bahr, quien acude a España en 1890 y conoce a todos a los escritores de aquella generación, incluido Alejandro Sawa. Creo que su testimonio tiene especial interés, porque en él se señalan además algunos gustos literarios de aquellos artistas de fin de siglo (28):

> Gente nueva llamábase a sí mismo el grupo que se me hizo familiar, porque también pasaba todo el día en los cafés de la Puerta del Sol. El grupo concedía aún beligerancia al viejo y desterrado Zorrilla. Pero a Echegaray, en su romanticismo recalentado; al realismo de agua dulce de Galdós, y a las donosas ficciones de Alarcón las despachaba con un encogimiento de hombros. Apreciado Pereda como *esprit à l'écart*, sólo el renombre de la Pardo Bazán seguía siendo sagrado hasta para la mofa de los más jóvenes. Era portavoz crítico del grupo Luis París, enemigo acérrimo de todo lo romántico, lo fantástico, lo retórico; negador del pasado todo de España, racionalista declarado que, sin embargo, daba a unas prédicas, en el fondo harto burguesas y aun cursis, el ímpetu arrebatado del levantamiento revolucionario. Silverio Lanza, de traza muy poco española con

---

(26) *Ibídem*, pp. 116-117.
(27) *Ibídem*, p. 117.
(28) Citado por Hans Juretschke, «La generación del 98, su proyección, crítica e influencia en el extranjero», *Arbor*, XI (núm. 36, diciembre de 1948), p. 519, nota 4.

sus rebosantes mejillas, nariz de pepino y un obeso y puntiagu-
do abdomen, se me antojaba más bien un honrado suabio; y era
el único ejemplo de ironía con que tropecé en la ciudad del Man-
zanares; todo un nido de amable malicia, afable bajeza y cán-
dida perfidia contra todo el mundo y hasta preferentemente
contra sí mismo. A sus libros... se les atribuía la cansada tristeza que se ocultaba tras su porte impertinente. Era bromista
por desesperación... Para mí, el más simpático de los compañeros españoles era Alejandro Sawa. Nunca he encontrado en mi
vida una figura juvenil más hermosa, un Byron del proletariado,
el «beau ténébreux» del romanticismo, hecho mendigo...

Resulta, pues, que en aquellos años de la década de los
ochenta, antes de marchar a Francia, Alejandro Sawa era
ya una figura que destacaba en el mundillo literario cen-
trado en los cafés de la Puerta del Sol. Formaba parte de
un grupo efímero que, a pesar de una bohemia crónica en
la que sucumbían algunos, se preocupaba por la pobreza
intelectual de la vida española y por la nada halagadora
situación político-social del país. En aquella generación,
constituida por una serie de nombres que han caído en el
más completo olvido, era figura relevante Sawa —¿por
qué no decirlo así?— en gran parte por sus atributos románticos: el garbo y la elegancia, la aptitud para la declamación y la elocuencia, así como la destreza para la
paradoja ingeniosa o la hipérbole lírica. Pasión e ímpetu.
Teatralidad y gesto. Todo, en efecto, parecía prometer,
con el tiempo y la disciplina, el triunfo definitivo. No fue
así; de ello se evade Sawa al emprender su viaje de expatriación a París hacia 1889 o 1890.

CAPÍTULO III

EN EL EXTRANJERO: PARIS (1890-1896)

«Hoy cumple años la muerte de Verlaine, y pienso en él, en París, en aquel gran pedazo de mi
vida que la eternidad tragó y que no volverá a re-
surgir sino en mis recuerdos» (*Iluminaciones*, página 145).

Al finalizar la primera estancia de Alejandro Sawa en
Madrid se abre un breve pero decisivo paréntesis de in-
calculable importancia en su vida. Hacia 1889 ó 1890 marcha a París, de donde no regresará a España hasta finales
de 1896, acompañado probablemente de otro tipo muy curioso de la época, Henri Cornuty, de quien hablaremos
luego. No es nada fácil documentar con exactitud el año
de su partida a París ni tampoco el de su retorno definitivo a la patria. Recordemos que el viajero alemán Bahr,
anteriormente citado, menciona haberlo conocido en los
cafés de la Puerta del Sol durante su estancia en Madrid
el año de 1890. Unas páginas de *Iluminaciones* tienden a
confirmar que se encuentra ya en París por lo menos en
la primavera de 1890 (1). Hay también otro dato curioso

_____

(1) El texto en cuestión es el siguiente: «Visto a través de casi ca-
torce años de distancia, aquel 1 de mayo de 1890 en París se me aparece como una hermosa aurora boreal seguida de largos días crepuscu-
lares» (*Iluminaciones*, p. 66).
    Lo que acaba de citarse es el párrafo inicial del texto, y las páginas
que siguen (pp. 66-69) son una movida estampa de París aquel día
primero de mayo cuando salió temprano Sawa, acompañado de Emilio
Prieto, a la plaza de la Concordia, corazón de la gran ciudad (p. 68).
    Quisiera recordar también que Sawa, al hablar del grabador Daniel
Urrabieta Vierge, no vacila en afirmar que París «... no suele ser madre ni sentir sus mamellas hinchadas de jugo sino para los suyos»
(*Ibídem*, p. 51).

que merece tenerse en cuenta aquí: tengo a la vista una *carta-crónica* de Sawa, dirigida a Ernesto Bark, fechada en París el primero de agosto de 1890, y la contestación, escrita en alemán, es también de París, con fecha del 16 de agosto del mismo año. Ambas comunicaciones, redactadas de su puño y letra por·cada uno de los corresponsales, tienen una rúbrica que dice así: CORRESPONDANCE LATINE (primera línea en mayúsculas), Chronique hebdomadaire (segunda línea), Cartas de Alejandro Sawa. Span Franz Feuilletons Von E. Bark (tercera línea), y Direction: 26, Rue Lebrun, Paris (última línea). Aunque no poseo más informes sobre la publicación de esta llamada *Correspondance latine,* lo importante por el momento es que Alejandro Sawa estaba ya, sin lugar a dudas, en París durante el verano de 1890 si no antes. Por otra parte se sabe que todavía estaba allí cuando murió Verlaine en enero de 1896. Y curiosamente ese mismo año debió de asistir al estreno en Madrid, en diciembre de 1896, de *El señor feudal,* de Joaquín Dicenta. Algunos años más tarde, con motivo de la representación de *Los reyes en el destierro,* de Sawa, le escribe su gran amigo el dramaturgo (2):

> No es contestación al *brindis,* al hermoso *brindis* que a raíz del *Señor Feudal* me dedicaste, esta *cuartilla* y media.
> ¡Bah!... Darte yo gracias con motivo de *Los reyes en el destierro,* sería tonto. ¡¡Gracias al hermano en letras!!... Entre familia no hay cumplimientos. Los hermanos dicen mucho, unos de otros, para odiarse; para quererse, ¿qué van a decir? Poco. Basta hacer la conjunción sanguínea *verdad* y repetir *hermano.* ¡Pon un adjetivo, a fin de ensalzarlo, a este sustantivo, pronunciado con el corazón!... ¿A que no se lo pones? No hay modo.
> Pues bien, hermano, el triunfo tuyo es de todos nosotros, de todos los jóvenes. Tú, ausente de la patria durante muchos años, vuelves a ella en momentos de angustia; y ahora, que unos con los ojos puestos en la prebenda segura, y otros con el alma

---

(2) Joaquín Dicenta, «Para Sawa», *El Liberal,* 22 de enero de 1899.
Sobre *El señor feudal* y su autor, véanse los comentarios agrios de Azorín en *Charivari* [Obras completas, I (Madrid, 1947), pp. 252-254] y también el excelente libro de Rafael Pérez de la Dehesa, *El grupo Germinal: una clave del 98* (Madrid, 1970), pp. 27-31.
En el capítulo de sus memorias que Luis Ruiz Contreras dedica a la vida y obra de Antonio Palomero [*Memorias de un desmemoriado,* páginas 336-354] recuerda cómo Joaquín Dicenta llevó a varios amigos a su casa en la calle de Madera y entre ellos menciona a Fuente, Manuel Bueno, Adolfo Luna, Alejandro Sawa, Delorme y Palomero (página 339).

puesta en el porvenir posible, hablan de regeneraciones, tú vienes a ayudarnos en la obra.

Bienvenido seas, escritor aplaudido siempre, autor dramático descubierto anoche. Bienvenido seas con tus *Reyes en el destierro...* Llegas a tiempo. Tú y tu obra hacéis falta, ¡mucha falta!

El texto de Dicenta que se ha transcrito es de modo especial significativo, porque en él saluda al escritor recién reintegrado a la patria y empeñado, en compañía de otros jóvenes, en la tarea imperiosa de la regeneración espiritual y política del país. Además, en ese mismo período de tiempo en que se halla ausente de España, Sawa suele regresar de cuando en cuando a su país; por ejemplo, hacia octubre de 1892 permanece un par de meses en Madrid, lo mismo que en enero de 1895. En aquel mismo año va a Spa (Bélgica), donde permanecerá, por lo visto, casi un año o más (3).

También quisiera señalar la posibilidad de que Sawa, en no sé qué época de su vida, hubiera viajado como Verlaine a Inglaterra; me inclino a suponerlo por la familiaridad que demuestra con la realidad inglesa. Por ejemplo, en algún momento se lee: «Sé lo que digo. Yo he visto la miseria de Whitte Chappel [*sic*], en el Transtiverino, en Charonne; pero jamás he tenido la percepción clara y neta y como material de esa Furia, sino hace algunos, muy pocos días, allá, en esas rientes arboledas de Amaniel, tan bien doradas por el sol que nos alumbra a todos... ¡tan lúgubres sin embargo!» (*Iluminaciones*, p. 191). Además, por la mención del *Transtiverino* en la cita anterior puede pensarse con fundamento que también había estado en Roma. Reproduzco ahora un fragmento de *Iluminacio-*

---

(3) Esos datos pueden ser reconstruidos sólo en forma muy aproximada, utilizando ciertas cartas particulares del escritor que están en manos de la familia López Sawa. También en *Iluminaciones* se encuentran alusiones directas a Bélgica.

Además, en su nota dedicada a «Amilar Cipriani», publicada en *España* [I, núm. 22, 11 de febrero de 1904, p. 2], donde colabora con una serie de *bocetos*, escribe Sawa: «Era la época en que... una niña, *a quien yo conocí en Ginebra* en la casa hidalga de Augusto Baud-Bovy, el pintor de las nubes y las montañas, fue, sin que hayamos vuelto a tener noticias suyas, internada en Siberia, por habérsele encontrado en su equipaje un ejemplar de la postrera novela de Zola...» [Lo subrayado es mío.] Y también en «Feminismo» [*Los Lunes de El Imparcial*, 13 de julio de 1908] dice: «Hace algunos años, en Ginebra y a orillas del lago, en aquella encantadora residencia de 'Mon Plaisir', donde Augusto Baud-Bovy...».

nes, que tiende a confirmar el hecho de que en sus viajes Sawa llegó a Italia:

> De sobremesa, ante el paisaje esplendoroso de Miramar, en Barcelona, que a determinadas horas del día, y merced a ciertos efectos de luz, mitiga la nostalgia de los que llevan la visión de Castellamare, de Sorrento y de Pausilippo, chispeante como una aparición mística en el corazón mejor que en la cabeza... (página 93).

Igualmente transcurre por completo en Inglaterra la acción del cuento publicado primero en *Blanco y negro* [Año XII, núm. 588, 9 de agosto de 1902] con el título de «Seres dobles», recogido después, sin título, en *Iluminaciones* (pp. 196-201). Otra corroboración indirecta pero tal vez convincente de la presencia de Sawa en Inglaterra se halla en el siguiente diálogo de *Luces de bohemia* (escena segunda):

> MAX.—¿Pero, ciertamente, viene usted de Londres?
> DON GAY.—Allí estuve dos meses.
> DON LATINO.—¿Cómo queda la Familia Real?
> DON GAY.—No los he visto en el muelle. Maestro, ¿usted conoce la Babilonia Londinense?
> MAX.—Sí, Don Gay.

Para Alejandro Sawa el período parisiense, durante el cual le resultó dulce el vivir, según sus propias palabras, fue algo más que un simple episodio en su vida de bohemio arquetípico (4). En esa etapa se opera en él, según

---

(4) En su pequeño libro *La santa bohemia* (Madrid, 1913), que lleva en la portada un retrato de Alejandro Sawa, el autor, Ernesto Bark, al hablar de la bohemia legítima, escribe: «Naturalmente publicamos el *Germinal* con Dicenta y Delorme, excitando a la revolución social y cantando las nobles rebeldías, en lugar de fundar el *Eco de la Bolsa* o el *Boletín de la Heráldica*, en cuya sombra hubiéramos vegetado como cualquier filisteo aprovechado, como el autor de *Flores del mal* despreciaba la vida regalada del ciudadano común. El culto por el arte, el ideal y la libertad, no los harapos, son el sello augusto del bohemio de raza» (pp. 5-6). Más adelante, en el mismo texto, se refiere Bark a una sociedad bohemia que pensaba organizar con Alejandro Sawa («La ceguera y una muerte prematura pusieron fin a nuestro plan del Cenáculo. ¿Quién se atrevería a substituir a aquel gran bohemio hispano, digno rival de los bohemios más célebres del mundo?», p. 13), cuyo espíritu iba a presidir las sesiones en calidad de presidente honorario: «Habíamos elaborado con Alejandro Sawa un reglamento, según el cual debían organizarse los ágapes mensuales de la abundante y variada tribu bohemia, tribu sugestivísima, puesto que encierra todo lo soñador e idealista de las letras, del arte, del periodismo y del inte-

Granjel, «una auténtica conversión» (5). Se pone, sobre
todo, en contacto directo e íntimo con el simbolismo literario de la época y con los poetas que mejor representaban aquella dirección lírica e idealista. Años después dijo
a Cansinos-Assens, quien acudió a él con una carta de recomendación de Nakens, que él había nacido al arte en
París, apadrinado por Hugo, Gautier, Dumas y el divino
Verlaine, a la vez que desdeñaba las novelas truculentas,
de exagerado realismo zolesco, escritas en su primera época (6). Yo creo que fue a París sencillamente por tratarse
de París y para realizar el sueño de tantos adolescentes,
y no por un delito de imprenta como se ha dicho alguna
vez (7). Llegado a París y entregado en cuerpo y alma a la
vida del Barrio Latino, se le abrieron nuevos y más dilatados horizontes. Allí conoce, además, a una joven de
Borgoña, Juana Poirier, que más tarde será su *santa* mujer; allí nace también su única hija, Elena, el 16 de noviembre de 1892.

Acerca de lo que dijeron algunos amigos de Sawa sobre su profundo afrancesamiento, en las costumbres y
hasta en la lengua, conviene recordar lo que él mismo escribió en una página olvidada:

> Bien saben cuantos me conocen que si París es uno de los
> amores de mi vida, disto mucho ser lo que se llama un afran-
> cesado. Pero de eso a tolerar que los castrados de por aquí y
> los bárbaros de por allá presenten siempre en toda sazón a la

---

lectualismo en general. "Serán socios sólo los que ya tienen un nombre", dijo Sawa, con su exclusivismo de patricio de las letras. Los
pintores, actores y periodistas deben pasar por la criba de una Comisión purificadora para que la "Bohemia" no se confunda con la "Gol-
femia"... La sugestión calurosa tiene Andrés Ovejero, el alma noble
que arde en entusiasmo de artista y pensador por todo lo grande;
popularidad aún más grande que Sawa posee Joaquín Dicenta, el verdadero "leader" de la bohemia española, y hay otras celebridades,
como Eduardo Zamacois, Cristóbal de Castro, Emilio Carrère, Antonio
Palomero, Villaespesa, Edmundo González Blanco y algún otro ungido,
digno de presidir la tribu sagrada de los peregrinos de la Verdad, la
Belleza y la Libertad» (pp. 12-13)». Y, en efecto, de acuerdo con su
invitación al Cenáculo, que venimos citando, se celebró una reunión
de más de treinta personas, bajo la bandera de Arte, Verdad y Libertad, en el café Mercantil para formalizar la organización del grupo.
    (5) Luis S. Granjel, «Maestros y amigos del 98: Alejandro Sawa»,
página 436.
    (6) R. C.-A. [Rafael Cansinos-Assens], «Alejandro Sawa, el gran
bohemio», *Indice*, XV (núm. 149, mayo de 1961), p. 23.
    (7) *Ibídem.*

capital de Francia como el centro de todas las inmoralidades, hay gran distancia, y yo no perdono ocasión de establecerlo cada vez que la casualidad me lo depara.

y de esta manera sigue defendiendo a Francia contra la acusación de que era «el último refugio de la crapulería romana o bizantina». Ante la influencia corruptora del *boulevard*, un periódico señaló como modelos a los pueblos de Inglaterra y Alemania, por la pureza de sus costumbres y el alto espíritu de civilización. A juicio de Sawa, sin embargo, eran Inglaterra y Alemania «las dos naciones precisamente, después de España, más corrompidas e hipócritas que conozco» (8). Pero ello no le impide hablar del mal de París y del atractivo fatal que ejerce esta ciudad, en una página escrita en 1907, publicada en *Los Lunes de El Imparcial*, donde se ocupa de su buen amigo el poeta Gabriel Vicaire:

> Había nacido hará cincuenta años, en mitad de los campos, para cantarlos y traducírnoslos a nosotros, los tristes hijos de la ciudad, y tuvo la inconsecuencia —mal árbol— de transplantarse a París, donde el sol es de talco; donde la tierra es de fango; donde las flores son de trapo, aunque sean a veces trapos de vistosas sedas; donde el aire contiene, en mixtura con el oxígeno, un gas mortal que se llama «parisina»; donde los más de los hombres se metamorfosean cuando a bien les viene, en muñecos mecánicos que saben decir ¡pardon! y luego, trágicos, dar de puñaladas; donde, por último, la vida —¡tantas veces!— se ofrece bajo la forma de jeroglífico; ¡la gloria o el oprobio!, el Panteón o el Sena, en los *faits divers* de los periódicos. ¡Cómo pudo vivir tanto tiempo, Dios mío, entre nosotros, en plenos bulevares luciferescos, aquel puro brote de Virgilio, sin perder su lozanía y su jugo! (*Iluminaciones*, p. 72).

En la *carta-crónica*, dirigida a Ernesto Bark el 1 de agosto de 1890 desde París y ya citada al comienzo del presente capítulo, Sawa se refiere en los siguientes términos a

---

(8) «De moral», *Alma española*, II (núm. 13, 31 de enero de 1904), página 14.
En el mismo sitio también escribe Sawa: «Lo que ocurre es que Francia es meridiana, que Francia es amable, que Francia siente horror por los profesionales de la austeridad, porque sabe lo que cuestan... En buena equidad humana, un leproso es más limpio, y un bandido de trabuco más probo que el cacotimio pelotón de austeros que, sin más artes que la hipocresía y la de saber poner en juego sus condiciones de mediocres, viven y medran oreados en los altos del pavés, nos administran, nos legislan, nos gobiernan y nos deshonran, y a los que luego algunos periódicos tratan de presentarnos como modelos. Un león es siempre admirable; una alimaña, jamás.»

la capital de Francia durante el verano, época de somno-
lencia y cansancio:

> Todos los años, la voluptuosidad y la moda establecen du-
> rante la época de los grandes calores la misma perturbación en
> las costumbres. La gran vida parisiense, eso, París, lo que como
> una vegetación poderosa y extraña brota expontáneamente [sic]
> del asfalto de los boulevares, la vida de París y los vicios de
> París y las grandezas de París, la imperceptible y fuerte pari-
> sina que destruye como un ácido corrosivo las entrañas de los
> débiles y vigoriza la de los fuertes, no hay que buscarla en estos
> días entre nosotros, porque huyó, hembra al fin, como la feli-
> cidad y la esperanza de nuestro lado, y está en el campo, en un
> *chalet* de recreo cualquiera, iluminando el cerebro de ese hombre
> que labora en estos instantes, para el invierno próximo, un libro
> que va a provocar emociones nuevas en nuestro ánimo, o se
> gallardea por las playas de Trouville y Dieppe o por los salones
> internacionales de todas las estaciones balnearias del mundo,
> graciosa y terrible al mismo tiempo, hermana quizá, por su
> composición indefinible, de la electricidad, que fecunda o des-
> troza cuanto toca... (pp. 2-3).
> He aquí por qué esta crónica de París tiene que resentirse
> de somnolencia y tristeza. Pero todo cambia y la palabra meta-
> morfosis no es un vocablo huero de sentido. La ley del mundo
> es el movimiento y París es un gran obrero, formidable de pasión
> y de entusiasmo. Trabaja, y trabaja sin reposo. No conoce el
> enervamiento ni vuelve la vista atrás para nada. Y aquí estamos
> nosotros, los curiosos y los apasionados, para comunicar más
> allá de las fronteras lo que París determina y trabaja (p. 6).

A pesar de todo, Rubén Darío, que conoció a Sawa en París en 1893, escribiría de él, al encontrarle años más tarde
en Madrid (9):

> ... No podía ocultar la nostalgia del ambiente parisiense, y se
> sentía extranjero en su propio país, desarraigado en la tierra
> de sus raíces. ¿Por qué ese tipo solar, hijo de padre griego y de
> madre sevillana, y que pasó sus primeros años al amor de la
> luminosa Málaga, amaba tanto a París, en donde el sol se mues-
> tra tan esquivo y una bruma del color del ajenjo opaliza los
> otoños? No es único el caso suyo, y la razón podría explicarla el
> heleno Papadiamantopoulos. El hecho es que él siempre tenía
> presente su visión luteciana. No hablaba dos palabras sin una
> cita o reminiscencia francesa. Exponía contento sus literarios
> recuerdos, sus intimidades con escritores y poetas.

Se hallaba conquistado por el sortilegio de París y del Barrio Latino. En efecto, como dice Darío, en muchas páginas periodísticas escritas en época posterior revive con
marcada nostalgia los días felices de París y gusta de
evocar remembranzas literarias de los personajes con

---

(9)   Rubén Darío, «Alejandro Sawa», Prólogo a *Iluminaciones*, p. 13.

quienes había tenido trato amistoso. Así, por ejemplo, dedica a Charles Morice («el virrey de los barrios literarios de París»), a quien tanto admiraba («Ningún hombre de letras me ha producido igual impresión de grandeza que este hombre»), toda una crónica, luego recogida en *Iluminaciones* (pp. 166-171), donde se describe la vida literaria del barrio. El propio Darío, al recordar en su *Autobiografía* cómo Sawa llevó a Morice a su hotel, nos dice que el crítico de los simbolistas (10):

... Encontró sobre mi mesa unos cuantos libros, entre ellos un Walt Whitman, que no conocía. Se puso a hojear una edición guatemalteca de mi *Azul*, en que, por mal de mis pecados, incluí versos franceses, entre los cuales los hay que no son versos, pues yo ignoraba cuando los escribí muchas nociones de poética francesa... Charles Morice fue bondadoso y tuvimos, durante mi permanencia en París, buena amistad, que por cierto no hemos renovado en días posteriores. Con quien tuve más intimidad fue con Juan Moréas. A éste me presentó Carrillo en una noche barriolatinesca.

No se conoce, sin embargo, con demasiada precisión la vida de Sawa en París. Bien puede imaginarse que vivía entregado, sobre todo, a la vida nocturna del barrio. Dudo por ello que trabajara mucho entonces (lo niega Bonafoux), aunque me consta que por algún tiempo, como casi todos los expatriados hispánicos, se mantenía de un sueldo modesto que cobraba en la casa Garnier, que por entonces editaba un diccionario enciclopédico (11). También

_____

(10) Rubén Darío, *Autobiografía*, *Obras completas*, edición citada, vol. I, p 104.
Sobre la misma época, especialmente para el tema de Darío-Moréas, véase Rubén Darío, «Algunas notas sobre Jean Moréas», *Obras completas*, vol. I, pp. 291-299.
(11) Joaquín Dicenta, al prologar el libro de su amigo Ricardo Fuente *De mi bohemia* (Madrid, 1897), escribe: «Entró [Fuente] en la casa Garnier, comenzó a ganar su pan con desahogo, y allí permaneció tres años haciendo letras y palabras para el *Diccionario Enciclopédico*, y sufriendo la férula amistosa de Cerolo, en compañía de Bonafoux, de Estévanez, de Prieto, de Sawa, de una multitud de escritores y emigrados españoles... que estaban allí, como Fuente: por el diccionario, para el diccionario, sobre el diccionario, viviendo de él, comiendo de él... Porque al tal diccionario debían cambiarle el título y llamarlo *Asilo enciclopédico de españoles ayunos*. Después de todo, acaso resulte mejor como asilo que como enciclopedia» (pp. 13-14).
Pío Baroja confirma el dato del empleo de Sawa en la casa Garnier, y a los nombres apuntados por Dicenta agrega los de Gómez Carrillo y Salamero. *Desde la última vuelta del camino*, I (Barcelona, 1970), página 502.
Ya señalé en el capítulo primero que Zamora Vicente, al comentar

se ha dicho que fue traductor de los hermanos Goncourt, pero hasta ahora no he podido encontrar confirmación alguna de esa tarea, a la que bien pudo haberse dedicado en aquella época de su vida (12). Supongo que no dejó de practicar el sablazo como *modus vivendi* (13). Se cuenta, por ejemplo, que Sawa leyó a un empresario francés, de quien había recibido ya algunos anticipos económicos, todo un drama en blanco. Pero de mayor importancia que todo esto tiene su inmediata relación con el grupo literario de la prestigiosa revista simbolista *La Plume*, a cuyas cenas semanales, organizadas por León Deschamps en el café *Le Soleil d'Or* (*Iluminaciones*, p. 167), no dejaba de asistir el escritor español. Como dato curioso es preciso señalar que en un número extraordinario de *La Plume* (IV, núm. 76, 15 de junio de 1892) dedicado a esas reuniones que organizaba el director de la revista, entre la numerosa serie de retratos de artistas y literatos, figura un dibujo a lápiz de Sawa (p. 284). Entre sus amistades literarias francesas (Morice, Moréas, Vicaire, Le Cardonnel, etcétera), ninguna fue tan íntima y más fraternal como la de Verlaine, según veremos luego en un apartado especial.

---

la frase de don Latino en *Luces de bohemia* (escena séptima) «traduje algunos libros para la Casa Garnier», afirma que él es «una contrafigura de Alejandro Sawa, representada con otra cara de la medalla» [Edición citada de *Luces de bohemia*, nota 13, p. 82] y a su vez recuerda el testimonio que arriba citamos de Baroja.

12) El hecho de que Sawa fue traductor de los hermanos Goncourt se repite en las notas necrológicas de *El Correo*, *A B C* y *Heraldo de Madrid*.

(13) Baroja cuenta la siguiente anécdota:

«Se decía que en una de sus épocas parisienses, Alejandro Sawa acudió a visitar a un fraile exclaustrado, don José Segundo Flórez, autor de la *Historia del general Espartero*, personaje amigo y partidario de Augusto Comte y uno de sus testamentarios.

Flórez había sido uno de los discípulos más fieles de Comte, e iba a visitarle diariamente a la casa del maestro, en la rue Monsieur le Prince. Sawa pensaba sacarle dinero al ex fraile, y empleó todos sus recursos de seducción para conseguirlo. A lo último, vencido el exclaustrado y con cara de mal humor, le dio diez francos.

Sawa, al agradecerle la dádiva, le dijo:

—Si me había usted de dar este dinero, ¿por qué no acompañarlo con una sonrisa?

Don José Segundo Flórez celebró la frase, pero breves semanas después la leyó en un libro, de donde el bohemio la había tomado.

Y Alejandro Sawa se ganó un feroz enemigo en el ex fraile. Yo no sé si esta anécdota será cierta, porque Flórez debía de ser muy viejo, si no había muerto, en el tiempo en que Sawa estaba en París.»

Pío Baroja, *ob. cit.*, pp. 556-557.

De los literatos hispánicos que llegaron a París por aquellos años del fin de siglo, Sawa conoció, por supuesto, a Gómez Carrillo y a Rubén Darío. Este se acuerda mucho del español durante su primera estancia en París (1893), y lo menciona a menudo en sus memorias. Recordemos ahora el fragmento de la *Autobiografía*, en que habla de Sawa y de su primer encuentro con Verlaine (14):

> Carrillo, muy contento de mi llegada, apenas pudo acompañarme por sus ocupaciones; pero me presentó a un español que tenía el tipo de un gallardo mozo, al mismo tiempo que muy marcada semejanza de rostro con Alfonso Daudet. Llevaba en París la vida del país de Bohemia, y tenía por querida a una verdadera marquesa de España. Era escritor de gran talento y vivía siempre en su sueño. Como yo, usaba y abusaba de los alcoholes; y fue mi iniciador en las correrías nocturnas del ba-

(14) Rubén Darío, *Autobiografía*, *Obras completas*, vol. I, páginas 103-104.
Es significativo notar que en el capítulo de *Los Raros* (2.ª ed., Barcelona, 1905, pp. 45-51) dedicado a Verlaine y escrito a raíz de su muerte, Rubén Darío no menciona a Alejandro Sawa, al recordar su paso por París en 1893, sino a Gómez Carrillo, que se había ofrecido a presentarle al poeta francés. Me permito citar aquí unos breves fragmentos pertinentes de aquellas páginas del autor de *Prosas profanas*, en cuyo interior resuena el nombre de Verlaine:

> Yo confieso que después de hundirme en el agitado golfo de sus libros; después de penetrar en el secreto de esa existencia única; después de ver esa alma llena de cicatrices y de heridas incurables, todo el eco de celestes o profanas músicas, siempre hondamente encantadoras; después de haber contemplado aquella figura imponente en su pena, aquel cráneo soberbio, aquellos ojos obscuros, aquella faz con algo de socrático, de pierrotesco y de infantil; después de mirar al dios caído, quizá castigado por olímpicos crímenes en otra vida anterior; después de saber la fe sublime y el amor furioso y la inmensa poesía que tenían por habitáculo aquel claudicante cuerpo infeliz, sentí nacer en mi corazón un doloroso cariño que junté a la grande admiración por el triste maestro (p. 46)... De los tres Enemigos, quien menos mal le hizo fue el Mundo. El Demonio le atacaba; se defendía de él, como podía, con el escudo de la plegaria. La Carne, sí, fue invencible e implacable. Raras veces ha mordido cerebro humano con más furia y ponzoña la serpiente del Sexo. Su cuerpo era la lira del pecado (p. 48)... De la obra de Verlaine, ¿qué decir? El ha sido el más grande de los poetas de este siglo... En España es casi desconocido y serálo por mucho tiempo: solamente el talento de Clarín creo que lo tuvo en alta estima; en lengua española no se ha escrito aún nada digno de Verlaine; apenas lo publicado por Gómez Carrillo; pero las impresiones y notas de Bonafoux y Eduardo Pardo, son ligerísimas (páginas 50-51).

rrio Latino. Era mi pobre amigo, muerto no hace mucho tiempo, Alejandro Sawa. Algunas veces me acompañaba también Carrillo, y con uno y otro conocí a poetas y escritores de París, a quienes había amado desde lejos.

... mis grandes deseos era poder hablar con Verlaine. Ci... ... café D'Harcourt, encontramos al Fauno, ro-
de...

...to. Respondía, de cuando
e... hacían sus acompañantes,
... mol de la mesa. Nos acer-
... o murmuré en mal francés
...le y concluí con la palabra
...do esta tarde al desventurado
...e a mí, y sin cesar de golpear
...ectoral: *¡La gloire!*... ¡La gloi-

Al... ...ría el poeta nicaragüense
ac... ...o del estreno de su obra
dr...

...ado desde París —pues en verdad
...e *La Nación*— hace algunos años.
...Jean Carrère, cuando la *émute* de
...os del café D'Arcout, en el 93. Allá
..., hoy ya imposible, que se disfrazó
...nombre de Bohemia. Es más pari-
...ficiones, sus preferencias y sus gus-
...ier Latin. Lo cual no obsta para que
...or de cuando en cuando —y querido

Tambi... ...uno de los más íntimos y fieles amigos de Sawa, ...veremos, cuenta cómo en París todos preguntaban por él después de haber regresado a Madrid. Después de referirse a su acreditada pereza («Es un hombre que no trabaja nunca, en ninguna parte, de ningún modo. Parece que hubiera nacido en domingo») nos cuenta lo siguiente (16):

> Entre los españoles que han vivido en París, no creo que dos hayan dejado un recuerdo tan indeleble como Sawa. A Sawa le conoce aquí todo el mundo: unos se acuerdan de su bellísima

Glyn M Hambrook
BA PhD

Senior Lecturer in French
and Spanish

School of Languages & European Studies
Stafford Street
Wolverhampton WV1 1SB
United Kingdom

UNIVERSITY OF
WOLVERHAMPTON

Telephone: (01902) 322671/322484/321000
Fax: (01902) 322739
Email: le1965@wlv.ac.uk.
International Code: (+44 1902)

---

(15) Rubén Darío, «Notas teatrales», *Obras completas*, vol. III, página 57.

(16) E. Gómez Carrillo, «Día por día: notas parisienses», *La vida literaria* (núm. 5, 4 de febrero de 1899), p. 90.

Sobre Sawa y sus relaciones, siempre amistosas, con Gómez Carrillo, inclusive un breve epistolario de cartas dirigidas a Sawa, véase el apartado especial en el siguiente capítulo.

cabeza morena, rizada, artística, de sus ojos apagados y tristes, de sus sortijas inmensas, de sus grandes corbatas flotantes, de lo que en él a primera vista llama la atención. Otros piensan aún en su palabra elocuente, en sus discursos de café, en su erudición y en su talento...

Hace tres o cuatro años un escritor francés de los más notables, Charles Morice, tradujo *Crimen legal* y lo presentó a un editor. El editor lo aceptó comprometiéndose a publicarlo dos meses más tarde. Pero era necesario que Sawa «pasase a su despacho» a firmar una autorización y como el despacho del editor estaba muy lejos de la casa de Sawa, el libro no llegó a publicarse.

Blasco habla todos los días de su París, de sus amigos del Boulevard y de sus triunfos en el *Fígaro*. A Blasco nadie le conoce en Francia, ni Blasco conoce la Francia literaria. Sawa, en cambio, que podría hablar con verdadera competencia de esta gran ciudad y de sus grandes cosas y de sus grandes hombres, no habla de nada.

He dejado a propósito para el final del presente capítulo el tema de la estrecha amistad que unió a Sawa con Verlaine. Ya se citó el texto en que Darío habla de cómo llegó a conocer al poeta francés, en 1893, totalmente ebrio. Cierto es que las relaciones amistosas entre Sawa y Verlaine, que comenzaron mucho antes, tienen un aspecto puramente anecdótico, que sirve, desde luego, para medir el alcance de su intimidad; pero también es indudable que aquella amistad aparece ahora integrada en la historia literaria, porque ayuda a precisar algo muy importante: cómo y cuándo empieza a sentirse la presencia de Verlaine en la poesía española. Las palabras de Manuel Machado, varias veces recordadas dentro de este contexto, son bien explícitas y no necesitan, por tanto, de ningún comentario por mi parte (17):

Allá por los años de 1897 y 98 no se tenía en España, en general, otra noción de las últimas evoluciones de las literaturas extranjeras que la que nos aportaron personalmente algunos ingenios que habían viajado. Alejandro Sawa, el bohemio incorregible, muerto hace poco, volvió por entonces de París hablando de parnasianismo y simbolismo y recitando por la primera vez en Madrid versos de Verlaine. Pocos estaban aquí en el secreto...

En aquellos años finales del siglo Sawa frecuentaba las reuniones literarias en la casa de Machado de la calle de

---

(17) Manuel Machado, *La guerra literaria* (Madrid, 1913), pp. 27-28.

(17) Manuel Machado, *La guerra literaria* (Madrid, 1913), pp. 27-28.

Fuencarral. A su testimonio debe unirse otro, igualmente autorizado, el de Cansinos-Assens, quien ha escrito (18):

... La generación del 98 tiene su fructificación estética en la generación del 900, generación compuesta casi exclusivamente de poetas. Esta generación, a la que pertenecen Villaespesa, los dos Machados, Juan Ramón Jiménez, Martínez Sierra, es hija espiritual de la anterior. De ella ha recibido el anhelo de la novedad, de la sinceridad, de un más allá sobre la realidad literaria... Y ha recibido también nuevos mensajes estéticos venidos de París. Simbolistas, parnasianos y decadentes les han enviado con Alejandro Sawa un nuncio extraordinario. Lo que Ganivet ha sido para la generación del 98 lo ha sido Alejandro Sawa para los jóvenes del 900. Ya no se piensa en Taine ni en Montaigne, sino en Verlaine y en Mallarmé. Luego viene Rubén Darío y afirma estas devociones, pero trayendo también su gravedad neoclásica. Antes ya ha venido Valle-Inclán, que restablece la gloria del bello decir malogrado en la obra de los escritores intelectuales del 98, antiretóricos todos, indiferentes para la belleza verbal, atentos tan sólo a la intención...

Cabe añadir además, como hace Manuel Machado, que en aquella época la influencia europea, sobre todo la francesa, llegó principalmente a la península desde la América hispana (19).

Sin embargo, cabe afirmar aquí que la obra de Verlaine no fue totalmente desconocida en España antes del regreso de Sawa; ya la habían comentado de modo esporádico críticos de la jerarquía de la Pardo Bazán y Clarín; también en Madrid Gómez Carrillo había publicado, en 1892, su folleto *Esquisses*, que contiene un ensayo sobre el poeta francés.

Teniendo en cuenta la importación de Verlaine y de la poesía francesa de fines del siglo XIX en España, me parece oportuno agregar otros datos interesantes relacionados con el tema de la eclosión del modernismo en la península y del papel que en su difusión pudo haber tenido Alejandro Sawa. Bernardo G. de Candamo, infatigable crítico y escritor de la época, ahora prácticamente olvidado, al reseñar *El canto errante*, de Darío, y marginalmente en el mismo lugar *Parisiana* evoca así los comienzos del modernismo en Madrid (20):

(18) R. Cansinos-Assens, *La nueva literatura*, II, 2.ª ed. (Madrid, 1925), pp. 355-357.
(19) Manuel Machado, *ob. cit.*, p. 33.
(20) Bernardo G. de Candamo, «Influencias literarias. Rubén Darío. *El canto errante*», *El Mundo*, I, núm. 10, 30 de octubre de 1907.

... Hablaré de Rubén, del Rubén de hace años, cuando el *modernismo* se inició entre nosotros, cuando el pelo nos creció largamente y las alas de los sombreros sombreaban nuestros rostros pálidos y daban así vaguedad alucinante al brillo del monóculo. Todo ello pasó ya para no volver o para volver... La nietzcheana teoría de la vuelta eterna nos promete que en tiempos futuros... vendrá otra vez a Madrid Rubén Darío y se hospedará en la calle del Marqués de Santa Ana, y Villaespesa será su discípulo, y algunos años después —y esto es lo grave—, en tal día como hoy, escribiré yo estos párrafos.

Nuestras audacias eran infantiles y grandes. Las melenas y las alas de los sombreros se agitaban con furia cuando hablábamos de algún viejo escritor. Palacio Valdés, D. Benito, Clarín, todos eran blanco de nuestros heroicos furores. En las mesas de los cafés quedaba malparado el nombre de tales ciudadanos ilustres. Era necesaria una terrible y formidable revolución; había que quitar de en medio a tan empingorotados personajes. Se imponía la sustitución inmediata. Todo procedimiento de violencia era bueno, porque el fin era bueno. Y Alejandro Sawa —el simpático y brillante Alejandro Sawa— fue el profeta; dijo un nombre. Este nombre sonaba bien; era un nombre casi inverosímil por raro y que supusimos seudónimo; el nombre de Rubén Darío. Y a los ritmos valientes de *La marcha triunfal*, al cantar de verso latino del *Responso a Verlaine*, y a la cadenciosa música de *La sonatina*, todo nuestro ser trepidó con entusiasmo. Y el Verbo se hizo carne. Y el endecasílabo se arrinconó para mucho tiempo.

Y cundió por cenáculos y tertulias la nueva nueva. Se habían cumplido las profecías. Llegó Rubén Darío a Madrid. Comenzó la batalla... Lo que a Rubén Darío le dictaba una seria y honda cultura, dictábalo el capricho de los demás. El Disparate **fue** dios y fue rey y fue el motivo lírico de la juventud durante meses. Para verlainianizar tomábamos ajenjo después de comer, y muchos se abrían por tal manera el apetito, un apetito que no iba a *entornarse* en varios días.

Interesa sobremanera el largo texto transcrito de Candamo, presentado a Ruiz Contreras y al grupo de la *Revista Nueva* por el propio Sawa (21), porque en él se nos advierte cómo contribuyó éste a la difusión de la obra de Darío, muy poco conocida en España a pesar de la crítica hecha por Juan Valera y de la estancia del nicaragüense en Madrid (1892), y singularmente de los poemas que constituirían sus deslumbrantes *Prosas profanas* (1896). Y de la mano de Darío, por supuesto, Verlaine, que tanto influyó en ambos, lo mismo que en todos los modernistas. A este respecto, es curioso recordar una desolada carta posterior, de 1908, en la que Sawa refiere a Darío todos sus fracasos personales y las lamentables condiciones en

---

(21) Luis Ruiz Contreras, *Memorias de un desmemoriado*, p. 331.

que vive. Ha llamado —dice— a los periódicos y a las «cavernas editoriales». Ha apelado a la amistad. Y nadie responde. Finalmente, se decide a dirigirse a Rubén (22):

> Ven tú y levántame, tú que vales más que todos. Yo soy algo tuyo también, yo estoy formado, quizá de la misma carne espiritual tuya, y no olvides que si en las letras españolas tú eres como un dios, *yo he tenido la suerte de ser tu victorioso profeta.* [Lo subrayado es nuestro.]

Como explica Candamo, pues, Alejandro Sawa «dijo» en Madrid el nombre de Rubén Darío cuando los otros escritores no lo conocían.

Aunque no creo que sea éste el lugar más indicado para intentar profundizar en el muy intrincado asunto de cómo comenzaba a ser conocida la obra poética de Rubén Darío en España hacia la última década del siglo, me permito abrir aquí un breve paréntesis sobre el particular. Tampoco quiero exagerar el papel, para mí indiscutible, que tuvo Sawa en su difusión. Ni aun con la perspectiva de hoy es nada fácil documentar con precisión y exactitud la introducción de Darío en la península hacia finales del siglo. No obstante, recordemos con toda brevedad algunos hechos susceptibles de mayor estudio en otra ocasión más propicia, limitándonos por el momento a un período que comprende aproximadamente los años de 1890 y 1900. En 1890 Darío publica la edición guatemalteca de *Azul,* libro enriquecido ahora con versos ya renovados con atrevimientos que sólo había ensayado antes en la prosa. El poeta nicaragüense partió a España en 1892, y durante su breve estancia en la península se encontró con los escritores viejos, de generaciones anteriores (Núñez de Arce, Campoamor, Valera, Zorrilla, Menéndez Pelayo, etc.); y escribe el «Pórtico» para *En tropel,* de Salvador Rueda. También de 1892 es una carta de Valera dirigida a Menéndez Pelayo en que vuelva a hablar bien del joven poeta americano. Un poco después regresa a Europa, y en 1893 conoce directamente en París el triunfo del simbolismo y a sus poetas. Allí comienza su amistad con Sawa y vuelve a reunirse con Gómez Carrillo. Darío llega a Buenos Aires en agosto de 1893, y encontró lo que no encontró en España: una juventud literaria. El triunfo del modernismo se consolidó, desde luego, en Argen-

---

(22) Dictino Alvarez, *Cartas de Rubén Darío,* p. 66.

tina entre los años de 1893 y 1896, siendo este último año el de la publicación de dos libros capitales, *Los raros* y *Prosas profanas*. Durante la misma época aparecen importantes textos teóricos («Pro domo mea», «Los colores del estandarte») y toda una serie de prosas críticas, en las cuales revela Darío un nuevo tono combativo. Cada vez más seguro de sí mismo y de su talento, se enorgullece de la nueva generación americana de poetas dignos de medirse con los españoles. Explica que la innegable decadencia de España, amurallada y cerrada en su tradicionalismo, ha sido un factor importante en los afanes cosmopolitas de América. Es la época de afirmación; España se ha retrasado y la juventud americana se adelanta en la renovación artística. Ahora bien: para 1896 Sawa está de vuelta en España, llevando el culto a Verlaine y el nuevo mensaje estético renovador. Pero, por otra parte, mencionado Valera, primer comentarista de Darío en la península, sería muy injusto dejar de lado los nombres de un poeta y de un crítico españoles que seguramente contribuyeron a un mayor conocimiento temprano de Darío en la península: Salvador Rueda y Leopoldo Alas (Clarín).

En su propio prólogo a *En tropel*, Rueda hace algunos grandes elogios de Rubén Darío y le da la bienvenida a España, llamándole «el divino visionario, maestro en la rima, músico triunfal del idioma, enamorado de las abstracciones y símbolos, y quintaesenciado artista». Si Salvador Rueda, siempre atento lector de los hispanoamericanos, acogió inicialmente el nuevo arte abanderado por Rubén, no era así, como bien se recuerda, Leopoldo Alas, el agrio y resentido crítico de Oviedo, siempre ciego ante Darío y su poesía. Clarín, cuya visión de la nueva poesía era limitada y parcial, no podía o no quería entender los aires renovadores que llegaban de América. Menciona con obvio desdén a Darío por primera vez en un *palique* de mayo de 1890; se aumentan las injurias e insultos hacia 1893; y no pierde ocasión para zaherir al poeta americano y hasta en algún momento lo culpa por los desfallecimientos líricos de Rueda. En efecto, muy injusta era la crítica de Clarín, que nunca dejaba de atacar con dureza a los modernistas. No olvidemos que en Buenos Aires se reproduce un artículo de Clarín publicado en *El Globo* de Madrid, en el cual se les critica a Darío y a Rueda en una forma muy negativa. Rubén, en un conocido texto, con el título «Pro domo mea» y publicado en *La Na-*

ción (30 de enero de 1894), contesta a su temido adversario español. Leamos unos cuantos fragmentos sueltos de su defensa ante este nuevo ataque de Clarín:

> Clarín ha «leído en muchas partes elogios rimbonbantes dedicados a un don Rubén Darío»; pero Clarín no ha leído una sola obra de ese señor.
>
> Rubén Darío... no tiene la obligación de cargar con todas las atrocidades *modernistas*, llamémosles así, que han aparecido en América después de la publicación de su *Azul...*
>
> A Rubén Darío le revientan más que a Clarín todos los afrancesados cursis, los imitadores desgarbados, los coloretistas, etcétera.
>
> En América no hay tal *pléyade* de escritores nuevos ni cosa que lo parezca. Hay unos diez o doce, escritores y poetas, que en España no son conocidos, cuyas obras merecerían elogios del mismo Clarín si éste las estudiase...
>
> Clarín debe procurar conocer lo que vale de las letras americanas. Un día escribió, poco más o menos: «¿Qué tengo yo que saber de poetas americanos, como de los de la gran China?» Estúdienos y así podrá apreciar justamente lo que hay de bueno entre nosotros. Y por un galicismo, o un neologismo, no condene una obra...

El antagonismo de Clarín y su patente deseo de desacreditar a Darío no terminan en 1894, y los cargos antimodernistas continúan hasta su muerte en 1901. Sin embargo, Clarín por sus críticas negativas no dejó de contribuir a su modo a una mayor difusión de la obra de Darío en la península. Reservo para otra ocasión un estudio más a fondo de la cuestión de la temprana difusión de Darío en España, pero por el momento me parece evidente que Sawa, Rueda y Clarín ayudaron, cada uno a su manera, a la pronta irradiación del arte de Darío en España. Sin embargo, su obra era relativamente desconocida hasta el año de 1899, cuando llegó el poeta americano por segunda vez a la península, y sobre todo a partir de aquella fecha se hace sentir su presencia en las letras españolas. Colabora en las revistas literarias de la época; de las ediciones anteriores de sus libros pocos ejemplares habían llegado a Madrid. Incluso no sería del todo descabellado afirmar, con las debidas reservas, que es la segunda edición, enriquecida de *Prosas profanas* y publicada en España en 1901, la que más influye en los escritores peninsulares (22 bis).

(22 bis) Sobre el tema de las relaciones literarias entre Rubén Darío y Clarín hay un excelente trabajo de Fernando Ibarra, «Clarín y Rubén Darío: historia de una incomprensión», *HR*, vol. 41 (núm. 3,

Antes de seguir quiero aclarar que tampoco me pro
pongo estudiar aquí a fondo el igualmente arduo problema de la introducción efectiva de Verlaine en la poesía
de lengua española, ni siquiera ocuparme someramente
del alcance de su evidente influencia sobre Darío, los Machado, Juan Ramón Jiménez y otros modernistas de segunda o tercera categoría (23). En lo que respecta a Es-

verano de 1973), pp. 524-540. De menos importancia es Anna Wayne
Ashmurst [sic], «Clarín y Darío: una guerrilla literaria del moderuis-
mo», *CuH* (núm. 260, febrero de 1972), pp. 324-330.
(23) Ya hay una bibliografía sobre el tema. Muy útil, dentro de un
contexto general, es el reciente ensayo de Rafael Ferreres titulado
«Introducción de Paul Verlaine en España» [*Cuadernos hispanoamericanos*, núm. 260, febrero de 1972, pp. 244-257]; en él se traza, con abundante documentación, cómo iban entrando en España las novedades
que representaba entonces la obra de Verlaine, a partir de Clarín,
quien, lo mismo que otros críticos y escritores peninsulares, dio amplias pruebas de incomprensión hacia el nuevo arte practicado por
Verlaine y los decadentes.
Quisiera agregar, sin embargo, a los tempranos artículos citados por
Ferreres otro escrito publicado a raíz de la muerte de Verlaine por
Claudio Frollo (Ernesto López), amigo de Sawa: *El Nuevo Mundo*, III
(núm. 106, 16 de enero de 1896), p. 6. También quiero mencionar una
traducción que suele olvidarse: Pedro Barrantes, *El País*, 22 de mayo
de 1899.
Tengo, además, que hacer algunos leves reparos a ese buen trabajo
de Rafael Ferreres. Varias veces se da la fecha de 1893 para la publicación de *Los raros* de Darío. No existe ninguna edición de 1893; la primera es de 1896 [véase Julio Saavedra Molina, *Bibliografía de Rubén
Darío* (Santiago, 1945), p. 34]. El capítulo dedicado a Verlaine fue escrito, por supuesto, después de su muerte en 1896, como puede dedu-
cirse del texto mismo; de hecho, apareció en *La Nación*, el viernes
10 de enero de aquel año. Para la descripción detallada de este libro de
Darío, de una gran rareza, son de indispensable consulta las páginas
de Pedro Luis Barcia en *Escritos dispersos de Rubén Darío*, I (La Plata, 1968), pp. 47-55. Además, en el mismo tomo, la primera prosa de
Darío que se recoge es una nota necrológica sobre Verlaine, publicada
en *Buenos Aires*, II (núm. 41, 19 de enero de 1896, p. 9) (pp. 89-90).
Para otra descripción de *Los raros*: Emilio Carilla, *Una etapa decisiva
de Rubén Darío* (Madrid, 1967), pp. 57-66.
Las traducciones de Manuel Machado, a las cuales nos referiremos
más adelante, no son de 1910, como indica Ferreres (p. 255), sino de
1908. De ellas se ocupa Sawa en una página crítica titulada «Ante un
libro» [*Los Lunes de El Imparcial*, 23 de marzo de 1908]; el mismo texto
se incorpora luego a *Iluminaciones* (pp. 253-255).
Al preguntarse si habría leído Darío a Verlaine antes de ser presentado al poeta en el café D'Harcourt por Alejandro Sawa en 1893,
Ferreres cree sospechosa una lectura anterior por su escaso conocimiento del francés (p. 254). No es éste el momento de hablar del tópico
del denominado francés *precario* de Darío, pero, como bien se sabe,
antes de la fecha de su primer encuentro con Verlaine había dado ya
amplias pruebas de sus conocimientos de la lengua francesa.

paña, sería muy injusto despojar a Alejandro Sawa de cierta prioridad en el culto a Verlaine y la máxima difusión de su obra a pesar de las menciones levemente anteriores que pueden leerse en la prensa española de la época, ya que fue el que llevó a Madrid directamente desde París, como se ha indicado, gran parte de las novedades simbolistas. Ya lo dijo Manuel Machado, con voz autorizada por ser uno de los poetas más verlenianos entre los cultivadores españoles del modernismo. También insiste en la misma prioridad Ruiz Contreras, en parte para contestar a Azorín, que tiende a asignársela a Cornuty. El director de la *Revista Nueva*, en una breve semblanza de Sawa, escribe lo siguiente sobre el asunto que ahora nos ocupa (24):

¡Si despertase Alejandro Sawa! ¡Cómo reclamaría para sí el privilegio de habernos aburrido tantas veces, antes de venir Cornuty, con la repetición insistente del fragmento copiado [tomado de *Chanson d'automne*], que ahuecaba con su voz campanuda! Precisamente Sawa fue para Cornuty algo más que un precursor verleniano: fue su providencia; porque al verle por completo desamparado, le acogió en su mísero desván. Alejandro Sawa era generoso en su pobreza, y su espíritu respondía bien al gallardo aspecto de su persona. Vestía pulcramente, hablaba con altivez y podían perdonársele ciertas extravagancias como a un hidalgo. Hablaba en correcto castellano con pronunciación francesa, y de vez en vez interrumpía su discurso con un *Comment s'appele ça?;* levantaba el brazo; rozaba el pulgar

Sobre el tema de Verlaine y España, pueden consultarse las páginas de Guillermo Díaz-Plaja, *Modernismo frente a Noventa y Ocho* (Madrid, 1951), pp. 178-184.

Puede que resulten totalmente gratuitas esas pequeñas observaciones mías (si es así, a Ferreres le pido disculpas) por la reciente publicación de su nuevo libro *Verlaine y los modernistas españoles* (1975), reseñado ya en términos muy favorables por José Luis Cano en *Insula* (núm. 343, junio de 1975). Todavía no he podido ver estas páginas de Ferreres.

Finalmente, quisiera mencionar el estudio de Geoffrey Ribbans, «La influencia de Verlaine en Antonio Machado (Con nuevos datos sobre la primera época del poeta)», *Cuadernos Hispanoamericanos*, núm. 91-92, julio-agosto de 1957, pp. 180-201.

«Aún hay tiempo de añadir aquí los títulos de unos importantes ensayos relacionados con el tema que se deben al profesor John W. Kronik: "Clarín and Verlaine", RLC, XXXVII (1963), pp. 368-384 [se reproduce aquí el importante artículo de Clarín sobre el poeta francés que se publicó en 1897]; "Emilia Pardo Bazán and the Phenomenon of French Decadentism", PMLA, LXXXI (1966), pp. 418-427; y finalmente "Enrique Gómez Carrillo, Francophile Propagandist", *Symposium*, XXI (1967), pp. 50-60.»

(24) Ruiz Contreras, *ob. cit.*, p. 124.

con el índice para producir un chasquido; erguía la cabeza como si esperase que le cayera de las nubes la palabra... Y nunca le faltó la precisa. Tenía un hermoso perro, como Alfonso Karr, a quien deseaba parecerse... El prurito de originalidad *imitada* le privó, acaso, de ser original a su manera. El editor de los novelistas «zolescos» le publicó tres libros, y vivía en la estrechez, con una dignidad asombrosa...

Si se tiene en cuenta el estudio de Darío sobre Verlaine, incluido en *Los Raros* (1896), y el libro mismo de *Prosas profanas*, en el que figura el célebre «Responso», es muy difícil aceptar las siguientes palabras de Juan Ramón Jiménez (25):

... Nosotros leíamos a Verlaine antes de que lo leyera Darío. Le conocimos directamente, en los originales. Fíjese que en *Azul* no se cita a Verlaine; allí están Catulle Mendès, Leconte de Lisle, Richepin. En nosotros, en los Machado y en mí, los simbolistas influyeron antes que en Darío. Los Machado los leyeron cuando su estancia en París, y yo le presté a Darío libros de Verlaine que él aún no conocía. Recuerde que yo le edité, a mis veinticinco años, los *Cantos de vida y esperanza*.

Varios años antes que los Machado, había estado ya Rubén Darío en París, donde fue presentado al maestro por Alejandro Sawa, como se ha mencionado.

Hay, sin embargo, otro escrito anterior de Darío, sobre el cual no quiero dejar de llamar la atención. Se trata de un cuento, en parte de evidente filiación autobiográfica, titulado «Historia de un sobretodo» y publicado en febrero de 1892 (26). La acción del relato comienza en Chile, en un frío invierno de 1887; Rubén Darío, el protagonista,

---

(25) Ricardo Gullón, *Conversaciones con Juan Ramón* (Madrid, 1958), página 56.
Hay otro texto, en el mismo libro, que también interesa dentro de ese contexto. Cuando se le preguntó al poeta la fecha exacta de su estancia en Burdeos y qué representó para él aquella temporada, contestó: «Desde mayo de 1899 hasta mayo de 1900. Justamente un año. En Burdeos leí a Francis Jammes, a quien conocí en Orthez. Mucho antes de ir a Francia yo estaba empapado de literatura francesa; me eduqué con Verlaine, que fue, junto con Becquer, el poeta que más influyó sobre mí, en el primer momento. Luego vino Baudelaire, pero éste es de comprensión más difícil, más tardía. El *Choix de poèmes* de Verlaine lo sabía yo —y lo sabía Antonio Machado— de memoria...» (página 100).
Lo que puede afirmarse, sin duda, es que los hermanos Machado conocían muy bien a Verlaine antes de ir por primera vez a París, en 1899.
(26) El texto del cuento: *Cuentos completos* (México, 1950), páginas 165-171.

que acaba de cobrar sus colaboraciones en *El Heraldo* de Valparaíso, se compra un sobretodo para protegerse contra el frío. Adquirido el gabán, se cuentan las aventuras y viajes de aquel *ulster* tan elegante «que humillará a más de un modesto burgués y que se atraerá la atención de más de una sonrosada porteña» (p. 166). Unos años después, cierto día visita a Darío su joven amigo Gómez Carrillo, «inteligente, burlón, brillante, insoportable, que adoraba a Antonio de Valbuena, que tenía buenas dotes artísticas, y que se atrajo todas mis antipatías por dos artículos que publicó, uno contra Gutiérrez Nájera y otro contra Francisco Gavidia» (pp. 168-169); al despedirse, puesto que marchaba a París, se lleva el sobretodo del cuento. No interesa ahora saber si se lo regaló Darío o si correspondió con él al pago de ciertas cantidades que le debía (27). Prosigue el relato, y al final de la historia Darío recibe una carta del andariego cronista que lleva la siguiente posdata (28):

> ¿Sabe usted a quién le sirve hoy su sobretodo? A Paul Verlaine, al poeta... Yo se lo regalé a Alejandro Sawa —el prologuista de López Bago, que vive en París— y él se lo dio a Paul Verlaine. ¡Dichoso sobretodo! (p. 171).

La narración termina con la siguiente observación de Darío:

> Sí, muy dichoso; pues del poder de un pobre escritor americano, ha ascendido al de un glorioso excéntrico, que aunque cambie de hospital todos los días, es uno de los más grandes poetas de la Francia (p. 171).

No mucho antes Darío había escrito en el mismo lugar (29):

---

(27) Sobre esto puede consultarse la nota 7, pp. 167-170, de la edición citada de *Cuentos completos*, preparada por Ernesto Mejía Sánchez.

(28) No creo que Sawa haya sido jamás *prologuista* de López Bago. Pero como ya hemos visto, López Bago hizo un análisis de la novela *Crimen legal*, de Sawa, y esas páginas se incorporaron después a la novela, a manera de apéndice.

(29) Al comentar el fragmento que ahora se reproduce, Mejía Sánchez dice en su nota 8 al texto del cuento (p. 170): «Los *Poèmes saturniens* pudieron ser conocidos por Darío muchos años antes; se publicaron originalmente en 1866. Por lo enfático de la pregunta... parecería que Darío acabara de descubrir los *Poèmes*; aunque tardíamente, debió leerlos en francés... Si tomamos en cuenta que en 1892 ya estaba publicada casi toda la obra de Verlaine... no puede menos de recono-

... ¿Conocéis el nombre del gran poeta Paul Verlaine, el de los *Poemas saturninos?* Zola, Anatolio France, Julio Lemaître, son apasionados suyos. Toda la juventud literaria de Francia ama y respeta al viejo artista. Los decadentes y simbolistas le consultan como a un maestro. France, en su lengua especial, le llama «un salvaje soberbio y magnífico». Mauricio Barrès, Moréas, visitan en «sus hospitales» al «pobre Lelián»... (p. 170).

Unos años antes del regreso de Sawa a la capital española, Gómez Carrillo, por su parte, publicó en Madrid un folleto titulado *Esquisses*, en 1892, donde declara haber sido el primero que había hablado en lengua española de Verlaine, aun cuando su verdadera amistad fuera, como él mismo dijo, de época ligeramente posterior (1893): «...El vivía entonces en el hotel de Lisboa, en la rue de Vaugirard, y yo con Sawa y Le Cardonnel en el hotel de Médicis, en la rue Monsieur-le-France» (30). A Verlaine parece que no le gustó aquel ensayo del escritor guatemalteco, a juzgar por la siguiente carta dirigida por Alejandro Sawa a éste (31):

París, enero de 1892.

Querido Enrique:

He entregado a Verlaine el ejemplar de tu libro que para él me envías. ¿Debo decirte la impresión que le ha producido? No lo sé; pero como creo que si esto te apena, más te apenaría aún no saber la verdad, paso por encima de todas las consideraciones que pudieran cerrarme la boca y (en estilo de notario) digo: 1, que los primeros capítulos en los cuales dices indistintamente al hablar del genio en general, «Shakespeare, Homero, Verlaine, Víctor Hugo, etc.», le parecieron de perlas; y 2, que el capítulo de las anécdotas privadas le ha puesto de mal humor... ¿por qué?... ya lo verás... Dices tú al comentar una frase erótica suya: «estas palabras, pronunciadas por labios marchitos de sesenta años, suenan de un modo macabro en mis oídos». Y él exclama al oír tus líneas:

¡Verdaderamente ese Carrillo está loco!... ¿Yo sesenta años?... No... Debe de estar chiflado... De hoy en adelante no volveremos a ser amigos».

Adiós, querido. Tuyo siempre,

Alejandro Sawa

Sin embargo, al regresar Gómez Carrillo a París continuó siendo amigo de Verlaine, cuyos rencores no duraban nunca sino «el espacio de un ajenjo», frase ingeniosa del pro-

---

cerse que su influencia, tan traída y llevada por los críticos de Darío, y en general del modernismo, se inicia en fecha algo tardía, cuando la producción modernista iba ya muy adelantada».

(30) E. Gómez Carrillo, *Almas y cerebros* (París, 1925), p. 185.
(31) *Ibídem*, p. 184.

pio Sawa (32). No quiero desaprovechar la ocasión para copiar otro texto de Gómez Carrillo relativo a la vida parisiense, en el que se incluye una breve semblanza conjunta de Sawa y Verlaine. El relato se refiere a un día durante el cual Gómez Carrillo acompaña desde las primeras horas de la mañana al poeta en sus andanzas por las calles de la ciudad (33):

> A las diez de la noche, volvimos al café François I. Era el momento de la animación. Alrededor del maestro, los homéridas melenudos se amontonaban. Y era Charles Morice, alto, desgarbado, sutil, sardónico, doctoral; y era Louis Lecardonnel, hoy sacerdote, entonces poeta, Louis Lecardonnel suntuoso y obsequioso; y era Rambosson casi niño, atento, silencioso; y era Alejandro Sawa, bello cual un árabe con su barba de azabache, con sus ojos somnolientos, Sawa el español parisiense; y era Henry de Regnier, que parecía un príncipe perdido en una taberna; y era Pierre Louis acompañado por una mulata deliciosamente rara; y eran otros muchos, otros muchos. Y todos reían, todos discutían, todos gritaban. Sólo el padre Verlaine contentábase con decir, de cuarto en cuarto de hora, con voz cada vez más estentórea:
> «¡Ce cochon de France!»

Las reminiscencias directas de Verlaine y de su amistad ocupan bastante espacio en la obra de Sawa; entre los papeles guardados por la familia se halla una gran fotografía del poeta, con afectuosa dedicatoria a su amigo español fechada el 21 de octubre de 1891. Guardaba éste también un poema autógrafo de Verlaine, y escribió en su Autobiografía: «Poseo un soneto inédito de Verlaine» (Iluminaciones, p. 179). Como recordaban los amigos, Sawa le puso marco y siempre se lo mostraba a los visitantes (34). Este poema manuscrito, que no era soneto, es otra versión de la poesía titulada «Féroce», que se publicó en Le Rêve et L'Idée (mayo-julio de 1895). La versión que tenía Sawa no lleva título y la dedicatoria está fechada el 10 de febrero de 1894; sus variantes se encuentran en la cuarta estrofa (35).

Asimismo, en un breve texto aparecido por primera vez en Los Lunes de El Imparcial se ocupa Sawa en 1908

---

(32) Ibídem.
(33) E. Gómez Carrillo, «El café literario», en Cómo se pasa la vida (París, sin fecha).
(34) Eduardo Zamacois, Un hombre que se va (Memorias), p. 176.
(35) Tomo estos datos de Paul Verlaine, Oeuvres Poétiques Complètes (Bibliothèque de la Pléïade, 1968), p. 1348.

de las traducciones de Verlaine publicadas por Manuel Machado, con prólogo de Gómez Carrillo (*Iluminaciones*, pp. 253-255); el libro que comenta le va a permitir «...revivir mis días de París y a viajar con el altísimo poeta por los cielos magníficos del Arte» (p. 253). También elogia con entusiasmo las páginas introductorias de Gómez Carrillo por su verdadera autenticidad y por tener además la novedad de referirse a las cartas desgarradoras de Verlaine:

> ... se plañe en todas ellas de sí y de los otros, en un vasto y lacerante *ritornello* de miseria que sueña, interminablemente, a cosas del sepulcro en plena vida, porque aquel grande e ignominioso mal del poeta no ha debido existir; muchedumbre de esas dolorosas cartas, llenas de ayes, están fechadas en el Hospital o en la Cárcel, las solas estaciones en que hizo paradas durante su trágico calvario mortal (p. 254).

Con su traducción, Manuel Machado, «exquisito voluptuoso del ritmo en el habla y en la vida» (p. 255), ha hecho, a juicio de Sawa, una señalada contribución de gracia y señorío a las letras españolas. Me permito copiar aquí una carta inédita en la que Machado se refiere al texto en cuestión:

> *Junta*
> *de*
> *Iconografía Nacional*
>
> Hoy 24-III-08
> Querido Alejandro:
> Sin perjuicio de ir a verte en cuanto pueda, recibe un abrazo de parabién y de gratitud por tus admirables palabras a mí en el precioso artículo de *El Imparcial*. Tú sabes bien cuán grato es el aplauso de los grandes del pensamiento y con qué placer habré leído tus líneas maestras.
> Gracias y hasta muy pronto tu devotísimo
>
> M. Machado

Por último, Sawa escribe en el mismo texto que comentamos sobre Verlaine:

> Yo fui su amigo. Otros superiores a mí, sintieron a su contacto un hombre de piedra. Para mí fue de carne, de carne espiritual; aún guardo en la memoria de mi corazón el recuerdo de su mano caída, afirmativa en la amistad como un juramento (p. 255).

Otro escrito de Sawa, también publicado en *Los Lunes de El Imparcial* (26 de octubre de 1908), evoca un banquete literario presidido por Zola, al que llegó con mucho retraso Verlaine para ocupar su sitio en la mesa presidencial a la derecha del novelista. En estas páginas figura una excelente semblanza del poeta, que merecería copiarse en su totalidad, de la que reproduzco algunos fragmentos:

> En mi cielo espiritual, Verlaine es una de las más evidentes estrellas del zodíaco; aun acopladas a otras de mayor potencia, su luz brilla solitaria, como si no formara parte de constelación alguna. Así el lucero de la mañana, que tan bien conocen los caminantes.
> Hugo es rojo; Lamartine, azul; de Vigny, polícromo, como una bandera lejana flotando al viento; Baudelaire, cárdeno y también verdoso, como los zumos de las plantas letales; Musset, sonrosado, al modo de las mallas de las bailarinas. Sólo Verlaine es plural de tonos, porque su alma irreductible estaba formada sólo de matices.
> En mi nebulosa de arte, Verlaine luce como un arco iris de ensueño mejor aún que como una estrella.
> Ese prodigioso manipulador de matices fue, sin embargo, en la vida como un gran espesor de sombra capaz del pensamiento y del sentimiento, de la idea y del sollozo.
> Cuando lo evoco, se me aparece negro siempre, como la visión demoníaca de un fraile embrujado por la pesadilla del infierno, o pardo, como un santo de Ribera, acribillado de parásitos (*Iluminaciones*, pp. 191-192).

Refiriéndose después a la consabida dualidad del alma de su amigo, continúa diciendo Sawa en una prosa sumamente expresiva:

> En la cruel antinomia de su vida, Verlaine, vistiendo su tétrico ropón de orfandad y los riñones ceñidos por el áspero cilicio de la penitencia, era, sin embargo, el hombre que llevaba incandescentes en su pecho los carbones de *Chansons pour elle*, los cálidos epitalamios de *Los poemas saturnianos* y la exquisita voluptuosidad de vivir que contiene toda su obra, como un elixir divino. Fue, en resumen, durante su peregrinación por las calles de la ciudad, un hombre sombrío con el corazón atravesado por los siete cuchillos de los pecados capitales y con todo el candor y toda la alegría, sonando a fiesta del Paraíso, en el interior de su acongojado pecho herido (pp. 192-193).

Por último, en otro lugar recuerda Sawa el triste día de enero en que falleció Verlaine, atendido por Eugénie Krantz y el joven pintor Cornuty. A él fueron a buscarle a su hotel cuando ya expiraba el poeta, pero no pudo llegar a tiempo a la calle de Descartes. Ya había muerto. Comenzaron a llegar los amigos —Catulle Mendès, Mallarmé, Coppée, Lepelletier— y Mallarmé («faunesco y sacerdotal», *Iluminaciones,* p. 147) pronunció unas palabras que tal vez no conozcan los críticos franceses y que merecen repetirse aquí (36):

Sí; Paul Verlaine fue un gran poeta. La poesía, que era rica hasta la erudición en la época en que Verlaine apareció, fue enriquecida por él y templada en el más melodioso manantial que haya jamás existido. Como se sigue el curso de un arroyuelo, así Verlaine siguió a su alma, un alma primitiva e ingenua, arrojando lo inútil y lo excesivo del saber de nuestro tiempo. Sólo que, aunque admirablemente sencilla, su poesía hace a cada instante comprender —por un signo, por un rasgo, por un nada— que, si quisiera, podría desenvolverse en toda su magnificencia orquestal. Lo amaba también a pesar de nuestras diferencias. Cuantas veces he ido a visitarlo en las distintas estaciones de su calvario físico, nuestros paseos a través de los jardines dolientes se animaban con sus tiradas de frases, sus exclusivos monólogos. Era, en efecto, un admirable soliloquista, siempre dispuesto a hacer su *odelette;* pero sin la afectuosa intención de establecer corriente con su interlocutor. Nunca he sentido cerca de él el contacto anímico. Lo amaba, sin embargo. A menudo me inducía a establecer ciertas comparaciones entre él y el exquisito Villiers. En cuanto a admirarlo, siempre lo he hecho, sin ninguna suerte de reservas... (pp. 147-148).

Antes de terminar estas páginas sobre la etapa parisiense de la vida de Alejandro Sawa quisiera dedicar un breve

(36) Otro texto en que se habla de la muerte de Verlaine, con ligeras variantes y titulado «Hace once años», fue publicado en *Los Lunes de El Imparcial* (13 de enero de 1908) y luego en la *Revista Moderna de México* (IX, núm. 6, febrero de 1908, pp. 366-367); tiene una parte final que no figura en *Iluminaciones.* De ella copio unos fragmentos:
«Mientras más avanzo por la ruta mortal, el espectáculo del tartufismo, de la canallería y de la injusticia, inclinan con mayor imperio mis simpatías hacia los que se construyen, a una existencia aparte, aun siendo culpables, aun siendo infames, según las leyes de los fariseos de dentro.
Conozco lo que valen los honores, las distinciones, jerarquías, los testimonios de la estimación pública, y he visto de cuánta vulgaridad y cálculo, de cuánto rebajamiento también, se compone el "honorariato" entre los regulares del mundo. Hay que felicitarse, pues, de que el más grande poeta de fines del siglo XIX haya vivido en "outlaw" a menudo huésped de las prisiones, borracho, depravado, peor aún.
Me place que la confesión de tales costumbres haya estallado en la cara de la sociedad, vieja hipócrita, que proclama que la falta que se oculta está casi perdonada. Pero ante la conciencia no hay perdón, sino para el pecado que se declara, para la falta que hizo sufrir y derramar lágrimas al pecador. Y con lágrimas lustrales se renovó, purificó y se elevó la poesía de Paul Verlaine. ¡Ah, "si la vieille folie" no lo hubiera asaltado en su camino, no hubiéramos podido entonces admirar el canto angélico de "Sagesse y Parallement"...!»

espacio a otro tipo pintoresco, amigo del escritor español, que frecuentaba también el Barrio Latino. Me refiero, por supuesto, a Enrique Cornuty, cuyo nombre se ha mencionado ya marginalmente. Era un modesto pintor francés, hijo de un comerciante, y nació en Beziers, según Pío Baroja, quien da el mayor acopio de datos sobre tan curioso personaje (37). Se sabe, además, que atendió a Verlaine en los últimos momentos de su vida. Según algunos memorialistas de la época, marchó con Sawa a España hacia 1896; pero aunque Cornuty no acompañara a Sawa en su viaje de regreso, los dos amigos se encontraron, sin duda, muy pronto en Madrid. Pío Baroja dice al respecto (38):

> Cornuty me dijo que llegó a Madrid con Alejandro Sawa; alquilaron entre los dos un cuarto, compró él unos modestos muebles, y un día Sawa, con los aires de gran señor que tomaba, le echó del cuarto y se quedó con él.

y luego añade:

> Las ideas de Cornuty eran bastante absurdas, de un decadentismo feroz.
> Ortega y Gasset decía que, a la manera de las ratas, que cuando llegan a un puerto comunican la peste bubónica a la población, Cornuty había traído el decadentismo a España.

Cornuty era una figura menor del Quartier, tan verleniano o más que el propio Sawa. Al llegar a Madrid difundió con su amigo el culto al poeta francés, uniéndose también al grupo del 98. Asiduo asistente a las tertulias literarias, se contaban de él muchas anécdotas, sobre todo las relacionadas con su abigarrado y *sui generis* español (parece que siempre confundía los verbos *ser* y *estar*). Azorín, que al parecer sintió simpatía por él, insiste en su devoción suprema al arte (39); había llegado, por lo visto, a España para conocer mejor la pintura de Zurburán (40).

En cuanto a las relaciones personales entre Sawa y Cornuty, hay divergencia de opiniones; algunos (Ricardo Baroja, J. María Llanas Aguilaniedo) hablan de que el

---

(37) Pío Baroja, *ob. cit.*, pp. 712-714. También sobre Cornuty habla Melchor de Almagro, *Biografía del 1900* (Madrid, 1944), pp. 97-98.
(38) *Ibídem*, p. 713.
(39) Azorín, «Los extranjeros», *Madrid, Obras completas*, vol. VI (Madrid, 1948), pp 280-282.
(40) Baroja, *ob. cit.*, p. 713.

francés era víctima por parte del español de una explotación despiadada, mientras que otros afirman que Sawa le protegió generosamente durante los primeros años de su residencia en Madrid (Ruiz Contreras). Ricardo Baroja, por ejemplo, dedica a Cornuty un pequeño capítulo en su libro *Gente del 98*, donde recuerda cómo un literato español dipsómano, cuyo nombre no quiere estampar en las páginas de su trabajo, le acogió en Madrid con el pretexto de administrar los francos que el padre le enviaba de Francia (41):

La administración de los fondos cornutyanos establecida por el literato español que le había acogido en su domicilio consistía en cambiar los francos en pesetas, en bebidas alcohólicas, que el español ingería sin dar gota al francés...

El hidrófobo sujeto que administraba de modo tan original los capitales de Cornuty se fue al Gobierno Civil y declaró que había llegado a Madrid el más audaz de los anarquistas. A su lado, Ravachol y Henri eran unos pipiolos. Y él —literato español, gloria de las letras patrias— le había llevado a su casa para vigilarle.

En el Gobierno Civil señalaron un buen sueldo a quien así velaba por la tranquilidad pública.

Una empresa teatral acepta la adaptación al castellano de un arreglo de *Los reyes en el desierto* [sic], hecho por el literato polizonte. Este cobra un anticipo, arroja de su casa a Cornuty y deja de beberse sus francos.

También Pío Baroja refiere que en cierta ocasión él se encontró con Sawa y Cornuty, quienes iban declamando versos de Verlaine por el paseo de Recoletos; merece la pena reproducir la característica anécdota (42):

---

(41) Ricardo Baroja, *Gente de la generación del 98* (Barcelona, 1952), páginas 34-35.

De un artículo de J. María Llanas Aguilaniedo, «Modernismo artístico» (*El País*, 15 de mayo de 1899), copio el siguiente párrafo: «Es, además, una verdadera desgracia que haya caído éste [el modernismo] en las garras de tantos *snobs* como en el arte existen. Muchos he conocido en Madrid que se autollamaban modernistas, porque ante sus ojos esto comunicaba un raro prestigio a su persona; y todo su modernismo se reducía a bailarle el agua al pobre Cornuty, esa víctima de Sawa, paseando con él Castellana arriba, Castellana abajo, exhibiéndose junto a la descuidada y original figura del adorador de Verlaine. Yo, francamente, entre exhibirse en el paseo con un decadente, con un chino de la embajada o con un *fox terrier*, prefiero el *fox terrier* porque hace más *smart*.»

(42) Pío Baroja, *ob. cit.*, p. 554.

... me llevaron [Sawa y Cornuty] a una taberna de la plaza de Herradores. Bebieron ellos unas copas, pagué yo, y Sawa me pidió tres pesetas. Yo no las tenía, y se lo dije.

—¿Vive usted lejos? —me preguntó Alejandro con su aire orgulloso.

—No, bastante cerca.

—Bueno, pues vaya usted a su casa y tráigame usted ese dinero.

Me lo indicó con tal convicción, que yo fui a mi casa y se lo llevé. El salió de la puerta de la taberna, tomó el dinero y dijo:

—Puede usted marcharse.

Era la manera de tratar a los pequeños burgueses los admiradores de la escuela de Baudelaire y Verlaine.

Por su parte, Ruiz Contreras, que parece haber sido con Maeztu y Villaespesa uno de los grandes odios de Cornuty entre los escritores españoles, reproduce lo que él consideró lo único que aquel infeliz publicó en Madrid. Se trata de una breve página titulada «A un indiferente» (43), que apareció en la *Revista Nueva* del mismo Ruiz Contreras. Como aportación a esta mínima bibliografía quiero indicar que en *El Globo* (19 de septiembre de 1898) se inserta asimismo otro texto de Henri Cornuty, con dedicatoria a Valle-Inclán y en traducción de su amigo Candamo, que lleva por título «A propósito de Mallarmé», que acababa entonces de morir. Tengo, además, a la vista una afectuosa carta de Cornuty a Alejandro Sawa, de época muy posterior (enero de 1908), en la cual le pide colaboración para el periódico *La Acción*, cuyos fundadores habían sido Claudio Frollo y Francisco Villanueva; en ella se excusa por el poco pago que puede dar el periódico a sus colaboradores. No puedo asegurar que Sawa llegó a escribir en *La Acción* por haber visto solamente el número primero de esta publicación, aparecido el 1 de febrero de 1908. De su sección anónima «Notas al aire. Retratos y ejemplos» (¿de Claudio Frollo?), en la primera página del mismo copio las siguientes palabras referidas a Alejandro Sawa:

Hemos puesto bastante bien la Redacción. Junto a la gran mesa de mi despacho, gran mesa con sus altos pupitres —burguesa y poltrona—, he colocado en la pared, bajo los hilos del timbre —ya sabéis, pues, que también tengo timbre— un gran retrato de Alejandro Sawa, otro de Bonafoux.

(43) Ruiz Contreras, *ob. cit.*, pp. 125-126.
También sobre Cornuty véase Nicasio Hernández Luquero, «Un recuerdo a Cornuty», *Ceres* (Valladolid), agosto de 1967.

... Sawa —véase toda su obra, conózcase toda su *no obra*, véase a lo menos su último artículo el último lunes de *El Imparcial* sobre el fariseísmo—, Sawa representa muy bien toda, toda una serie de muy altas acciones de rebeldía, que aún no son bien vistas. Su divisa es *hacer lo que se quiere en contra de lo que quieran todos*. Contra la holganza, trabajo, y descanso con la actividad. Tuvo sus largos meses de nirvana y sus días dilatados de verdadera orgía de trabajar. Ha gritado borracho en medio de la calle, cosa a que tantos temen mucho y no ha ocultado jamás su pensamiento, cosa a que tantos temen tanto. Es un hombre que está no sé si por encima, sé por lo menos que fuera de los otros. Hoy está ciego —pobre Alejandro, amigo— y ve cosas extrañas que no vislumbra nadie... Si acaso, en un orden ciclópeo, Víctor Hugo; si acaso, en un orden sutil, Pablo Verlaine...

Así entreverados de luces y sombras, los años transcurridos en el extranjero fueron decisivos para el hombre y para el escritor. De París volverá con el renombre y el prestigio que le da su amistad con los escritores y personajes más destacados del país vecino. Ha conocido mundo. Será bien recibido asimismo en los ambientes intelectuales de Madrid. Y se esperará en vano la obra de Sawa, la que pudo haber hecho y nunca hizo. Pero su llegada, al regresar a la patria hacia 1896 ó 1897, fue proclamada en algunos sectores como una promesa abierta a un futuro cada vez más inseguro.

CAPÍTULO IV

LA ULTIMA ETAPA: OTRA VEZ MADRID
(1896-1909)

Los últimos años transcurridos en Madrid fueron indudablemente los más dolorosos y difíciles de la vida de Alejandro Sawa. En términos generales, se trata de una penosa trayectoria que va de peor en peor, siempre cuesta abajo, sobre todo en la parte final de este período. Fueron, por supuesto, los años de la pobreza, de la ceguera, a partir de 1906, y de su locura definitiva. Ya le habían abandonado muchos de sus antiguos amigos, que ni siquiera contestaban a sus reiteradas peticiones de ayuda económica, muchas de ellas dirigidas a sus conocidos en los últimos meses de la vida. También le fueron cerradas, por lo visto, las redacciones de la mayor parte de los periódicos. Se hace entonces más aguda la penuria familiar. Apenas había tregua frente a las miserias de una existencia que acosaba sin cesar. Puede suponerse que en ese calvario comenzaba a flaquear hasta el orgullo, que siempre había servido antes de escudo al pobre Sawa, y este hombre «magnífico» o «excelso», como fue calificado por algunos en su tiempo, llega a conocer la más completa postración física y espiritual.

Antes del último derrumbe, sin embargo, el regreso de París le había prestado sin duda una cierta aureola de prestigio por su residencia en el extranjero y por sus sonadas amistades literarias con los más destacados escritores franceses, tema incesante de su conversación en las tertulias y los cafés de Madrid, que seguía frecuentando con fidelidad. Quizá pudo haber rehecho su vida Sawa en aquel momento como afirma hacia enero de 1901. Busca una terapéutica para su voluntad, quiere orientarse y dar batalla a la vida (*Iluminaciones*, p. 21). No logra hacerlo

91

en la medida de sus deseos. Es muy interesante el testimonio de Ernesto Bark, incorporado a su pequeño libro *Modernismo* (Madrid, 1901). Después de definir el título de su obra «como la protesta de los jóvenes contra los viejos, del espíritu contra la forma, del progreso contra la reacción» (1), Bark afirma:

> ... Los desastres coloniales no han creado este anhelo de salir del marasmo, sólo han dado mayor empuje a las tendencias reformistas extendiendo su acción de la literatura a las anchas esferas sociales y haciendo de una corriente limitada a determinados círculos intelectuales, un movimiento nacional *(Ibídem)*.

Se ocupa el autor de lo que él denomina la Joven España, que encontró en *Germinal*, dirigida por Dicenta en 1897, y en el *Progreso*, que continúa con Alejandro Lerroux el movimiento germinalista (p. 58); y dentro de ese contexto no puede dejar de mencionar los nombres de Alejandro y Miguel Sawa: «...Los dos hermanos Sawa forman una parte muy esencial de la España joven, y hay que sentir que su original talento no fuera tan eficaz en la lucha contra lo rancio y antiguo de como sería de desear» (p. 65). Al comparar luego a Alfredo de Musset con Alejandro Sawa, escribe sobre este último:

> De Sawa se retiraron igualmente los amigos, cansados de servirle de pedestal de vanidad o eco de su amor propio. Solo y solitario se encuentra hoy el artista que hubiera podido fundar sólidamente la novela modernista y ser con Dicenta, Lerroux y el núcleo que les rodea uno de los pilastres más poderosos de la España del porvenir.
> Como Delorme, Fraguas, Luis París y otros ha encontrado protectores valiosos y creo que un banquero inteligente y generoso sigue todavía protegiéndole. ¿Por qué entonces no ha realizado las promesas de su brillante juventud?
> Después de diez años de silencio hizo hablar de sí en 1899, por la adaptación a la escena española de los *Reyes en el destierro*, de Daudet. ¿Es que el ambiente reaccionario y levítico le haya aletargado o pesan sobre él las pesadas sombras del hastío prematuro y de la pasividad oriental tan funesta a muchos talentos en España? (p. 66).

Cuando esto escribe Ernesto Bark, hacia 1901, era indudable que cierto sector de la intelectualidad española aún tenía fe en Sawa como promesa para el futuro, si bien esa fe no pudo ser del todo justificada debido al prolongado

---

(1) Ernesto Bark, *Modernismo* (Madrid, 1901), p. 5.

silencio del escritor a quien tanto se exigía después de haber regresado a España.

En el capítulo segundo del presente libro me he referido a la formación, hacia 1885, del grupo denominado «gente nueva», al que perteneció Alejandro Sawa durante su primera estancia en Madrid antes de marchar a París. Con el tiempo, aquellos mismos intelectuales pasarían a integrar el grupo *germinalista,* agrupados alrededor de la persona de Joaquín Dicenta, que ya había estrenado su drama *Juan José* (1895), de singular importancia en la época (1 bis). Preciso e incluso meticuloso acerca de este

---

(1 bis) Puede verse una temprana muestra de la actitud avanzada y socialista de Sawa en el texto «Una carta», incluido en el libro *A los hijos del pueblo* (Madrid, 1885), de Tomás Camacho y Francisco Salazar, con prólogo de Ernesto Alvarez. Agradezco a Lily Litvak el haberme facilitado este dato.

En esas páginas manifiesta el *correligionario* Sawa, en una lengua exaltada y enfática, su protesta contra los males sociales y políticos del país:

«... Es que en España no hay ningún partido político, absolutamente ninguno, que esté en condiciones, que pueda estar en condiciones de ser verdaderamente popular. Es que aquí todos nos preocupamos mucho de reformas políticas, y no concedemos importancia de ninguna especie a las reformas sociales. Es que aquí todos nos preocupamos mucho de redactar Constituciones, de formar asambleas, de publicar programas, ... y el pobre pueblo, el eterno esclavo, continúa comiendo como siempre lo suficiente para no morirse literalmente de hambre, y trabajando de sol a sol, y encorvando el espinazo para entrar en su tabasco, y dando al vicio carne donde morder, en sus hijas, en sus miserables y desventuradas hijas... Es que aquí, preciso es decirlo, la política es un negocio, la religión una estafa, la interpretación de las leyes una industria. Es que aquí, y como aquí en todas partes, ... ser ministro, ser personaje oficial, voluntad directiva, es habitar en palacio, tener muchas queridas, tragarse una vaca para almorzar y toda la pesca del Cantábrico para comer, en colaboración con otros personajes oficiales; es pasear en coche, hurtar por merodeos o por asaltos, hurtar, como quiera que sea, fueros a la conciencia, derechos a la dignidad humana, si dignidad y conciencia se resisten a las rapiñas, a los espolios de las clases directoras...» (pp. 91-93).

Finalmente, el campesino que vive en condición peor que las bestias, alimentándose de pan y cebollas, y del obrero que existe en condiciones semejantes, dice Alejandro Sawa:

«Y ese hombre tiene mujer, tiene hijos, quizás una madre anciana —¡la vieja esclava, esprimida por la usura del amo!—, a los que maltratáis como compensación a vuestra infamia. El padre a la gleba, la madre al tormento, la hija al lupanar, el hijo al servicio... Vosotros sabíais en qué condiciones desgasta su vida el miserable obrero de la ciudad; embrutecido, viciado por el mal ejemplo, hambriento, desnudo —¡triste carne de cañón al principio y de explotación después!—;

93

movimiento literario es el ya citado libro de Rafael Pérez de la Dehesa, que ofrece abundantes datos sobre los años en que Sawa regresa a España. El propósito de Pérez de la Dehesa, como se desprende del mismo título, *El grupo Germinal: una clave del 98,* es el estudio de aquel núcleo precursor en sus varias promociones, cuyo programa regenerador representaba los intereses socialistas de un sector bastante nutrido de jóvenes intelectuales. Según he dicho, ese grupo radical se forma en torno a la persona de Dicenta, que dirigió *Germinal* en su primera etapa (1897); de ahí que se constituyera otra agrupación progresista a la que se afiliaron los mismos nombres de «gente nueva»: los Sawa, Bark, Fuente, Palomero, Paso, Delorme, Frollo, Zamacois *et al.* Así es que aquel núcleo intelectual, compuesto de los escritores que primero formaron el grupo de «gente nueva» y que luego pasaron a ser germinalistas, ocupa un lugar intermedio entre la generación de la Restauración y la del 98.

Sawa seguía siendo, desde luego, una figura consagrada de la bohemia artística de fines y de principios de siglo. Eduardo Zamacois, que le había conocido y tratado en París, ha trazado una perfecta semblanza suya, física y espiritual, referida precisamente a la época que aquí nos concierne. La transcribo, a pesar de su extensión, por ser quizá uno de los retratos más completos que de nuestro autor se conserva en los libros de memorias del período (2):

<hr />

careciendo de todo, y verdadero Tántalo, a dos pasos de todo; y, sin embargo, políticos de la derecha, de la izquierda y del centro, ¿qué habéis hecho por él?...» (pp. 94-95).

(2) Eduardo Zamacois, *Un hombre que se va (Memorias),* p. 174.

Hay otro testimonio significativo sobre Sawa escrito unos pocos años después de su regreso a Madrid, que se debe a Francisco Macein [«Bohemios españoles». Alejandro Sawa», *La Revista Blanca* (núm. 14, 15 de febrero de 1899), pp. 398-400], y quisiera recordarlo ahora. Macein lamenta que Sawa no haya coleccionado en volumen sus crónicas porque el periódico pasa, y luego escribe:

> Sawa es uno de los literatos de más valía, de más fuerza intelectual y de más originalidad, y, sin embargo, su nombre suena poco en el oído de las gentes vulgares y aun en el de algunas que se precian de ilustradas...
>
> Pocos hay aquí, entre la gente nueva, que igualen al autor de *Noche,* ni mucho menos que le superen. *Clarín,* Dicenta, Verdes Montenegro, Blasco Ibáñez, Benavente y *Bark,* son los que rivalizan con él, entre el elemento joven. Su extraña susceptibili-

Ni aun en París, donde la «pose» sirvió de cimiento momentáneo a tantas reputaciones de bazar, conocí tipos capaces de emular al autor de «Carne de nobles» en egolatría, énfasis y prestancia. Este egocentrismo fue su personalidad. Ni la miseria que le acosó implacable, ni la ceguera de sus últimos años, empañaron la euritmia helénica de sus gestos. Nació «gran señor», y hasta cuando solicitaba parecía mandar. Tenía el rostro y los ademanes tranquilos, y reposada y afectuosa la voz; en sus pies, aristocratizados por la nerviosidad de su andar, las viejas botas adquirían prestigio de coturno, y aunque fuese mal vestido, en toda ocasión su figura descollaba y resplandecía. Era de vulgar estatura, erguido y bien proporcionado. Llevaba los cabellos a media melena y partidos en crenchas iguales, y el pálido rostro, de perfil judaico, enmarcado por una barba nazarena. Se parecía a Daudet Y reafirmaba la expresión desdeñosa de su hermosa cabeza, la miopía que le afligía desde mozo y lo obligaba a mirar a sus interlocutores de arriba abajo. No hubo en Madrid silueta más elegante que la suya; ni más altiva. Ajeno a cuanto

---

dad le impide compenetrarse con el vulgo. De ahí que no goce de la popularidad de Dicenta, Blasco Ibáñez y de *Clarín*.

Le falta habilidad para hacerse comprender del público ignaro, lo cual es un defecto. Como González Serrano escribe para los doctos, Sawa escribe para los literatos. Prefiere que le lean pocos, pero que esos pocos le entiendan. Aborrece con odio intenso a esa turbamulta de literatillos que, sin saber cómo ni por qué, han llegado a crearse una posición y conquistado un puesto...

... Es avaro de palabras y pródigo de ideas, como Pi y Margall. Cree que si en sus trabajos hiciese gala de la retórica, se desvirtuarían. Para llegar al fin va por el camino más corto. No busca las vueltas al enemigo para herirlo. Se va derecho a él y le importa poco su propia caída. Nada le arredra. Lo único que podría atemorizarle es la miseria, y vive con ella, como vivió Delorme, en amigable consorcio...

Vencido en esta lucha por los ideales y por la existencia, sus amigos son también los caídos. No le veréis pasar la mano por el lomo del poderoso. Pasará por todas las penalidades antes que llegar a la adulación.

Valiente en la exposición de teorías, fustiga con dureza cruel los vicios sociales y tiene cerradas por eso las columnas de los diarios. Si su pluma tuviese dientes, mordería. Si se dedicara a escribir para la política, su domicilio sería la cárcel. Sus artículos son frecuentemente rechazados por la virilidad y energía que entrañan. Es satírico como Larra, y destruye como destruía Desmoulins: con una frase. No hay dicho suyo que no arranque carne. Pega con temeridad, y de sus labios está pendiente a todas horas el sarcasmo sangriento. No expone un razonamiento que no aplaste. Ha declarado guerra sin cuartel al régimen existente. Nota que le axfisia [sic] y lo detesta. Le falta ambiente, como a todos los que luchamos en el mismo campo, y trabaja con la energía que le es proverbial, no sólo para él, sino para los demás (pp. 399-400).

sucediese a su alrededor, «el divino Alejandro» había sabido hacer de su desvalimiento un pedestal.

De París, donde vivió algunos años, regresó con un acento marcadamente exótico, que convertía sus «erres» en «ges»; una pipa, regalo de Verlaine; una corbata flotante, un recio cayado y un perro magnífico... ¡Todo grande!... El perro, la corbata, el cayado y la pipa. La hipérbole le acompañaba, le envolvía, radiosa, semejante a una luz cenital, y sus manos blancas, elocuentes y pulidas, en las que cada dedo era una elegancia, parecían jugar con lo extraordinario. Maestro en el arte de llamar la atención, si entraba en un café, aunque fuese aquel a donde concurría a diario, dejaba caer el bastón y escapar al perro. Con un gesto indeciso, de ciego, miraba en torno suyo, y, sin moverse, extendía un brazo buscando el bastón, que siempre algún espectador se apresuraba a ofrecerle. Entonces llamaba, con voz tonante, al perro:

—Viens ici!...

Zamacois concluye así su semblanza de Sawa, en la que se combinan adecuadamente la anécdota y el gesto característico, para perfilar el íntimo modo de ser de tan extraordinaria figura (3):

... fue un tremendo ególatra. Su única pasión fue el arte, al que colocó por encima de la mujer y el dinero. Y, tanto como al Arte, se amó y admiró a sí mismo. Era artista cuando escribía, cuando hablaba y hasta cuando paseaba. Un gesto descuidado no lo tuvo nunca, y según era de sensible, creyérase que su cuerpo estaba en carne viva; todo le lastimaba y hería.

---

(3) *Ibídem*, p. 176.

En *Charivari* [*Obras completas*, ed. cit., I, pp. 271-272] Azorín, lo mismo que Baroja, parece tenerle poca simpatía; y así, escribe:

Alejandro Sawa me parece un *fat* —lo digo en francés porque él finge que se le ha olvidado el castellano, hasta el punto de que continuamente está haciendo esfuerzos por encontrar una palabra—. Refiriéndose a un artículo que ha publicado en el *Heraldo* —desatinado e incongruente hasta lo inverosímil—, decía esta tarde:

—Ayer vi a Burell por la calle, y me dijo: «He leído eso. ¡Así se escribe, maestro!»

Luego afirma Azorín que Sawa quiere ser en Madrid una especie de Moréas, y cuenta cómo uno de los discípulos del poeta francés le seguía al entrar en el café:

... él, caminando tieso, altanero, sin mirar a ninguna parte, sin saludar a nadie; yo, detrás como un perrillo. Se paraba delante de un espejo y se contemplaba largo rato como en éxtasis, mientras yo permanecía a un lado, silencioso. Después, Moréas, atusándose el bigote, decía de repente con su voz fúnebre:

«¡Qué hermoso soy! ¡Qué hermoso soy!»

Ya en sus últimos años, cuando llegaba al café, antes de sentarse, acercaba su pálida cabeza nazarena, melenuda y barbada, a un espejo, clavaba en el cristal sus pobres ojos medio ciegos, y balbucía entre dientes, mientras se acariciaba los cabellos:
—¡Qué hermoso soy aún!...
Por esto, porque se amó y veneró tanto, a nadie pudo amar, la gente le inspiraba desdén. No sabía ni siquiera acercarse a ella, pues suele ocurrirle a las personas de muy elevada categoría mental lo que a los gigantes, que no pueden abrazar a nadie, aunque lo procuren. Tal fue la gran desventura que cubrió de tinieblas su destino. Todo esto no parecía afligirle, y refugiado en su orgullo a todos despreciaba amablemente. La soledad, para su soberbia, era una aristocracia.

Recién incorporado a su patria, sin duda mantendría Sawa aún por algún tiempo las cualidades que Rubén Darío apreciaba en él cuando un poco antes divagaban juntos por el Barrio Latino: «Estaba impregnado de literatura. Hablaba en libro. Era gallardamente teatral. Poor Alex» (*Iluminaciones*, p. 8). A juzgar por *Luces de bohemia*, son precisamente esas cualidades las que también supo captar Valle-Inclán en la persona de Max Estrella. Más adelante, en su afectuoso prólogo, el poeta nicaragüense escribiría otra página definitiva sobre la personalidad de su amigo Sawa, de la que no quiero dejar de recoger algunas palabras:

... Lo cierto es que él siempre vivió en leyenda, y que, siendo, como fue, de una gran integridad y sinceridad intelectuales, pasó su existencia golpeado y hasta apuñalado por lo real en la perpetua ilusión de sí mismo.
Era un gran actor, aunque no sé que nunca haya pisado las tablas. Con su dicción y sus gestos pudo haber imperado por las máscaras; pero aquel romántico sonoro no representó sino la propia tragicomedia de su vida. Primero, galán joven, decorado de amor y ambiciones, rico de su bellos ojos conquistadores, vigoroso de su voluntad de triunfar, con dos cosas que no suelen andar juntas en el mundo, una firme, otra ligera y superficial, orgullo y vanidad. Luego, gris de años, a la entrada de la vejez, fue barba trágica, que, como en el verso del Hugo que adorara en su juventud, «fue ciego como Homero y como Belisario», engañado por el destino, pobre, pudiendo haber sido rico, lamentando, ya tarde, el tiempo perdido para la dicha y para la tranquilidad de los días postreros (*Iluminaciones*, pp. 9-10).
... Ciranesco, quijotesco, d'aurevillyesco, todo en una pieza, llevó, siempre, eso sí, aun en las mayores angustias y caídas, levantado e incólume, su penacho de artista. Intransigente, prefirió muchas veces la miseria a macular su pureza estética. Su pureza no era blanca, era azul (*Ibídem*, p. 12).

Hace bien Darío en insistir en la intransigencia artística de Sawa. Jamás claudicó en esto ni en la vida, recibiendo con cierto heroísmo los infortunios que le labraba un destino cruel. Aunque con el tiempo, cada vez más desamparado y desesperado, repita varias veces en los textos de las *Iluminaciones* que ansiaba el descanso final, hay un momento anterior, según hemos visto, hacia 1901, en que pudo escribir, todavía con cierto optimismo y con un impulso de voluntad positiva: «Quizá sea ya tarde para lo que me propongo: quiero dar batalla a la vida» (*Iluminaciones*, p. 21). En su anhelo de vivir, pretende orientarse, aunque poco a poco sucumba, hundiéndose ante los golpes que le depara un mundo ajeno. Pero en todo momento tiene conciencia de la derrota:

> Yo no hubiera querido nacer; pero me es insoportable morir. Vivir es ir muriendo lentamente; los viejos son los desposados del sepulcro (*Iluminaciones*, p. 102).

Y así, solo y prácticamente abandonado, va rodando de taberna en taberna, sin haber perdido aún los gestos desmesurados de un rebelde que no se rinde, y se encuentra siempre dispuesto a desafiar los convencionalismos de una sociedad pacata, hasta aquella madrugada del día 3 de marzo en que expiró por fin, loco y ciego, en su humilde casa de la calle del Conde Duque. Ramón Gómez de la Serna recuerda haberlo visto deambulando por las calles madrileñas no mucho antes de su muerte (4):

> Yo vi pasar... a ese abanderado invicto y le contemplé en su éxtasis de ciego de café.
> Era nazareno y como tal con la nariz aguileña, la melena crecida y la barba cuadrada, separándose los bigotes de ella con esa nota sobresaliente y arisca que toman los bigotes así.
> Su mirada primero soñadora y después con los sueños cristalizados de la ceguera, miraba siempre a lo alto, ya que la cabeza de Alejandro Sawa es de las que se echan hacia atrás, como si su contrapeso estuviera en el encéfalo

La vida literaria de Madrid

A la vez que la figura de Sawa adquiría personalidad en la vida literaria de Madrid hacia finales y principios de siglo, como se ha señalado, su firma comienza a aparecer con cierta frecuencia en la prensa diaria de la capital y

(4) Ramón Gómez de la Serna, *Don Ramón María del Valle-Inclán*, página 39.

en las nuevas revistas literarias españolas. Aun así, la nueva etapa periodística aparece enmarcada por la publicación de dos libros: *Los reyes en el destierro*, adaptación teatral de la novela de Daudet, que se estrena con bastante éxito en 1899 y que fue saludada con entusiasmo como el retorno de Sawa a la literatura de la época después de una ausencia aproximadamente de diez años, y la obra póstuma (1910), en la que se recoge una selección de crónicas y páginas dispersas con el título *Iluminaciones en la sombra*. Para completar la nómina de los libros publicados por Sawa en esta época hay que añadir que antes había aparecido en *El Cuento Semanal* (I, núm. 18, 3 de mayo de 1907), con dedicatoria «Para mi Juana», el relato titulado *Historia de una reina*, y que un año después de su fallecimiento se publica también en *El Cuento Semanal* (IV, núm. 187, 29 de julio de 1910) una adaptación de la novela *Jack*, de Alfonso Daudet, a la que titula *Calvario*.

Con las debidas reservas, quisiera dar algunos datos, necesariamente muy incompletos, sobre la actividad periodística de Sawa y sus colaboraciones en los diarios madrileños, así como en algunas revistas literarias de la época, aproximadamente entre los años de 1897 y 1908. Aunque haya podido localizar hasta unos cien artículos suyos relativamente desconocidos, es de suponer que con el tiempo se exhumarán bastantes páginas más sepultadas aún en los periódicos y las revistas de entonces. A veces, como bien sabe todo investigador literario, las colecciones de estas publicaciones no se conservan completas, sino que adolecen de grandes saltos. Algunas otras, sencillamente, no se localizan; hemos mencionado ya dos de ellas, donde es muy posible que se encuentre colaboración de Alejandro Sawa: *La Lucha* (1905) y *La Acción* (1907), que representan la prensa liberal o anarquista. Por otra parte, el caso de Sawa muestra una cierta peculiaridad: quizá por su temperamento irascible y violento, no sabía mantener de modo sostenido su colaboración en un solo periódico. A pesar de todo ello, me aventuro a ofrecer aquí unas indicaciones acerca del periodismo activo del escritor a partir de su retorno a España.

En los siguientes periódicos de Madrid he encontrado textos suyos (5): *El Liberal, El País, El Nuevo País, He-*

---

(5) Siempre se ha dicho, lo que me parece muy lógico, que Sawa colaboró, desde muy joven, en *El Motín*, de Nakens. Salvo error, en

raldo de Madrid, La Correspondencia de España, ABC, España, El Gráfico y *El Imparcial*. De esos diarios, los más favorecidos con la firma de Sawa son *El Liberal*, desde época muy temprana, y *El Imparcial*, sobre todo en los últimos años de su vida (1907 y 1908). Como he hallado, en general, muy pocas huellas de Sawa en la prensa española antes de su regreso a Madrid, no descarto la posibilidad de que colaborara en algunas publicaciones extranjeras de la época (6). También lo hizo, desde luego, en muchas revistas de este mismo período: he visto su nombre en las páginas de las siguientes: *Don Quijote, Madrid Cómico, La Ilustración Española e Hispanoamericana, Nuevo Mundo, Germinal, Helios, Alma española, Vida galante, Renacimiento, Anarquía literaria, Nuevo Mercurio* y *El Cuento Semanal*. En términos literarios, cuatro de ellas son especialmente importantes (*Helios, Alma española,*

---

lo que he visto de ese periódico, violentamente anticlerical, no recuerdo haber encontrado su firma. Es verdad que muchos textos aparecían sin firma, pero no olvidemos que Sawa publicó en la Biblioteca de *El Motín* los dos folletos ya citados de 1888.

Entre los años de 1882 y 1887 Luis Bonafoux dirigió en Madrid un semanario, *El Español*, que no he podido consultar. Allí publicó el propio director su artículo ya citado, «Sawa, su perro y su pipa», y también aparece allí la contestación que escribe Sawa para el número siguiente del periódico.

Creo que algunas de las más tempranas colaboraciones periodísticas de Sawa se insertaron en *El Español*.

Unos años después se reproduce la respuesta de Sawa en otro periódico de Bonafoux, *Heraldo de París* (1 de marzo de 1902), con el título «Reminiscencia del culto de Víctor Hugo». Debo estos últimos datos a mi amigo Michael Hydak, que también tuvo la gentileza de conseguirme, en fotocopia, la *carta-crónica* que Sawa dirige a Ernesto Bark, fechada en París, el 1 de agosto de 1890. A él, mis más sinceras gracias.

Finalmente quisiera llamar la atención aquí sobre una nota del propio Sawa incorporada a su columna en *A B C* «Días pasados...» (5 de enero de 1904), en que habla del periodista Suárez de Figueroa, recién muerto por lo visto. Dice Sawa: «Al entonar mi responso, yo no puedo olvidar que Figueroa me ofreció la sal y el agua desde el *Heraldo* en días de prueba, cuya visión quisiera borrar a toda costa de mi memoria. Se fue. Y aquí quedamos nosotros —sus descendientes, ateridos de frío, obsesos por lacerantes recuerdos—, aguardando el término final.»

(6) Aunque se afirma que poco o casi nada trabajó en su época parisiense, quisiera recordar que muchos de los textos recogidos después en *Iluminaciones*, fueron escritos en francés; lo que no se sabe es si aquélla fue la primera o segunda versión de los mismos. El señor López Sawa me dice que recuerda haber visto también más páginas de su abuelo redactadas en francés, que ya no se conservan.

Renacimiento, Nuevo Mercurio), y la aparición en las mismas de la firma de Sawa establece un cierto enlace entre la generación levemente anterior, la de «gente nueva», y la de los escritores más recientes que no tardarían en revolucionar las letras españolas (6 bis).

A manera de resumen y en relación con estas colaboraciones periodísticas de Sawa, hasta donde alcanzan nuestros informes, en la curva evolutiva de su producción literaria parece que hay dos momentos de mayor intensidad: el primero corresponde a los años 1903 y 1904; el segundo a 1907 y 1908. En aquel ritmo de trabajo es interesante señalar que el primer período cronológico coincide aproximadamente con la época en que afirma su propósito de dar batalla a la vida y rehacer su existencia. A su vez, los últimos años son, por supuesto, los de mayores dificultades económicas. Hay que decir, sin embargo, que en aquellos años Sawa está exhumándose a sí mismo y aprovecha con cierta regularidad textos suyos anteriormente publicados. A veces los rehace, otras apenas. También es justo recordar que a causa de su ceguera, es decir, desde 1906 en adelante, tuvo que dictar a su mujer las crónicas que remitía a los periódicos, otro pequeño hecho real a que se alude en *Luces de bohemia* (escena octava), hasta que consigue al fin que el dibujante José María Gascón le ayude como secretario en la preparación de sus manuscritos (7).

El estreno de Los reyes en el destierro

Regresemos un momento a principios del año 1899. Sawa, ahora definitivamente radicado en Madrid, estrena, como dijimos, su adaptación a la escena española de la novela de Daudet, *Los reyes en el destierro*, el 21 de enero

---

(6 bis) Sobre el particular ha escrito Cansinos-Assens [*La nueva literatura*, I (Madrid, sin fecha), p. 174] lo siguiente: «... En *Helios* y en *Renacimiento* están todo lo romántico y todo lo clásico del modernismo. Y está allí, también, representado por la colaboración luminosa de Alejandro Sawa, el enlace con las generaciones anteriores, la zona de crepúsculo que enlaza el nuevo oro con el oro del anterior ocaso, con los oros de Víctor Hugo y de Zorrilla.»

(7) En su tantas veces citado artículo [«Tras las huellas de Alejandro Sawa»], Zamora Vicente reproduce una fotografía de Sawa y de su secretario Gascón (p. 387), aunque no se haga la identificación en el texto.

de aquel año en el teatro de la Comedia. Y queremos destacarlo de modo especial no sólo porque representó un gran triunfo para el autor, sino también porque ese éxito, según hemos señalado ya al citar la crónica del estreno publicada por Claudio Frollo en el *Heraldo de Madrid*, supone el principio de la posible resurrección y despertar de Sawa, desaparecido por algún tiempo del mundo literario español. Hasta un breve «Memorándum» anónimo aparecido en *La Epoca* (23 de enero de 1899), firmado con una X, se refiere a aquellos lejanos días de la bohemia de Sawa, los del perro y la pipa, al decir que

> ... la voluntad dormida ha despertado en medio de los clamores de la lucha; la esperanza ha llevado a su espíritu sus aromas de flor recién abierta, y le ha gritado en la conciencia: «levántate y anda!...». Y Sawa, que es artista hasta la médula, se ha levantado, redivivo, y ha conseguido un triunfo en el primer paso... Hay aún en el camino del arte laureles frondosos y espléndidas auroras.

El texto es bien explícito y confirma lo que antes se dijo sobre la representación de la obra de Daudet. El estreno fue comentado al día siguiente en forma muy favorable por todos los diarios de alguna importancia (8). Por lo

---

(8) En su crónica «Notas teatrales» [*Obras completas*, III, ed. cit., página 57] Rubén Darío escribe: «En la Comedia, el estreno de *Los reyes en el destierro*, como comprenderéis, extraída de la novela de Daudet. Autor de la pieza y gozador del triunfo y del provecho, Alejandro Sawa. De Sawa también os he hablado desde París —pues en verdad he sido yo el judío errante de *La Nación*— hace algunos años. El fue quien me presentó a Juan Carrère, cuando la *émeute* de los estudiantes y los escándalos del café D'Arcourt, en el 93... A su vuelta, después de muchos años, de Francia, ha sido recibido fraternalmente, y la suerte buena no le ha sido esquiva, pues con el arreglo que ha hecho ahora para el teatro, ha obtenido una victoria intelectual y positiva. Para Buenos Aires sé que no tengo que entrar a detallar o recordar los tipos especiales que se barajan en la producción del pobre *Petit-Chose*. Sólo diré que Sawa ha logrado hilvanar bien su *scenario* y tejer su juego con habilidad y con el talento que todo el mundo le reconoce.

Sawa —debo decirlo— continúa, a pesar de su triunfo, de su encantadora hijita y de su barba que anuncia ya la vejez entrante, tan formal como hace siete años. Me había prometido una escena de su obra para este correo, primicia muy agradable. En efecto, no le he vuelto a ver.»

Hay otro texto importante de Darío en que habla de sus relaciones con Sawa en París, inclusive de la *émeute* y la presentación a Jean Carrère: «Impresiones de París» (*La Nación*, 14 de agosto de 1893), que se recoge por E. K. Mapes en *Rubén Darío. Escritos inéditos* (Nueva York, 1938), pp. 139-141.

visto, el autor fue llamado a la escena varias veces para recibir los calurosos aplausos del público al final de los actos segundo y tercero. El acontecimiento mereció, pues, el elogio unánime de la crítica, aunque no faltara quien le reprochase algunos galicismos en el diálogo de la obra. También reconoció la crítica que en su adaptación de la novela francesa, de tesis política, puesta en escena para el público de París por Belot unos años antes, había logrado Sawa vencer muchos obstáculos al llevar la obra a las tablas de Madrid. Hubo alabanzas especiales para el último acto y la embriaguez del rey, extensivas a los actores. Se elogiaba, sobre todo, a Emilio Thuillier su representación del Rey Cristián, así como a Carmen Cobeña en el papel de la Reina Federica. Aun cuando su nombre no figure en el reparto, impreso en la edición de la comedia, Valle-Inclán desempeñó en la pieza el papel menor de El Marqués de Hauska (9). Como curiosidad quiero reproducir algunos de los comentarios que motivó la deslucida actuación de Valle, quien poco antes había logrado un modesto triunfo con su representación del poeta decadente Teófilo Everit en *La comida de las fieras*, de Benavente:

> Los demás actores —a excepción del Sr. Valle Inclán, a quien el público trató severamente— fueron con justicia aplaudidos (Zeda, *La Epoca*, 22 de enero de 1899).

> El Sr. Valle Inclán, que en *La comida de las fieras* debutó con aplauso, como «joven decadente» no tuvo anoche buena fortuna. En su corto papel de marqués y héroe fue muy reído y estuvo a punto de estropear el buen éxito de la obra (José de Laserna, *El Imparcial*, 22 de enero de 1899).

> ... En cuanto al Sr. Suárez Inclán [*sic*], más vale no hablar. El director artístico del teatro de la Comedia habrá podido convencerse anoche de que no se improvisan los actores, y que para alcanzar el aplauso, en el arte de la declamación, de nada sirve el talento, cuando no va éste acompañado de otros requisitos y facultades que no pueden darlos ni la experiencia ni el estudio (Norberto González Aurioles, *El Correo*, 22 de enero de 1899).

Para completar algo más la información sobre el estreno de *Los reyes en el destierro*, transcribo unos cuan-

---

(9) En otro lugar [«Sobre *Luces de bohemia* y su realidad literaria», art. cit., p. 605], yo le había negado toda participación en la obra de Daudet arreglada por su amigo Sawa, puesto que no figuraba su nombre en el texto publicado en 1899.

tos juicios aislados de los comentaristas que se ocuparon de aquella adaptación:

(a) El Sr. Sawa ha sabido interpretar y condensar, reduciéndolo al marco del teatro, el gran lienzo pintado por Daudet. Lo característico de los personajes, lo palpitante de las situaciones, el efecto de los contrastes, la lógica de los acontecimientos, la significación y alcance de la obra del novelista... todo ha sido conservado por el Sr. Sawa en la proporción que exige el teatro, con la debida claridad, sin engendrar en el espectador un momento de fatiga, y sin menoscabo del interés escénico.

Quizá en algún caso se falta a la verosimilitud, como en la escena de la corona, escena que no es posible que en la realidad se hubiera verificado en una habitación *de paso*, en donde pueden entrar, y en efecto entran, como Pedro por su casa, cortesanos y sirvientes. Tampoco es muy verosímil que en el primer acto se levante Federica de la mesa para ir a hablar con Meraut... pero esos lunares más bien dependen de la costumbre impuesta al *teatro grande*, de no variar de decoración durante el acto, que del descuido del autor (Zeda, *La Epoca*, 22 de enero de 1899).

(b) Muy hábilmente enlazadas en los tres actos en que se desarrolla la acción de *Los reyes en el destierro*, las situaciones más culminantes, los episodios más conmovedores de la novela han sido trasladados a la escena de tal suerte, que la comedia se desenvuelve con gran naturalidad, la idea fundamental se conserva en toda su pureza y los pensamientos más bellos de Daudet, expresados con las mismas palabras del autor por el avisado adaptador, son fielmente transmitidas al público (R. Blasco, *La Correspondencia de España*, 22 de enero de 1899).

(c) Alejandro Sawa ha demostrado poseer un tacto exquisito al separarse un poco de aquella tendencia de Daudet para demoler un prestigio [la monarquía]...

No era posible inscribir en el reducido espacio que la costumbre ha impuesto a las obras teatrales en España, toda la acción de una novela de regulares dimensiones: el Sr. Sawa ha escogido para su trabajo el episodio más interesante, que ha desarrollado con discreción suma y habilidad muy recomendable, demostrando que conoce como pocos los resortes escénicos, porque ha logrado que vaya siempre *en crescendo* el interés dramático, hasta el punto que el acto tercero puede considerarse como el más teatral y efectista de la obra (Miss-Teriosa, *El Día*, 22 de enero de 1899).

(d) El Sr. Sawa nos ha ofrecido un drama ameno, interesante, que refleja con bastante fidelidad la amarga sátira que con tan espléndido ropaje vistió el espiritual, el exquisito autor de *Tartarín*...

... El Sr. Sawa ha sabido conservar muchas de las innumerables bellezas de *Les rois en exil*, realizando un trabajo de selección, cuyo mayor mérito consiste en la simplificación del asunto dramático sin despojar en lo posible a las figuras de su propio y natural relieve. La intensidad artística de la novela es tan grande, la observación tan minuciosa, que a cada momento habrá tenido Sawa que luchar con los inconvenientes de reducir a una justa medida, a una síntesis escénica inevitable los capítulos del célebre libro (L-B, *Heraldo de Madrid*, 22 de enero de 1899).

Al reproducir estos comentarios, algunos de excesiva extensión, he querido que el lector pudiera apreciar, a través de unos textos ya olvidados, cómo fue recibida en su tiempo esa obra teatral de Sawa; he procurado por ello incluir observaciones críticas de distinta índole para no abusar de la paciencia del lector interesado. Como positiva novedad, no quiero dejar de referirme también a una carta inédita de Gómez Carrillo a Sawa, en la que el escritor americano habla de *Los reyes en el destierro*. Al parecer, Sawa le había hecho una consulta sobre su adaptación de la obra de Daudet (referida quizá a la anterior versión escénica hecha para el estreno parisiense). Gómez Carrillo le contesta desde París en los siguientes términos en una carta sin fecha, pero indudablemente de 1898:

> He empleado todo el día en buscar al autor dramático de que me hablas. Dentu, el editor, quebró hace más de un año. En ninguna librería, en ningún teatro, en ningún periódico me dan razón de Paul Delair. Vincent (crítico) me dice que murió.
>
> Ahora bien: lo mejor para ti es decir que has hecho el drama *d'après le roman même*.
>
> Mañana hablaré con otros literatos amigos y si algo puedo averiguar te escribiré en el acto.
>
> Pero todo es inútil. Tú no recuerdas que en París nadie sabe nada de Madrid, que allá todos los editores publican los libros franceses sin pedir autorización; que jamás han pagado *droits d'auteur* a los parisienses.
>
> Tu drama tendrá mucho éxito allá; aquí nadie sabrá que existe. Tú eres uno de los pocos que tienen talento entre nosotros; tú eres una inteligencia, un cerebro, un alma, un temperamento. Muchos de los que allá llaman la atención (Cavias y etcéteras) no podrían ser literariamente tus *domestiques*. Yo deseo con toda mi alma que *Los reyes en el destierro* tengan un éxito inmenso. Si alguien te quiere, ese alguien soy yo; yo te defiendo; yo soy siempre el mismo, el admirador, el hermano *menor*, el amigo de siempre.

El éxito que tan generosamente le desea Gómez Carrillo en esta carta fue alcanzado. Aquel estreno marca, sin duda, un punto culminante de verdadero triunfo público en la vida literaria de Sawa. Creo, además, que aquel triunfo efímero representó asimismo un signo de optimismo en un buen sector de la intelectualidad española, a punto de despertarse definitivamente después del desastre colonial. Puede considerarse, en fin, como la reincorporación de Sawa al mundo literario del momento, aunque en realidad nunca llegaran a cumplirse las promesas.

Rubén Darío y Alejandro Sawa

Otro asunto, ahora muy traído y llevado, debió de turbar los últimos años de la vida de Alejandro Sawa: el eclipse que sufre su vieja amistad con Rubén Darío, a quien había conocido en París (1893) en tiempos más tranquilos y placenteros. Más tarde, como se recordará, llegaría la ruptura definitiva en 1908, al reclamar Sawa cierto dinero que le debía el poeta americano por ocho colaboraciones publicadas por éste con su firma en *La Nación* de Buenos Aires y escritas por el español (10). No hay duda, por lo visto, de que las escribió Sawa, pero no creo tampoco que pueda afirmarse categóricamente que en 1905 Darío quisiera favorecer a Sawa, que se encontraba constantemente sin recursos económicos. No debe olvidarse que el poeta nicaragüense no siempre estaba en condiciones de redactar sus crónicas para *La Nación*, fuente principal de sus ingresos, y que no fue ésta la única ocasión en que hubo de valerse de la pluma de un amigo.

Han sido publicadas ya las cartas dirigidas a Rubén Darío por Sawa, algunas verdaderamente trágicas (11). De las once comunicaciones que se conocen, cuatro son de 1905, firmadas por *Alex* y escritas de su puño y letra; las siete restantes datan de 1908 y están escritas por Juana Sawa, debido a la ceguera de su marido, o por su secretario Gascón. La última es, desde luego, la carta violenta, fechada el 14 de julio de 1908, en que Sawa exige al poeta

---

(10) Me parece que el primero que publicó la carta en que Sawa exigía el pago de sus colaboraciones fue H. R. de la Peña, en su trabajo «Un gran señor de la literatura, de la palabra y del gesto», que vio la luz en *La Esfera*, aunque no he podido precisar las referencias bibliográficas del estudio en cuestión. Luego se reprodujo la misma carta en dos artículos de N. Hernández Luquero: «Una disensión literaria», *Fotos* (XIII, núm. 773, 22 de diciembre de 1951), y «Un gran prosista olvidado: Alejandro Sawa», *El Pueblo* (11 de julio de 1953). Ultimamente ha aparecido también en el libro de Dictino Alvarez, *Cartas de Rubén Darío* (Madrid, 1963), pp. 68-69.

(11) Dictino Alvarez, *ob. cit.*, pp. 62-70.

106

el dinero que le debía por los trabajos que le escribió en 1905. Acerca de las circunstancias que motivaron la redacción de aquella carta, que no reproduzco aquí por ser suficientemente conocida, así como de otra similar, tenemos un curioso testimonio apenas recordado de Iglesias Hermida, quien tuvo trato íntimo con Sawa en los últimos meses de su vida (12):

> ... En uno de los días últimos más tristes y más negros de Alejandro Sawa, llegué yo a casa del bohemio genial. D. Alejandro gritaba destempladamente contra un dibujante, tartamudo y medio imbécil, que le servía de secretario.
> —¡Hombre, Iglesias!, me alegro que llegue usted. Juana, verás cómo Iglesias lo encuentra.
> —Sí, señor, yo encontraré lo que usted mande. ¿De qué se trata, D. Alejandro?
> —De saber dónde veranea Rubén Darío. Este hombre tartamudo no es capaz de averiguarlo...
> ... Aquel hombre, ciego y terrible, estaba acabando de dictar a su mujer una carta tremenda contra el gran poeta americano.
> —Mándame cincuenta duros. Estoy hambriento —terminaba la carta—. Las numerosas correspondencias que yo escribí y tú firmaste para *La Nación*, de Buenos Aires, te valieron a ti más de cinco mil pesetas. Y todavía no he recibido de ti, por aquel trabajo, más que cinco duros. Eres un miserable.
> Aquel párrafo me dejó espantado. Sawa, comprendiéndolo así, me dijo:
> —No le asombre a usted. Ese hombre admirable, que es autor de «La marcha triunfal», le ha robado a Mallarmé su célebre poesía «La princesa está triste». La mitad de su libro *Los raros*, es de Bloy y de Le Cardonnel, actual obispo de Autun. Y las correspondencias que mandaba como corresponsal a *La Nación*, de Buenos Aires, son mías, como se puede ver. Juana, dáselas a Iglesias que las lea.

Relativamente poca importancia literaria tienen las cartas de 1905. En una de ellas, sin embargo, Sawa escribe: «Bueno, pues mándame urgentemente la cantidad que quieras», lo cual permite suponer que Darío había prometido enviarle algún dinero. ¿Pudiera referirse aquella cantidad a las setenta y cinco pesetas que por lo visto le había pagado ya dos veces antes, según la carta de 14 de julio? (13). En otras habla Sawa de la muerte de su padre; llama al poeta americano a su lado, y, en una ocasión por lo menos, alude a sus dificultades económicas, así como a las dolorosas circunstancias en que vivía. Muy

---

(12) Prudencio Iglesias Hermida, «Rubén Darío», *La palabra libre*, 10 de marzo de 1912.
(13) Dictino Alvarez, *ob. cit.*, p. 69.

distintas son las cartas de 1908, en las cuales habla especialmente de sus dolencias físicas y morales. Basta citar de ellas unos fragmentos penosos, que por su tono parecen haber sido tomados de su libro póstumo *Iluminaciones en la sombra* (14):

> Yo vivo peor que Job. Job vivía en su tierra de Oriente, tan propicia al quietismo y a los piojos, y yo, expatriado y extemporáneo, vivo prendado de todos los puntos luminosos que forman las constelaciones de arriba: un mal azar me hizo nacer aquí y en esta época fea. Tú sabes mucho de mis gacetillas tremendas, que siempre serán inéditas.

De la patética carta reproducida por Alberto Ghiraldo en su capitulillo titulado «La tragedia de Alejandro Sawa», fechada el 31 de mayo de 1908, son los siguientes trozos característicos (15):

> Mi gran Rubén: Hubiera dado una pinta de sangre porque vinieras. Siempre en desacuerdo mi voluntad y mi destino, no has venido aún. Y casi desesperanzado ya, acudo a escribirte, aunque con la vacilación de un hombre que no está muy seguro de su lenguaje porque teme que los signos de su escritura no tengan mayor eficacia que las gesticulaciones de una conversación por señas...
>
> Tú no sabes de esta postrera estación de mi vida mortal, sino que me he quedado ciego. Parece que esto es ya bastante, pero no lo es, porque además de ciego estoy, ya va para dos años, tan enfermo, que la frase trapense de nuestro gran Villiers, «mi cuerpo está ya maduro para la tumba», es una de las más frecuentes letanías en que se diluye mi alma. Pues bien: tal como estoy, tal como soy, vivo en pleno Madrid, más desamparado aún, menos socorrido, que si yo hubiera plantado mi tienda en mitad de los matorrales sin flor y sin fruto, a gran distancia de toda carretera... ¿Es que un hombre como yo puede morir así, sombríamente, un poco asesinado por todo el mundo y sin que su muerte como su vida haya tenido mayor trascendencia que la de una mera anécdota de soledad y rebeldía en la sociedad de su tiempo?

Parece que no fue del todo indiferente Darío a las súplicas de su amigo, como lo prueba una carta hasta ahora inédita que reproduzco aquí. Lleva membrete del Gran Hotel de París (Madrid) y no tiene más indicación de fecha que la de miércoles. En ella leemos:

---

(14) *Ibídem*, p. 64.
(15) Alberto Ghiraldo, *El archivo de Rubén Darío* (Buenos Aires, 1943), pp. 213-215. Véase Dictino Alvarez, *ob. cit.*, pp. 65-66.

Mi querido Alejandro,
Sabía tus penas y te he acompañado siempre mentalmente.
Procuraré ir a tu casa en cuanto me sea posible.
Quedo tu buen amigo siempre,

R. Darío

Claro está que no se sabe si el poeta acudió a las insistentes llamadas del escritor español.

Parece oportuno referirse aquí brevemente a la publicación póstuma de *Iluminaciones en la sombra* (1910), a la que varias veces alude Sawa en otras cartas redactadas en los últimos meses de su vida. Su publicación le obsesionaba aparentemente. Y al salir el libro, como todos recordarán, llevaba como pórtico el hermoso y sentido prólogo de Rubén Darío, tantas veces citado en el presente ensayo. ¿Sería ese prólogo un acto de arrepentimiento por el aparente desdén con que había tratado a su viejo amigo en los meses postreros de su vida? No lo sabremos nunca, pero ahí están las bellas páginas de Darío.

Según se desprende de las cartas dirigidas a éste por Sawa, en 1908 estaba ya terminado y ordenado el libro. El título, quizá un recuerdo intencionado de Víctor Hugo y sus *Rayons dans l'ombre* (según me advierte el amigo Raimundo Lida) o tal vez un juego metafórico entre luz y ceguera, era suyo y no impuesto por los editores ni el prologuista. También se debe al propio Sawa la ordenación de los textos, crónicas y páginas de muy diversa índole, escritas casi todas ellas aproximadamente entre 1901 y 1908, que no aparecen agrupadas según las fechas de su redacción. De las muchas páginas incorporadas al libro que hemos encontrado en revistas y periódicos han sido eliminados siempre los títulos originales. Ante las respuestas negativas o dudosas de las casas editoriales de Madrid y Barcelona, parece que Sawa se decidió a publicar ese «libro de crítica y de intimidades» (16), como él lo llama, por su propia cuenta, aun cuando la edición dependiera, por supuesto, de la ayuda económica de sus amigos. A la solicitud de dinero para la edición que hace a Darío, contesta el poeta con brevedad el 29 de junio de 1908, prometiendo contribuir con los demás amigos cuando regrese a Madrid en el otoño (17). Al día siguiente vuelve a escribirle Sawa, para decirle que el libro está listo para ir a la

(16) *Ibídem*, p. 67.
(17) *Ibídem*.

imprenta y que la tirada probablemente se hará en la de los hijos de Márquez. Ahora pide a Darío, de un modo directo, la cantidad de cuatrocientas pesetas para completar el presupuesto. No creo que le contestara Darío; que yo sepa, no se ha conservado por lo menos ninguna carta de respuesta a aquélla. Recordemos, por otra parte, que la violenta epístola de ruptura a que se ha aludido fue escrita solamente quince días después de aquel intercambio epistolar sobre *Iluminaciones*.

Después de la muerte de Sawa, su viuda Juana Poirier pidió a Rubén Darío un prólogo para el libro, que comienza, en efecto, de la siguiente manera:

> Juana Poirier [sic] de Sawa, la viuda de Alejandro Sawa, me ha pedido un prólogo para el libro póstumo de su marido. Lo haré con gusto en memoria de mi vieja amistad con el gran bohemio y por complacer a la buena, a la generosa compañera que por veinte años suavizó la vida de aquel hombre brillante, ilusorio y desorbitado (*Iluminaciones*, p. 7).

Anteriormente, Darío había escrito a la viuda la siguiente carta inédita, fechada el 10 de noviembre de 1909:

> Estimada Juana:
> Con gusto haré el prólogo. Para esto necesito algunos artículos que se hayan publicado sobre Alejandro y su obra. Si los conserva, préstemelos.
> Quedo su afectísimo,
>
> Rubén Darío
>
> No he visto aún a Valle-Inclán.

Dictino Alvarez ha publicado dos cartas de Juana Poirier, encontradas en el Archivo de Rubén Darío, aunque tal vez no escritas directamente por ella, puesto que no dominaba el español y tenía mala ortografía (18). En la primera, del 31 de diciembre, felicitaba a Darío por su prólogo, que le agradece efusivamente:

> He leído y releído el prólogo admirable como todo lo suyo; no ya para mí, que en literatura mi mentalidad podría ofuscarse, sino para multitud de amigos literatos que aún me visitan y que corroboran lo dicho por mí.

En la otra, más extensa y fechada unos días después (4 de enero de 1910), confiesa a Darío, con cierta desesperación, que no han terminado de imprimir el libro y que sus po-

_____
(18) *Ibídem*, pp. 71-72.

cos recursos se han agotado ya. Como espera poder contar con la generosidad del poeta, le pide diez duros para pagar los dos meses de casa que debe y atender a las demás necesidades de la vida. Ignoro si acudió a su llamada Rubén Darío; sería difícil averiguarlo. Sí se sabe que en épocas posteriores Valle-Inclán solía ayudar a la viuda de Sawa. Como simple indicio puede ser citado el fragmento de una carta desconocida de Juana Poirier, escrita años más tarde (15 de marzo de 1915) desde Châtelet, en la que se dirige a «mis queridísimos hijos»:

> Hace dos días que he recibido su carta y el artículo de mi pobre Alejandro hablan de él y Rubén Darío. Hace muchos años que yo lo conocía desgraciadamente. Heramos muy pobre y muy enfermo ciego y ese Rubén muy egoista no se acordaba de el pobre.
> Cuando yo le avisado que estaba muerto me contesto así «que no pasaba nunca en donde ella pasaba». Bien ha pasado sin querer hace muchos años que se ha muerto, pero quando fui averle para pedirle el prólogo gracias a Dios me recibio muy bien sin embrargo no era fácil abordarle arepentido seguramente de lo que había echo con mi pobre Alex (19).

Y finalmente quisiera recordar que el manuscrito del poema «Cosas del Cid», de Darío, publicado en la segunda edición de *Prosas profanas* (1901), fue regalado por su autor a Alejandro Sawa.

Otros personajes

(a) *Juana Poirier, viuda de Sawa*

A pesar de las referencias anteriores a la edición póstuma de *Iluminaciones*, muy poco se ha dicho hasta ahora de la abnegada y fiel mujer de Alejandro Sawa que fue Juana Poirier, cuya vida con el escritor bohemio no pudo menos de haber sido muy difícil, dado el temperamento violentísimo de su marido y su carácterególatra. Ella había nacido en Marchais-Betoir (Yonne) el 4 de marzo de 1871 y conoció a Sawa en París. En Francia también nació su hija Elena en 1892, futura esposa del poeta y dramaturgo López Martín. No sé exactamente cuándo regresó a

---

(19) Es curioso notar lo que afirma Gómez de la Serna [*Ob. cit.*, página 43] sobre el particular: «Rubén Darío no se atrevió a ir a verle de cuerpo presente y envió a Miguel Sawa una carta en que decía, lleno de temor a la Muerte: "No voy a la casa, porque no quiero ir donde está Ella".»

París (entre el 2 de agosto y el 14 de noviembre de 1916), donde volvió a casarse con otro español, pero con toda probabilidad después del matrimonio de la hija, quien se casó el 14 de noviembre de 1912. Murió ésta en 1941 a consecuencia de una hernia estrangulada, pero la madre vivió hasta el 1 de septiembre de 1960. Aunque no agregue aquí nada, o casi nada, a lo dicho ya por Zamora Vicente en su informativo artículo, ya citado, «Tras las huellas de Alejandro Sawa (Notas a *Luces de bohemia*)», quisiera recordar, como hace también Zamora, que todo el mundo llamaba «Santa Juana» a la mujer de Sawa; tal sobrenombre tradicional se debía nada menos que a Verlaine, quien solía llamarla *Santa Genoveva*. Con ese apelativo de *santa* es mencionada Juana en algunos textos de *Iluminaciones*, en cartas particulares que guarda la familia López Sawa, y por el propio Valle en *Luces de bohemia* (escena VIII), al referirse a que Max Estrella tenía que dictar sus escritos a Madama Collet: «Una santa del Cielo, con una ortografía del infierno. Tengo que dictarle letra por letra...» (20).

Al morir Alejandro Sawa en los primeros meses de 1909, lo único que aquellas dos mujeres, madre e hija, heredaron de él fue una muy precaria situación económica, aunque algunos amigos del escritor contribuyeran a formar un fondo para socorrerlas. Indudable confirmación de ese lamentable estado de pobreza se encuentra no sólo en la citada carta a Darío, sino también en otras que la familia posee de Iglesias Hermida y sobre todo de Valle-Inclán, dirigidas todas ellas a la viuda de Sawa (21).

(b) *Los hermanos de Sawa: Enrique, Manuel y Miguel*

Al hablar de la muerte y de la vida de Alejandro Sawa, del hombre y del escritor, he procurado dar una semblanza suya a través de las palabras de quienes le conocieron y trataron en la intimidad durante las varias etapas de su agitada existencia, desde Rubén Darío y Valle-Inclán hacia

---

(20) Zamora Vicente [*Art. cit.*, p. 385] reproduce una breve carta de Josefina Blanco, esposa de Valle-Inclán, en la que se dirige a Juana llamándola «Sainte amie».
(21) Las cartas de Valle-Inclán pueden leerse en el citado artículo de Zamora Vicente: en el texto (p. 389) y en facsímile (pp. 390-393).

abajo. No obstante el gran acopio de datos aducidos hasta ahora, para completar el contorno exterior de esta parte de mi ensayo quisiera referirme con toda brevedad, primero, a los hemanos de Sawa, de modo especial a Miguel, y luego a las relaciones personales que existieron entre el malogrado escritor y otras dos figuras destacadas de la época: Pío Baroja y Gómez Carrillo.

Muy poco se sabe todavía hoy de Enrique Sawa. De él he visto un solo libro, titulado *Albores, Cosas varias* (Madrid, 1894), que es una obra híbrida de verso y prosa. En la relación de obras del mismo autor que figura en ese volumen se incluyen también *Homenaje (poema en dos cantos)* y *Escenas de la bohemia literaria.* Asimismo se anuncia hallarse en prensa otro volumen con el título *Semblanzas contemporáneas.* Alejandro Sawa, al dedicar su novela *La mujer de todo el mundo* (1885) a su hermano Enrique Sawa, dejó constancia del profundo afecto que por él sentía:

... Tengo la seguridad de haber sentido muchas veces con tu corazón, en vez de con el mío: con frecuencia he renegado de mi razón y te he pedido prestada la tuya cómo pueden hacerse esas cosas: identificándome contigo: razón de niño que ha iluminado con irradiaciones de astros las realidades bostezantes de una vida que se consume en un fastidio sin término y en una esperanza sin objeto; tú comienzas a vivir, y yo parece que concluyo, según lo cansado que me siento. Oyeme, Enrique: quiero hablar contigo desde las primeras páginas de este libro que me has animado a escribir: entras con mal pie en la vida, porque eres inteligente; esa gran compasión, esa gran lástima que a mí me inspira la inteligencia, determina que te quiera más, como hacen las madres con sus hijos enfermos; porque ¿quién sabe, después de todo, si la inteligencia no es una monstruosidad física, una equivocación del cielo, una joroba, un ser con dos cabezas, una idiosincrasia que mata, un hígado enorme envenenando con segregaciones biliosas la sangre hasta dejar maltrecho el equilibrio en que se funda la vida, una morbosidad cancerosa, un testarudo principio de muerte?...

Tan pesimista prólogo del joven autor finaliza con las siguientes palabras, igualmente desilusionadas:

... Vivir es eso; luchar en todas formas con las fatalidades naturales, hasta marearse, hasta aturdirse, con el libro, con la piqueta, con la idea, con el puño cerrado, con la observación, con la experiencia, con el martirio. Lo demás, desengáñate, Enrique, aunque ahora pienses lo contrario, lo demás es vegetar; ¡y hay desgraciadamente tantos que vegetan! Casi todos: el primero que pase por la calle cuando te asomes al balcón.

Este libro, que es un caso de patología social que yo he sorprendido rodando por el mundo, es tan indigno de ti como de mí; pero debe tener para ti un mérito: que lo he escrito por complacerte. Acéptalo, y recibe un beso de tu hermano

ALEJANDRO

Tampoco he podido averiguar mucho sobre la persona y la vida de Manuel Sawa, aunque se le mencione bastante en las memorias de la época, en gran parte porque vivía una vida de café en los primeros años del siglo. Ricardo Baroja habla de él varias veces en su libro *Gente de la generación del 98;* en todas las ocasiones alude a su inagotable fantasía y a su pasión de descendiente de griegos. He aquí la semblanza que de él se hace en el libro de Ricardo Baroja (22):

> Manuel Sawa, hombre clásico de la Puerta del Sol, no era literato, no era artista, no era nada. Nada más que bohemio. Bohemio desde las puntas de sus botas destrozadas hasta el colodrillo. De imaginación volcánica, de fantasía inagotable, enjaretaba mentira tras mentira, absurdo tras absurdo, con frescura inaudita. Había sido cabecilla una partida en la guerra de Joló, en Filipinas; pirata del Pacífico, negrero; transportó culis chinos y siameses. Conspiró y se sublevó con el general Villacampa. ¡Cuántos chinos arrojados al mar Amarillo, cuántos metidos en los hornos de las calderas habían salido convertidos en humo por la chimenea de su barco! ¡Cuántas tripulaciones amotinadas abandonadas en islas desiertas! Pero todas estas hazañas únicamente podían ser relatadas o sentado en un café o sobre la acera de la Puerta del Sol. Si paseando se conducía a Manuel Sawa hasta la calle de Peligros nada más, desaparecía

---

(22) Ricardo Baroja, *Gente de la generación del 98,* pp. 78-79.
Por su parte, Pío Baroja recuerda las mismas fantasías de Manuel Sawa:
«Una tarde estuvimos en el café de la Luna Barrantes, Manuel Sawa, Cornuty y yo. Sawa hizo el gasto de la conversación. ¡Qué de bolas nos contó! Las hazañas suyas en Filipinas dejaban atrás a las de Hércules. Una vez macheteó él solo a cincuenta chinos, al parecer por capricho; otra, peleó con un gigante negro, y le tiró al fogón del barco donde en donde iban.
—Y ¿qué le pasó a ese negro? —le preguntamos.
—Sa..., sa... lió convertido en humo oscuro —contestó, tartamudeando.
Como nosotros sabíamos que Sawa era bastante cobarde, nos reíamos interiormente de sus aventuras.
También nos dijo que en Joló bebían un aguardiente tan fuerte, que se cogía una caña de bambú llena de líquido, se echaba al aire y se evaporaba completamente. No caía nada en el suelo. Pedro Barrantes, al oír esto, sonreíd con una sonrisa mefistofélica.» Pío Baroja, *Desde la última vuelta del camino,* I, p. 724.

el pirata, el negrero, el perplejo. Parecía pajarillo metido en la campana de la máquina neumática, que se ahoga a medida que se va extrayendo el aire. Manuel Sawa se ahogaba lejos de la Puerta del Sol...

¡Pobre Manuel Sawa, sucumbió como tantos otros! Era fuerte, magnífico tipo de hombre; alto, de aspecto prócer. Hubiera vivido cien años. La bohemia lo mató. Jamás pegó un sablazo superior a cincuenta y cinco céntimos. Si se le ofreciera una peseta se hubiese ofendido.

A las fantasías de Sawa oponía Valle-Inclán la relación de sus andanzas por tierras mejicanas. Si el primero degollaba malayos a tutiplén, el segundo hacía autos de fe con yucatecas. Si el uno fumó opio, el otro marihuana. En aquella escaramuza de atrocidades, los dos hacían tablas...

Pío Baroja también le recuerda. Cuenta incluso que uno de los motivos de su enemistad con Alejandro se debió al interés de su hermano Ricardo en hacer un retrato a Manuel Sawa. Hallándose un día en el café Lisboa, Alejandro preguntó si no tenía él más tipo para un retrato. Como todos le contestaran que Manuel tenía mucho más carácter, se molestó y marchó en seguida (23). También recuerda Pío Baroja que le encontraba muchas veces por la Puerta del Sol y cómo se entregaba a referir las más insólitas hazañas y aventuras, inventadas totalmente por su exagerada fantasía, como señala Ricardo Baroja en el pasaje arriba transcrito. Se recordará también el célebre episodio de la República de Cunani, un paraíso terrenal donde todos pensaban establecer un nuevo régimen. Entre los más conocidos del bando organizador, Manuel Sawa estaba destinado a ser el Jefe de Policía; con él irían sus hermanos Alejandro y Enrique. Salvochea sería uno de los ministros más importantes. A Bonafoux se le iba a nombrar cronista oficial del grupo. De todos ellos escribe don Pío (24):

De los que intervinieron poco o mucho en la fantasía de la República de Cunani, Alejandro Sawa acabó ciego y loco en una buhardilla; su hermano Manuel, que se había quitado su barba profética, cogió la gripe y casi murió en la calle. Poco antes o poco después murió otro hermano suyo, Enrique. El capitán Casero se fue de este mundo sin que nadie lo advirtiera. Estébanez falleció en París al comenzar la guerra mundial, y Salvochea murió en Cádiz, teatro de sus aventuras; don Teófilo, el espiritista, supongo que transmigraría a otro cuerpo o se trasladaría

_____

(23) *Ibídem*, p. 555.
(24) *Ibídem*, II, p. 118. Baroja se ocupa de la República de Cunani en las páginas 116-118.

a un plano astral. No sé si le pasaría como a Roso de Luna, que, según uno de sus parientes, transmigró a un gallo de la isla de Madagascar.

Pero no sólo cuenta Baroja anécdotas pintorescas de aquel personaje; de él nos ha dejado también este retrato (25):

> Manuel Sawa era un malagueño alto y corpulento, con una barba larga, de profeta judío, embustero como pocos, cínico y desgarrado en el hablar y, además, tartamudo.
>
> Al recordar a Manuel Sawa pienso en la Puerta del Sol de hace cuarenta o cincuenta años, escenario de sus actos y de sus discursos. Era el foro popular ciudadano, lleno de políticos callejeros, de vagos y de cesantes...
>
> Manuel Sawa me traía a la imaginación un tipo de bohemio pintado por Dickens en la novela *Vida y aventuras de Martín Chuzzlewit*, llamado Tick. Yo no he oído a nadie decir cosas tan duras, tan violentas, como a Sawa. Era un virtuoso para esto...
>
> Manuel Sawa conocía a algunas gentes raras que, sin duda, no veían en él lo que era; es decir, un vividor, farsante y desaprensivo.

Parece que a Manuel Sawa lo recogieron, en efecto, medio muerto en la calle, y esto me hace recordar en cierto modo la muerte de Max Estrella en *Luces de bohemia*.

De los hermanos de Alejandro Sawa, el que tuvo mayor importancia en el mundo literario de fin de siglo fue, por supuesto, Miguel, periodista y escritor de cierta categoría, muerto en 1910, cuyos libros se acogieron con entusiasmo, a juzgar por las reseñas favorables que aparecieron en la prensa de la capital. Dirigió durante muchos años el semanario satírico *Don Quijote*, y cuando murió su hermano en Madrid, en 1909, dirigía en La Coruña el diario *La Voz de Galicia*. De la revista *Don Quijote* [II, núm. 41, 6 de octubre de 1893, p. 1] copio un breve fragmento del texto anónimo dedicado a Miguel Sawa, que se publicó ilustrado con una fotografía del periodista:

---

(25) *Ibídem*, pp. 119-120. Un último dato sobre Manuel Sawa: parece que Antonio Machado fue presentado «solemnemente» a Valle-Inclán por Manuel Sawa en el antiguo Café Colonial. Así afirma el poeta en su prólogo a «La corte de los milagros» (Barcelona, 1938). Ver Antonio Machado, *Obras. Poesía y prosa* (Buenos Aires, 1964), página 682.

Así como existen familias cuyo árbol genealógico está compuesto por cuñados, primos, tíos y suegros, que viven saqueando el presupuesto, así otras están formadas por artistas sobresalientes, como ocurre en la de Sawa, pues su hermano Alejandro honra a los periodistas y literatos españoles, colaborando en París en las principales publicaciones.

Miguel Sawa, nuestro compañero de tareas, es más joven que su hermano Alejandro y menos conocido aún en el mundo de las letras; pero... dejarle crecer que él llegará a la talla, o me equivocaré por primera vez en la vida, si mi golpe de vista no vio en Miguel uno de los periodistas del porvenir.

En 1886, Alejandro había dedicado a su hermano Miguel, con estas palabras, su temprana novela *Crimen legal*:

Quiero hacer público testimonio con esta dedicatoria de lo que quiero y de lo que admiro a tu corazón y a tu inteligencia. Ríete del mundo, y haz siempre lo que un pensador y un justo en una sola pieza. Son estas líneas la expresión calurosa de la devoción fanática que me inspiran tus sublimidades de todos los momentos. No te envidio, porque no soy tan insensato que me crea capaz de ser tan grande como tú. Pero hay muchos momentos en mi vida en que te elijo como ideal, Miguel...

Tu hermano que te adora

ALEJANDRO

Entre los libros más significativos de Miguel Sawa hay que mencionar los siguientes: *Amor* (1897), *Fernando el Calavera* (1903), *Ave, fémina* (1904), *Crónica del centenario del Quijote* (1905), en colaboración con P. Becerra, e *Historia de locos* (México, 1910) (26). Para *El Cuento Semanal* (1907) escribió «La muñeca» y para *Contemporáneos* (1910) «La ruta de Judith». Fue prologuista de *Agonías* (1891), libro de Enrique Paradas, y con Dionisio Pérez arregló para la escena española *Safo*, de Alfonso Daudet, cuyo estreno tuvo lugar en el teatro de la Comedia de Madrid el 10 de febrero de 1906. En la reseña dedicada por *Caramanchel* al estreno de *Safo* (*La Correspondencia de España*, 11 de febrero de 1906, p. 3) se hace mención de una «notable adaptación que hicieron de *La embustera* Manuel Bueno y Ramón del Valle-Inclán» y que «valió a Carmen Cobeña grandes triunfos». Desde las columnas de *Don Quijote*, en nombre de la juventud espa-

_____

(26) He visto también anunciados en la Biblioteca de *Don Quijote* otros dos folletos de Miguel Sawa: *Don Carlos* y *Silvela*.

117

ñola, dirigió una carta abierta a Emilio Zola, quien le contestó en los siguientes términos (27):

París, 4 marzo 98

Sr. D. Miguel Sawa, director de *Don Quijote:*

Mi querido colega: Estoy grandemente emocionado por el mensaje que usted acaba de enviarme en nombre de la juventud española, cuyas firmas, con ser tan numerosas, quedarán indeleble y cariñosamente grabadas en mi corazón.

Nada me es tan precioso como la aprobación de esas jóvenes almas entusiastas, prendadas de la verdad y la justicia. Pero yo no soy sino un simple ciudadano y la brava confianza con que ustedes me favorecen debe ser consagrada a Francia, a Francia entera, que ha sido siempre y volverá a ser de nuevo el país del derecho y la generosidad

Gracias, muchas gracias y soy cordialmente vuestro, *Emilio Zola.*

De modo más o menos regular, colaboraba Miguel Sawa en los siguientes periódicos de Madrid: *La Correspondencia de España, El Motín, El Imparcial, El Globo, ABC, El Liberal,* y su firma aparece en *Nuevo Mundo, Don Quijote, El Gráfico, Madrid cómico, Gente conocida, La vida galante, Alma española, Vida nueva, Electra,* etc. Miguel Sawa fue redactor de *El País,* y figuró también, al lado de Bark, Fuente, Palomero, Delorme, Paso y Zamacois, entre los redactores de *Democracia social* (1895), cuyo director era Joaquín Dicenta (27 bis). Aunque llevaba una vida mucho más ordenada y menos bohemia que su hermano Alejandro, asistía a las tertulias de la época y era amigo de los escritores de entonces. Miguel Sawa

---

(27) La carta de Zola puede leerse en *Don Quijote* [VII, núm. 10, 11 de marzo de 1898, p. 1]; también se inserta en *El País,* con fecha de 10 de marzo de 1898.

En *El Progreso* (1897-1898), de Lerroux, donde uno esperaría encontrar la firma de Alejandro Sawa, hay una larga serie de textos, incluso muchas crónicas de viaje por Andalucía, que llevan la firma de «Alex». Por ciertos motivos interiores, no creo que sean de Sawa, a pesar de estar firmados así (¿Lerroux?); pero dentro de ese contexto «Alex» dedica una crónica (Año II, núm. 95, 3 de febrero de 1898, p. 1) a comentar el hermoso mensaje de Miguel Sawa a Zola. Ataca a la juventud de España y de Francia que ya no lucha por ideales nobles, creyendo que hay más juventud de ideas y pasión en los viejos.

Sobre el mismo tema: Clarín, «Palique», *Madrid cómico,* 12 de febrero de 1898, cuyo texto ahora se recoge en el libro *Obra olvidada* Selección e introducción de Antonio Ramos-Gascón), Madrid, 1973, páginas 189-193.

(27 bis) Pérez de la Dehesa, *ob. cit.,* pp. 36-39.

fue uno de los primeros comentaristas de la obra temprana de Valle-Inclán, que considera admirable (28). Incluso fue padrino suyo, con José Riquelme Flores, en la célebre cuestión personal surgida en el café de la Montaña el 24 de julio de 1899 entre Valle-Inclán y don Manuel Bueno, con resultados tan funestos para el autor de las *Sonatas* (29).

(c) *Simpatías y diferencias finales: Gómez Carrillo y Pío Baroja*

Al hablar de la muerte de Sawa, así como al referirme a Enrique Cornuty, he aludido varias veces en las páginas anteriores a las relaciones, no siempre muy cordiales, que existieron entre Pío Baroja y el autor de *Iluminaciones en la sombra*. Poca simpatía sintió por éste el novelista, lo cual no puede sorprender a nadie dado el fuerte carácter de ambos escritores y la poca estima en que don Pío tenía a los bohemios. En sus Memorias relata que después de la publicación de su primer libro de cuentos, en 1900, solía ver a Sawa, con sus melenas y su perro, y que éste le decía: «Sé orgulloso. Has escrito *Vidas sombrías*» (30). También recuerda que un día le escribió Sawa para que fuera a su casa en la cuesta de Santo Domingo. Llegado allí, le hizo la siguiente proposición, que Baroja califica, con toda razón, de un poco absurda (31):

> ... Me dio cinco o seis artículos suyos, ya publicados, y unas notas, y me dijo que, añadiendo yo otras cosas, podíamos hacer un libro de impresiones de París, que firmaríamos los dos.
> Al mismo tiempo le adelantaría algún dinero a cuenta de lo que se podía ganar con la edición.
> Leí los artículos, y no me gustaron; me parecieron muy altisonantes y muy vacuos. Cuando fui a devolvérselos, me preguntó:
> —¿Qué ha hecho usted?
> —Nada. Creo que va a ser muy difícil que colaboremos los dos. No hay soldadura posible entre lo que escribimos.
> —¿Por qué?
> —Porque usted es un escritor elocuente, y yo, no.
> La frase le pareció muy mal.

---

(28) Miguel Sawa, «Carta abierta a Ramón del Valle-Inclán, autor de *Epitalamio*», *Don Quijote*, VI (núm. 17, 23 de abril de 1897), p. 4.
(29) Todos los detalles del altercado y las cartas pueden leerse en *El Globo* (27 de julio de 1899), donde se publicaron con el título «Cuestión personal» (p. 2).
(30) Pío Baroja, *ob. cit.*, I, p. 554.
(31) *Ibídem*, p. 555.

Años más tarde, cuando Sawa se había instalado ya en su piso de la calle del Conde Duque, volvió a llamar a Baroja (32):

> Estaba en la cama, medio ciego. Tenía el mismo espíritu y la misma preocupación por las cosas literarias de siempre. Dijo que Dicenta era una bestia a quien había que colgar por los pies, que Valle-Inclán y Gómez Carrillo eran imitadores suyos, y que Benavente era mezquino, de frase insignificante, y que el único que valía era Rubén Darío.

Don Pío admite no tener ningún entusiasmo por la obra de Alejandro Sawa, pero elogia sus facultades declamatorias y reconoce que siempre le impresionó el oírle recitar. De ahí que comente (33):

> ¡Pobre Alejandro! Era, en el fondo, un hombre cándido, un tipo del Mediterráneo, elocuente y fastuoso, nacido para perorar en un país de sol...
> Este pobre Sawa, que escribió un libro de artículos titulado *Iluminaciones en la sombra*, ¡qué poca luz tenía para iluminar nada!
> Silverio Lanza aseguraba:
> —De todos los de mi época, el que tenía menos talento era Alejandro Sawa.

Confieso que leo con cierto asombro estas últimas palabras de Silverio Lanza, ya que fueron siempre muy buenas las relaciones de amistad que mantuvo con Alejandro Sawa. A continuación Baroja transcribe las palabras poco simpáticas que Sawa le dedica en sus *Iluminaciones*, que son las iguientes, aunque no las transcribo en su totalidad:

---

(32) *Ibídem*, pp. 555-556.

(33) *Ibídem*, pp. 556-557. En relación con las palabras despectivas de Silverio Lanza sobre Sawa citadas por Pío Baroja, quisiera recordar aquí que *Criadero de curas* (1888) lleva dedicatoria a Silverio Lanza. También en un excelente relato [«El realismo real (Dos cartas y un cuento)», *Para mis amigos* (Madrid, 1892), y luego recogido en *Obra selecta*, selección y estudio preliminar de Luis S. Granjel (Madrid-Barcelona, 1966), pp. 472-479] de Silverio Lanza, que asimismo pertenece tanto o más a la tradición de escritores raros y rebeldes que Sawa, éste figura directamente en la historia como autor de la segunda carta, en que se explica el destino de un personaje clave del cuento.

También hay más datos sobre las relaciones amistosas entre los dos escritores que mucho se parecían en más de un aspecto en Corpus Barga, «Del hombre raro de Getafe», *Papeles de Son Armadans*, IX (núm. 100, julio de 1964), pp. 9-39.

Leo, leo a Baroja con mi incorregible manía de admirar siempre, y, a pesar de que ese hombre apenas es un escritor y que, por consiguente, me place, como un campesino que me hablara de sus cosas, yo no puedo admirarlo. Cuando lo conocí su aspecto me gustó. Era un hombre macilento, de andar indeciso, de mirada turbia, de esqueleto encorvado, que parecía pedir permiso para vivir a los hombres. Luego, su palabra era tibia y temerosa. Había hecho un libro hosco de hermosas floraciones cándidas, brazada de cardos y ortigas que intituló lealmente *Vidas sombrías*, y aquel paleto tétrico en medio de nuestra sociedad me fue como una aparición de cosas originales y de ensueño...

Pero, luego... Pero, después... El campesino que yo admiraba trocó, torpe, su zamarra por el feo hábito de las ciudades; su bella sinceridad, por el habla balbuccante o cínica de los hombres que apestan nuestra atmósfera intelectual moderna...

... ¿Por qué Pío Baroja se ha quitado su zamarra y se ha vestido con la triste camisa de fuerza de los pobres escritores de ahora?

Es porque es un invertebrado intelectual. Es porque carece de consistencia. Es porque no tiene fuerza en los riñones para resistir pesos. Es porque nunca la escultura ha soñado en hacer cariátides con los tuberculosos (*Iluminaciones*, pp. 239-241).

Como puede suponerse, Baroja no deja de responder a su modo a estas afirmaciones de Sawa, diciendo, por ejemplo (34):

Sawa era un pobre hombre sin ninguna penetración. Pensar que yo podía ser un fracasado, un *raté*, como dicen los franceses, bien; pero un paleto, un aldeano de los alrededores de Madrid, no...

y un poco más adelante (35):

—Amigo Sawa: Se ve que no es usted psicólogo. Usted cree que yo soy un hombre primitivo, selvático... ¡Qué error! Mi primer libro que usted comenta no es un libro de un hombre sencillo y aldeano, de un espíritu *prime-sautier*, como diríamos nosotros al volver de París; no, nada de eso; es un producto viejo, falsamente cándido Es un fruto podrido de ciudad... Usted piensa en la fama. ¿La fama? ¡Qué idea más ridícula! Yo, si hubiera hablado de un autor que, en un momento de apuro, me hubiera dado unos duros, por pocos que fueran, hubiera hablado bien de él, aunque me hubiera parecido mala su literatura...

Finalmente Baroja explica que el odio que le había tomado Sawa se debía, por lo menos en parte, al hecho de

---

(34) *Ibídem*, p. 557.
(35) *Ibídem*, p. 558.

que le dijeron que había sido pintado en una novela suya (36). Como hemos visto ya, las circunstancias de la muerte de Alejandro Sawa figurarían años después en *El árbol de la ciencia;* pero ¿quién sería ese personaje que quizá refleje algo de Sawa en una novela temprana de Baroja? Se ha dicho que probablemente le sirvió de modelo para la figura de Juan Pérez del Corral, empedernido bohemio que aparece en *Aventuras, inventos y mixtificaciones de Silvestre Paradox* (1901) y compañero del protagonista en la casa de huéspedes (37). Es, además, Silvestre quien costea sus funerales y el único que le acompaña en su último viaje al cementerio del Este. No creo, sin embargo, que este personaje tenga mucho de Sawa, descontados los rasgos genéricos de todo bohemio, a pesar de su típica actitud de gran actor, que gustaba de arengar a los reyes de piedra en la plaza de Oriente, de Madrid, y se jactaba de ser un hombre ilustre. Pero hay otro personaje en la misma novela que se presenta de la siguiente manera:

> Otra de las figuras importantes del café era Betta, que se pasaba la vida alcoholizado, siempre impasible con su bello rostro árabe, de barba y pelo negrísimos, la pipa en la boca.
> Admirador muchas veces de las salidas de algunos de los bohemios, era un poeta notable, hombre callado, cara de cerdo triste.
> Con las salidas de Pérez del Corral se entusiasmaba.
> —¡Admirable! ¡Admirable! —decía a cada paso (capítulo XI).

Por de pronto, es posible que lo que dice Baroja de Betta nos haga pensar momentáneamente en Sawa, aunque me parece que mucho más interés ofrece la rápida caricatura que se hace de Rubén Darío, *poeta notable, hombre callado, cara de cerdo triste,* que repetía, en efecto, la palabra «admirable». Zamora Vicente, que tan finamente ha estudiado los pequeños detalles de la realidad reflejada en *Luces de bohemia,* no deja de advertir que Valle escribe en la escena IX que Darío, sentado en el café Colón, «...está como un cerdo triste». La misma frase, también presente en la novela de Baroja, la encuentra Zamora en una tarjeta dirigida a Juana Poirier por Josefina Blanco, la mujer de Valle, en la que le dice entre otras cosas:

---

(36) *Ibídem,* p. 555.
(37) Ricardo Senabre, «Baroja y Valle-Inclán, en dos versiones de la muerte del poeta Alejandro Sawa», *art. cit.,* nota. 3.

«L'adresse du c... triste... vien de la conaîttre. La voici.
Claudio Coello: 60.» El crítico comenta (38):

> ... Pero lo que nos interesa hoy es que ese c... triste,... era tratado en el medio familiar y amistoso de la misma manera —exactamente de la misma— que es tratado en el primer esperpento. He aquí una vez más confirmada mi sospecha de que todo cuanto se dice en *Luces de bohemia* se dijo en la realidad, como armónico inexcusable a una coyuntura humana y a una convivencia entremezclada de alegrías y pesadumbres.

Frente a la clara tensión que caracteriza las relaciones entre Alejandro Sawa y Pío Baroja, un profundo afecto unió, por lo visto, a Gómez Carrillo y al escritor español, antiguos compañeros fraternales del Barrio Latino de París. En el folleto *Esquisses* publicado en Madrid (1892), que he podido consultar debido a la bondad de mi amigo el profesor John Kronik, hay varias alusiones a Alejandro Sawa, a quien el joven Gómez Carrillo conoció en París a raíz de su llegada, en febrero de 1891. La semblanza de Oscar Wilde (pp. 11-12) se dedica a Sawa; en la sección del libro titulada «Camafeos» se alude a la amistad fraternal de Sawa y Charles Morice (p. 66); y también se consagra al escritor español una breve silueta (pp. 67-68), fechada en agosto de 1891, de la cual copiamos un fragmento:

> Una cabeza sorprendente cuya fuerza de expresión hace pensar en aquellos moros españoles de la Reconquista, y cuya firmeza de rasgos y de facciones habría inspirado a Teodoro de Banville —el miniaturista ideal— un camafeo delicioso. Los ojos negros, grandes, soñadores y con algo en las pupilas de esa crueldad somnolente y de ese abandono triste de las razas africanas; la nariz delgada, enérgica y regular; la boca fresca, de labios sensuales e insinuantes; la piel, de un moreno cobrizo, pálido y ardiente, y la barba negra y rizada, como la espléndida melena. Una figura, en fin, tan singularmente hermosa, que habría dado, al autor ilustre de *Noche* y de la *Declaración de un vencido*, el derecho de no tener otros méritos, para merecer ya la imaginación (pp. 67-68).

Aquel amor inicial por todo lo francés, entre otras afinidades, los aproximaría siempre de una manera muy estrecha. Ya me he referido a los elogios que hizo Sawa de Gómez Carrillo y de su prólogo a las traducciones de Verlaine hechas por Manuel Machado; no hay que dar,

---

(38) Zamora Vicente, «Tras las huellas de Alejandro Sawa», p. 385.

por tanto, gran importancia a las palabras recién transcritas de Baroja acerca de Sawa y a la opinión que le atribuye sobre Gómez Carrillo como imitador suyo. En una página de *Iluminaciones* lo llama, por el contrario, «el Mago de las letras españolas» (p. 245), un Mago que «trueca los vocablos en gemas, y maravilla contemplar los tesoros de pedrería que posee y la cuasi divina facilidad con que los emplea en cuanto escribe» (p. 247). En el mismo texto recuerda Sawa cómo se conocieron en París y cómo se estableció entre ellos una firme y estrecha amistad:

> El venía de América; yo, español, no sé si de más allá. Nos comprendimos; era Carrillo, como sigue siendo, un gran niño, abierto a todos los candores de la vida. Frío en apariencia, casi mezquino de palabras y de gestos, yo lo adiviné como una de esas tierras plácidas que ocultan el hervor de un volcán en sus entrañas.
>
> Su vida tormentosa fue amigable con la mía...
>
> Fue mi amigo, y yo también el suyo. Su vida intelectual no irradiaba aún. A mí me ofuscaba en sus intimidades, que algún día, si tal es mi antojo, contaré...
>
> En mi aislamiento de inválido, yo diría de leproso, Carrillo, con sus amistosos recuerdos intermitentes, me es un gran consuelo. Me es también un gran consuelo espiritual leerlo. En estos eriales de la prensa periódica madrileña, allí donde veo la firma de Carrillo, tengo la seguridad de encontrar un carmen: habla un lenguaje que me hace revivir los días gloriosos, que me hace revivir los días triunfales de Arsenio Houssaye y de Teófilo Gautier (*Iluminaciones*, pp. 246-247).

Tengo también a la vista una serie de cartas inéditas dirigidas por Gómez Carrillo a Alejandro Sawa en distintas épocas, y de ellas voy a reproducir unos cuantos fragmentos. En algún momento vacilé un poco antes de copiar textualmente los fragmentos más interesantes de este breve epistolario por la dureza con que Gómez Carrillo trata a Rubén Darío, aunque no sea ningún secreto, ni mucho menos, que sus relaciones personales tuvieron muchos altibajos.

Ya me he referido en este mismo capítulo a la primera carta de Gómez Carrillo, sin fecha, pero que seguramente es de 1898 o de los primeros días de 1899, porque en ella se habla de la novela de Daudet que Sawa adaptaría al español con el título *Los reyes en el destierro*, y cuyo estreno se realizó con éxito considerable, como hemos visto, el 21 de enero de 1899. Pero ahora me interesa destacar de esa carta las palabras de Gómez Carrillo acerca del afecto con que era recordado en París el escritor español: «Aquí los que me hablan de ti, lo hacen con cariño y admiración. Los de *La Plume,* los del *Mercure,* los que han llegado ya a la prensa diaria, todos los que te conocen, en fin, te quieren y te admiran. En Madrid supongo que siempre triunfan los *mediocres* y que eres menos admirado que Sánchez Pérez, lo que resulta ridículo pero natural...» En el mismo texto epistolar figuran los siguientes juicios peyorativos sobre Darío:

> ... Si es el autor de *Azul,* el libro que tú y yo leímos, es un artista delicadísimo. Si es el autor de *Los raros* y de *Prosas profanas,* es un snob, un novelero, un pobre señor que ni sabe lo que es París, ni sabe lo que es la literatura española. Porque no hay literatos argentinos y literatos madrileños: no hay más que artistas castellanos nacidos en Cuba o en Toledo, en Córdoba o en Nicaragua. Yo soy un español; un español completo; tan español como tú y mucho más que Pereda, que es una momia de Egipto. Darío, no. Darío últimamente hacía creer a los niños de la Argentina que sólo Buenos Aires era *literario* y que de allí saldría la belleza y la gloria.
>
> Ya verás un artículo sobre Rubén Darío que acabo de escribir. Es un artículo *justo.* Si se enfada, peor para él: entonces escribiré cinco más, enteramente agrios.
>
> Pero no hablemos de eso. El tiempo nos hace falta para decirnos lo que hemos hecho y lo que querríamos hacer; nos hace falta también para recordar a nuestros maestros, a nuestros amigos, a Verlaine, a Morice, a Moréas, a gente que se burla de D. Rubén Darío, que te admira a ti y que me quiere a mí.

En otra carta más breve, cuya fecha sería difícil determinar ni siquiera aproximadamente, se habla de los amigos Carrère y el abate Le Cardonnel; al parecer Gómez Carrillo desde París contesta a unas líneas anteriores de Sawa. En esta carta tiene, sobre todo, interés la referencia a un plan editorial en que iban a trabajar los dos: «Trata de ver si podemos llevar a cabo la combinación dramática de que hablamos: yo te mandaré traducidas piezas francesas; tú las colocarás; mitad para cada uno. Pero es necesario que seamos serios, que antes de comenzar tú tengas la seguridad de algo.» En un aparte más sentimental, pregunta por Juana y manda a la heredera mil millones de besos «de su tío ideal, de este hermano de su padre». Y al final exclama Gómez Carrillo: «Estoy muy triste, Alex. Muy triste y muy pobre. Acabaré por irme a vivir o a morir a Madrid, en donde me ofrecen *cosas* en los periódicos.»

En la tercera carta, redactada en gran parte en francés, el escritor guatemalteco anuncia su viaje a Madrid, donde parece que piensan ofrecerle un banquete («Tu seras là le seul invité par moi, le seul a qui te defend de payer sa place. Tu seras a côté de moi, comme frère aïné que j'aime et admire et a qui je dois les premiers et les plus précieux conseils»), y ataca de nuevo a Rubén Darío:

> Rubén Darío est un con. Il a écrit contre moi. J'écris contre lui et d'autres feront comme moi. Tant pis pour lui. Je l'ai aimé et admiré, mais depuis qu'il me croît *mediocre*, je ne dois plus avoir peur de lui dire la verité. Tu veras mon prochain Día por Día. Tu veras après des articles de Bonafoux, Machado, Orts Ramos, etc. C'est sa faute. Les admirateurs qu'il a, c'est moi qui les lui ai trouvé. C'est par moi que tu l'as connu.
>
> Mon voyage ne lui plaire pas. Lá-bàs je serai implacable a moins qu'il ne me fasse des excuses.

Creo que la última carta que poseo, enviada por Gómez Carrillo desde Berlín («esta horrible ciudad triste a pesar de su ruido y bárbara con todo y su civilización»), debe de corresponder a 1907 o 1908, porque de 1907 data la publicación de *Grecia*, obra a la que alude en el texto. También es de 1908 el artículo de Sawa sobre Verlaine y las traducciones con prólogo de Gómez Carrillo, por el cual le da las gracias. Transcribo unos renglones en que éste habla de los últimos años de la vida de Alejandro Sawa y le promete comentar el primer libro que su amigo publique:

> Mi querido Alejandro,
>
> Tu carta lejos de aumentar mi pena me ha consolado, pues veo que en tu enfermedad lejos de sentirte abatido, adquieres nuevos entusiasmos. Además yo no puedo creer que tu ceguera sea definitiva. No. A tu edad debes poder curarte.
>
> Tus libros, estoy seguro de ello, tendrán un éxito grande. ¡Hace tanto tiempo que la gente espera una obra tuya!
>
> ... ...
>
> ¿Has recibido mi libro? Yo quiero que lo leas porque como tu raza es griega, verás en él un canto a tu raza. Mi deseo es que esas páginas que yo he escrito con amor, despierten en ti un eco de la voz de la sangre ancestral.
>
> ... ...
>
> Tiene V. razón, querida Juana, Alejandro está muy joven y muy guapo en su último retrato. El mismo lo verá cuando abra los ojos un día milagroso en cuyo advenimiento yo creo...

Nada más apropiado, a mi modo de ver, que terminar la recreación de la última etapa, difícil y penosa, de la vida de Alejandro Sawa con la transcripción de los fragmentos más pertinentes de estas cartas de Gómez Carrillo. Abarcan un período que va desde un poco antes del triunfo de *Los reyes en el destierro* hasta quizá los últimos meses de la vida del desdichado escritor español. En esa última carta, a pesar de la enfermedad y de las circunstancias tan adversas de su existencia diaria, parece que todavía mantiene Sawa algunas ilusiones o entusiasmos, como decía Carrillo, lo cual consolaba al amigo ausente. Derrotado y enfermo, pobre y abandonado por casi todos, no se rinde por completo y hace, sin duda, ciertos esfuerzos conscientes para combatir la vida. Pero pudo más la vida y Alejandro Sawa sucumbió ante la fatalidad de los hechos, sin esperanzas de poder cumplir con las promesas que todos le habían hecho en los años anteriores de su brillante juventud.

CAPÍTULO V

EL HOMBRE EN SUS TEXTOS

A pesar de las muchas incógnitas y de las lagunas difíciles de rellenar al cabo de los cincuenta años largos de la muerte de Sawa, el propósito de las páginas anteriores ha sido, sobre todo, el informar al lector acerca de la persona misma, reuniendo, hasta donde fue posible, materiales destinados a describir con cierto detalle su vida y su paso por el mundo de las letras españolas de fin de siglo. A no ser por *Luces de bohemia*, una de las más perfectas realizaciones artísticas de Valle-Inclán, y el debido reconocimiento que en los últimos años se ha concedido a la segunda y definitiva época de su trayectoria literaria desde 1919 en adelante, Sawa sería un escritor tal vez tan olvidado o marginado como la mayor parte de los poetas y prosistas de su generación. Y ello sin tener en cuenta que él era una figura interesantísima por sus propios méritos y por su extraordinaria personalidad en la bohemia madrileña de aquel período de transición, inmediatamente anterior al florecimiento de los escritores modernistas y del 98. ¿Quiénes recuerdan hoy a Pedro Barrantes o a Manuel Paso? E incluso a escritores de más alta jerarquía, como Joaquín Dicenta o Silverio Lanza? Los que sí mantienen recuerdos de aquella agrupación titulada originalmente de *gente nueva* serán en su mayoría los lectores de las memorias de la época. ¿Estudiosos de su obra? Creo que hay actualmente muy pocos.

Al seguir la evolución de Sawa, del hombre y del escritor, mi intención en los capítulos precedentes fue siempre dar un lugar de especial preeminencia a los textos en los que hablan del escritor quienes le conocieron y trataron personalmente. Así el lector de este ensayo podrá hallarse ante un amplio retrato que represente, con máxima fidelidad, lo más característico de tan singular persona. Pienso, sin embargo, que la intimidad de Sawa, como ser humano de carne y hueso que goza y sufre, ha podido quedar un poco encubierta por el gran acopio de datos literarios o históricos utilizados para lograr de la manera más completa posible el fin informativo a que antes aludí.

Ahora bien: no creo que sea un desatino decir que para muchos la personalidad de Alejandro Sawa (y así lo afirmó categóricamente hace tiempo Eduardo Zamacois, amigo íntimo suyo) (1) tiene tal vez mayor interés que la obra que ha dejado; una obra, por lo demás, poco conocida, de difícil acceso dada la rareza de ciertos libros suyos y el hecho de que muchas de sus páginas aún permanecen sepultadas en las publicaciones periódicas de la época. No es que yo quiera negar, ni mucho menos, la importancia histórica y literaria de Sawa —introductor en España de las novedades artísticas importadas directamente de Francia—, pero creo que tendrá quizá más perduración su propia persona y su leyenda bohemia, que tienden a opacar o a superar en interés pintoresco a las realizaciones estéticas. Desde ese punto de vista, que nos parece legítimo, resulta, pues, indispensable que no se pierda contacto con el hombre Sawa, con la persona cuya juventud constituía, a no dudarlo, una clara promesa de que pudiera lograrse en la literatura española un despertar que la hubiera puesto en el mismo nivel de excelencia que ocupaban entonces otras literaturas europeas. En sus mocedades fue Sawa un elegido, eminentemente dotado para el arte. Fracasó aquella esperanza en él, como talento que de veras prometía; pero el ideal se realizaría poco después, a través de la obra de los artistas de la prestigiosa generación posterior. Transcurridos los años de su estancia en el extranjero, llega Sawa a España, donde fue bien recibido al principio por sus viejos compañeros de

---

(1) Eduardo Zamacois escribe: «El autor de *Noche* y de *Iluminaciones en la sombra* fue un temperamento excepcional. Aunque afeado de continuo por giros exóticos, en su léxico había una musicalidad enteramente "suya"; adjetivaba de manera desconcertante, y todos sus personajes parecían impregnados de solemnidad. En Sawa, lírico fastuoso, el hombre avasallaba al escritor. Comparadas con él, sus novelas eran mezquinas migajas caídas de la mesa del gran banquete bizantino de su alma grandilocuente, y he aquí por qué el recuerdo de su figura ha sobrevivido a su obra». *Un hombre que se va (Memorias)*, página 174.

gente nueva; más tarde militaría en las filas socialistas del grupo avanzado de *Germinal*. Disipado su talento en la bohemia, en la heroica y no en la sórdida, y frustrados en gran parte sus esfuerzos creadores, comienza pronto el largo calvario, que terminará, como sabemos, en la pobreza y la enfermedad. Quizá no estaría de más recordar aquí el admirable epitafio del poeta escrito por su amigo Manuel Machado, cuyas primeras estrofas dicen así:

> Jamás hombre más nacido
> para el placer, fue al dolor
> más derecho.
> Jamás ninguno ha caído
> con facha de vencedor
> tan deshecho.
> Y es que él se daba a perder
> como muchos a ganar.
> Y su vida,
> por la falta de querer
> y sobra de regalar,
> fue perdida.

Nacido para el placer, con facha de vencedor, caído desde muy alto, deshecho, desperdiciada la vida por falta de voluntad. Son todas ellas frases definitivas para caracterizar la personalidad de Alejandro Sawa.

En este capítulo me propongo volver un poco sobre la persona de Sawa, aunque desde otro punto de vista; desde la perspectiva de las muchas páginas en las cuales él habla de su propia persona y de su situación en el mundo, con la idea de captar, no el gesto exterior y el ademán trivial, sino la entraña más íntima de un desgraciado ser humano que, ayuno de recursos, levanta una voz de protesta, sincera y desgarrada, en muchos textos todavía dispersos y sobre todo en los que se recogieron en *Iluminaciones en la sombra*, aquel libro de intimidades, como lo calificó el propio Sawa en una carta a Rubén Darío. Cierto es que Sawa era un escritor enfático (ya lo afirmó Baroja al rehusar una colaboración literaria con él) e igualmente es verdad *que hablaba en libro* (según acertada frase de Darío); pero hay, sin embargo, en algunas páginas suyas un acento sincero de dolor y de soledad, perceptible incluso en sus momentos aparentemente de mayor exaltación dramática. Se toca entonces un acorde sentimental que vibra con todo el ser, más allá de la mera teatralidad y la megalomanía de un hombre tan admirado por algunos y despreciado por otros.

Alejandro Sawa no era un ser sencillo, sino complejo; él se daba cuenta de esa misma complejidad. Tampoco era una alma estática, sino en cambio perpetuo (2). Por ejemplo, a raíz de la partida de Sofía Casanova para su hogar en Polonia, escribe (3):

> ... Yo conozco a la gentil poeta desde hace muchas vidas, porque mi alma ha pasado por más transformaciones que arenas tienen las playas de los mares, y estrenar un alma es tanto como vivir de nuevo.
>
> Yo conocí a Sofía una mañana triunfal de mis encarnaciones juveniles. Las campanas tocaban en mi pecho a gloria, y yo llevaba en mi interior el ansia de todos los nobles sacrificios. Creía en todos los prodigios, en casi todos los milagros, y al ver a Sofía pensé en el Olimpo y grité —«hela ahí»— creyendo hallarme a presencia de la menor de las nueve musas. De entonces data mi éxtasis porque ciertas visiones de la juventud son perdurables y no nos dejan nunca, nunca durante el transcurrir de nuestra vida.
>
> Aquello pasó: agua mansa o agua brava, de un río que se pierde en el mar, dejando sólo en mi cerebro la silueta de un recuerdo eminente.

Como veremos luego, Sawa confiesa en muchas páginas suyas que se sentía distinto de los demás; y que tenía clara conciencia de su singularidad. Y además, agrego yo, de su propia superioridad, quizá para el mal y disgusto de los amigos. Sawa no era, desde luego, un modelo de virtudes; hasta rechazaba con energía a los «profesionales» de la virtud. Así, en un artículo afirma que el odioso M. Cavaignac, conocido por sus crímenes contra la verdad y la justicia, incluida la familia Dreyfuss, le pareció siempre el hombre más representativo del fariseísmo político en Francia (4):

---

(2) En una buena página dedicada a Fermín Salvochea, que formaba parte de su «iconografía», Sawa dice de él: «... Supe de Figueras el pavor, de Barcia la oquedad, de Salmerón la inepcia, de Pi el extatismo; y sólo Salvochea, de entre toda aquella inmensa balumba de hombres y de cosas, me resultó lógico, tremendamente lógico, con la frialdad y la inexorabilidad también de un teorema matemático, porque sólo Salvochea había evolucionado, mientras que los demás permanecían voluntariamente reclusos en las celdillas de sus dogmas» (*Iluminaciones*, p. 228).

(3) «Sofía Casanova», *Nuevo Mundo*, XIV (núm. 714, 12 de septiembre de 1907).

(4) «Fariseísmo», *Los Lunes de El Imparcial* (27 de enero de 1908); el mismo texto, en forma un poco más abreviada, se recoge en *Iluminaciones* (pp. 149-151).

... Y ese recuerdo, esos recuerdos me invitan con gran amonestación, que tiene categoría de apercibimiento del deber, a dejar aquí estampado mi voto y mi sello candente contra los hombres que hacen de la austeridad, de la honradez y de la consecuencia motivos de simonía, y que profesionales de la virtud, viviendo de eso como de una profesión, de un oficio, haciéndose inscribir en los libros de demografía en las hojas del Censo nacional con la exclusiva calificación de «honrados» evocan, con el rigorismo de un fenómeno meteorológico, ante los que los conócen, el espantable decir de De Maistre... «Jamás he mirado en el alma de un tunante; pero con frecuencia lo he hecho en la de un hombre honrado, y me ha producido horror».

En el mismo lugar escribe, además, que «las anomalías de conformación suelen acarrear imperfecciones morales», para proseguir diciendo que no debiéramos separar como inconciliables la vida pública y la vida privada, puesto que la una es prolongación de la otra («como si el criminal no fuese tan criminal en su casa como en la calle; como si la hiena no fuese tan hiena en la jaula como en el desierto»). No sin ironía, pasa revista a las más admirables virtudes del austero y puro personaje de su crónica, y concluye con estas palabras:

Pues bien, ese tal era un abstemio, era un austero, como lo son entre nosotros tantos hombres públicos..., y ya sabéis la ponzoña que esos hombres guardaban en sus entrañas.

Sepulcros blanqueados los llamó Cristo.

Sí, sepulcros blanqueados, indiferentes por fuera, sórdidos por dentro, sólo conmovidos por el hervor de las más nauseabundas fermentaciones.

Pero ¿quiénes son, según Sawa, los hombres más aclamados por la opinión pública en nuestra sociedad (5)?

---

(5) «Feminismo», Los Lunes de El Imparcial (13 de julio de 1908). En otro lugar se ocupa Sawa irónicamente del hombre considerado superior, diciendo: «En nuestra sociedad, y dadas las costumbres ambientes, un genio desarrapado no convencería a nadie, mientras que un títere cualquiera, casado en estrictas nupcias con la indumentaria de munición, llevaría mucho adelantado para que se le reconociera talento. De ahí, creo yo, la facilidad simplísima con que la gente atribuye toda suerte de altezas intelectuales a los hombres que están al frente, o al lado, o a la cola, como quiera decirse, de la gobernación del Estado, y la inconcebible desconcertante fatuidad con que los ungidos de ese falso y mal óleo de las multitudes, llegan a convencerse de que ellos y no otros, ellos exclusivamente, son (¿no lo prueban, por, ende, sus galoneadas casacas, sus sombreros de tres picos, sus condecoraciones y el verbo imperativo de sus discursos?) los épicos predestinados de la Historia». «El hombre superior», Nuevo Mundo, XII

... Aquí, en nuestro miserable mundo ideológico, no nos ocupamos de nada que no sea la infecciosa política, en lo que tiene de más infecto, en su aspecto personal. Los grandes hombres reconocidos y aclamados por la opinión, no son, en la mayoría de los casos, los inventores ni los artistas, sino los matones del Parlamento, los barateros de la vida pública, los que picados de verborragia y no ayudados de verdadera inspiración, tienen bastante resistencia en los pulmones y suficiente caquexia en los órganos reflexivos para hablar cuatro horas seguidas de lo divino y de lo humano, sin solución de continuidad alguna...

Sawa rechaza los falsos convencionalismos de un organismo social atrasado y levanta la mirada hacia lo Ideal, sin claudicar nunca en la defensa de la meta propuesta. No se engañaba, sin embargo (6): «...Porque yo estoy condenado al bárbaro suplicio, de, enamorado, vivir ¡siempre! lejos de mi ideal, y hombre libre agitarme en una sociedad de verdugos y esclavos.» De ahí que viviera desarraigado incluso en su patria, lo que no quiere decir que el ambiente lo hubiese aplastado. No. En cierto sentido, se destruye a sí mismo, por falta de disciplina y de firme voluntad; se sabe desorientado y extemporáneo. No es otra la tragedia psicológica de Alejandro Sawa. Creo, además, que se entregaba sin cesar a toda una clase de gestos extravagantes con el fin de erigir con ellos una cierta defensa contra el peso de la vida. Y en esto puede verse el origen de sus arrebatos exaltados y de sus desplantes teatrales. El mismo contribuía, con su ademán hiperbólico, a la creación de su propia leyenda de hombre extravagante, representando siempre en la vida un «papel», desde los días resplandecientes del triunfo hasta los más negros de la derrota. Convirtió así su existencia en un espectáculo, y acabó por creer en la leyenda por él mismo creada. Impenitente y apasionado romántico, de gesto y de postura, sí, pero el auténtico dolor que sentía, moral y físicamente, solía ocultarlo tras una máscara, evidenciando casi solo hacia fuera una egolatría ostensible a cuantos se le acercaban. A veces, sin embargo, el dolor suyo, personal, se exteriorizaba y se hacía solidario con el de los demás, que vivían en una sociedad injusta y mal organizada. Sufría entonces con los otros

---

(núm. 588, 13 de abril de 1905). Apenas retocada aparece la misma página, con el título «Los super-hombres de la política», en El Imparcial (28 de febrero de 1908).

(6) «Notas», Don Quijote, VI (núm. 32, 6 de agosto de 1897), p. 4.

Alejandro Sawa; sentía compasión por los niños y todos los desdichados. En una ocasión, por ejemplo, escribe:

> ... El vicio y la virtud son inmortales. La pasión también. Por eso de toda eternidad el hombre ama y odia; tiene igualmente apercibidas las dentelladas y el beso.
> No quiero practicar la moral del mundo. Mi compasión abarca entre sus brazos al matador y a la víctima...
> A medida que avanzo por la ruta moral siento cómo se funden mis rencores en una gran misericordia. Y, a pesar de las bellas puestas del sol, de las euritmias femeninas y de los dulces días primaverales, vivir es tan amargo, que a las veces se me antoja como una extraña condena. Largas caravanas de forzados son las generaciones, y de entre ellas los díscolos y los anormales no son los menos dignos de compasión...
> Por eso, en mi sentir, la compasión por la víctima no expresa sino el cumplimiento de la mitad del deber; la otra mitad consiste en compadecer también al delincuente, que cuando no es un loco furioso es un desdichado que negó a su madre y quedó perdido para siempre, en el momento, después del de nacer, más culminantemente fatal de su triste destino humano... (*Iluminaciones*, pp. 86-87).

Hay también en *Iluminaciones* otras páginas características de esta posición de Sawa, a quien de veras le dolían los niños descalzos y los desharrapados de las calles de Madrid. Un día triste y lluvioso de carnaval. Alegría en la música y en los corazones. Identificado con la multitud y arrastrado involuntariamente por ella hacia el paseo de Recoletos, se siente uno de tantos. Abruma —dice Sawa— el peso de la personalidad; se desdobla en los demás. Es, pues, muchedumbre aquel día de carnaval. La vida le sonríe y se siente a gusto, orgulloso de ser una simple gota de aquel océano de gente. Y piensa que ya no hay en el mundo enfermos ni tristes: «...que los campos son jardines que ofrecen espontáneamente sus flores y sus frutos, que los mares son clementes, que se ha abolido el rayo, que Dios deja ver su faz nimbada por los cuatro puntos cardinales de la tierra» (p. 112). Sale el sol, y se grita ¡viva la vida! Pero una vez acabada la fiesta se extinguen las alegrías, las percalinas pierden sus vistosos colores, desaparecen las carrozas lujosas... En ese momento vuelve en sí el autor y toma de nuevo contacto con la dura realidad del mundo:

> ... Y, desprendido de la masa, vuelto a la posesión de mi ser, pienso en los enfermos, en los desvalidos, en los tristes, en Leibnitz, que era —perdón— un tonto de solemnidad; en Pangloss, que no era sino el desvarío de filósofo; en que los campos

son acerbos; en que el mar es implacable; en que el rayo está en la mano de Dios y en que hasta Él no llegan nuestros gemidos... *(Ibídem)*.

Después de ver hasta qué punto compadecía a los demás, digamos por último que por exuberante y teatral que resultara el gesto de Alejandro Sawa, siempre desmedido, había también algo de grandioso en su bohemia; no la del pobre hombre sucio y mal vestido, sino del elegante y aristocrático. Parece excusado decir que algo de esto logró captar como nadie Valle-Inclán en la creación de su personaje Max Estrella, poeta humillado por las circunstancias adversas y condenado a moverse en un Madrid que nunca estuvo a la altura de su ideal (7).

Sawa era, desde luego, escritor y no pensador. Poco le interesaba, pues, organizar de manera coherente sus ideas y sus sentimientos. Hay que resignarse a chispazos de sentimientos e ideas en embrión. Quien busque en Sawa un ideario bien articulado quedará decepcionado. No obstante, para lograr alguna claridad expositiva en la presentación de lo que en los textos de Sawa aparece en forma fragmentaria, me propongo delimitar en ese cuerpo literario dos zonas muy amplias, pero a la vez estrechamente relacionadas entre sí: primero, una zona ideológica y luego, otra más bien afectiva, lo que permite abarcar sin grandes distingos tanto lo sentimental como lo conceptual. Por tanto, en las páginas que siguen me ocuparé de ciertos estados anímicos o psicológicos predominantes en su persona, mezclado con los cuales destacará necesariamente un concepto de la vida que deseo puntualizar también en este capítulo. Su actitud ante el mundo, muy influida por los valores sentimentales, será a su vez condi-

---

(7) En un breve texto de *Iluminaciones* dice Sawa que quiere evitar visiones de miseria y pensar en las alburas que hace soportable la vida. «La nieve no deja ver los hondos horizontes, y es sabido que todas las lejanías soberanamente bellas son azules: la montaña, el mar, el cielo... En mis lutos, yo me plazco viviendo en lo azul, y en él me envuelvo, y de él me lleno y me embriago, y no se me aparece la muerte fea si el sudario que como una atmósfera invisible ha de cubrir mi cuerpo es azul, azul como la montaña y el mar y el cielo, azul como todas las lejanías hermosas de la vida. No puedo seguir ya marcha adelante en mis ansias de rectificación social. Andar a marchas forzadas por los atajos de la Ideología, tan abruptos, me place. Yo he colocado mi tienda de campaña del ideal allí donde quizás ninguna marcha humana haya llegado todavía. Pero más allá veo el Polo, veo el Polo, el extremo ártico de las ideas. ¿Para qué seguir engañando a la pobre gente ansiosa de Sol?» (pp. 152-153).

cionada, parcialmente al menos, por una serie de pensamientos conceptuales. Sin intentar clasificar en categorías cerradas todos esos materiales, sentimentales o conceptuales, creo que el método combinatorio que me propongo será útil en mi empeño de adentrarme más en la intimidad del hombre Sawa.

Otra consideración previa: en un texto titulado «Un poeta muerto» (*Heraldo de Madrid*, 14 de agosto de 1901) y luego recogido en *Iluminaciones* (pp. 71-76), Sawa rinde tributo al poeta francés Gabriel Vicaire, amigo suyo recién desaparecido. Advierte, para comenzar, que no siempre se confunde el hombre con su obra, siendo frecuentemente superior o inferior a ella, y prosigue: «...en ocasiones, también hay tal disparidad entre el creador y sus hechos, como entre la abeja y la miel, como entre la semilla y su fruto» (p. 71). En el caso de Vicaire, no. Es igual a su obra, y sus libros principales representan las tres fases sustantivas de su vida. Sawa termina la evocación del amigo con unas palabras que nos vienen como anillo al dedo para iniciar las presentes páginas, que aspiran a ofrecer un retrato suyo más íntimo:

> La biografía de todos los hombres, hombres y hominicacos es igual, monótona, desesperadamente igual en sus rasgos generales; nació en tal fecha y murió en tal otra.
> Fue amado en tal sazón y desamado en estas o aquellas circunstancias; hizo un cuadro, un poema, o ayudó a colocar un andamio, a poner unos ladrillos sobre otros; en tal época se casó, tuvo hijos, viajó o dejó de hacerlo, etc., etc. Decir de un hombre muerto que tuvo sus ojos y las mismas entrañas que los demás hombres, es no decir nada. Yo he querido dejar dicho de qué color eran los ojos interiores de Vicaire y cuáles el peso y la calidad de su corazón y su cerebro (*Iluminaciones*, p. 76).

Espero poder lograr que nos acerquemos precisamente al *color de los ojos interiores* de Sawa y determinar *el peso y la calidad de su corazón y su cerebro*. Es decir, captar lo intransferible, lo propio, y cuanto tienda a distinguirlo de los demás hombres. En Sawa, obra y persona están íntimamente relacionadas.

Por fortuna, para conseguir acentuar esos rasgos íntimos de la persona de nuestro escritor hay ciertos textos que resultan sobremanera útiles. Punto de partida indispensable es su ya citada Autobiografía, publicada originalmente en *Alma española*, en 1904. Cuando habla de sí mismo se refiere así a sus sentimientos (corazón) y a sus ideas (cerebro):

> Yo soy el otro; quiero decir, alguien que no soy yo mismo. ¿Que esto es un galimatías? Me explicaré. Yo soy por dentro un hombre radicalmente distinto o como quiera ser, y por fuera, en mi vida de relación, en mis manifestaciones externas, la caricatura, no siempre gallarda, de mí mismo.
> Soy un hombre enamorado del vivir, y que ordinariamente está triste. Suenan campanas en mi interior llamando a la práctica de todos los cultos, y me muestro generalmente escéptico. Con frecuencia mis oraciones íntimas, que ledamente yo a mí mismo me susurro, rematan en blasfemias que, al salir de mi boca, revientan con estruendo.
> Yo soy el otro (*Iluminaciones*, pp. 176-177).

Sawa se nos revela, por tanto, como un hombre de contradicciones y contrastes violentos, sin que lo exterior corresponda siempre a lo interior y a la inversa. Más directamente contestará de la siguiente manera a quien le pregunte por la prosapia de sus ideas:

> ... Yo las cojo a brazadas [mis ideas], como las flores un alquimista de perfumes, por todos los jardines de la ideología, y poco me importa el veneno de sus jugos si huelen bien y con el esplendor de sus tonos me sirven para alegrar la vida. Las ideas-rosas, las ideas-tulipanes, las ideas-magnolias las uso para decorar mis faustos interiores; pero no por eso reniego de cardos y ortigas, que me sirven por contraste para amar con mayores arrebatos las florescencias bellas de la vida (*Ibídem*, página 177).

Así, de filiación eminentemente ecléctica y sin dejarse encasillar por los sistemas filosóficos, prosigue el escritor:

> Quiero al pueblo y odio a la democracia. ¿Habrá también galimatías en esto? Está visto que a cada instante he de volver sobre mis palabras para hializar su alcance. Pero yo he querido decir que no concibo en política sistema de gobierno tan absurdo como aquel que reposa sobre la mayoría, hecha bloque, de las ignorancias.
> En los días de sol leo a Hobbes y a Schopenhauer, para no abrazar a toda la gente con quien me topo por las calles. Como un elemento químico circula entonces el amor por la sangre de mis venas. Y nada parece más fácil a mi mentalidad, en tales días, que abrazar entre mis brazos a la humanidad entera. Nacido en un país de brumas, en Inglaterra, yo sería malo quizás (*Ibídem*, pp. 177-178).

Nuevamente los intencionados contrastes. Y lo mismo todas las veces que insiste en rechazar a la mayoría ignorante, sin confundir la democracia con la oclocracia. A este respecto Sawa dice: «...¿no es el resumen de toda la filosofía social que la humanidad marche dirigida por los más inteligentes y no por los más numerosos? Aristarquía, gobierno de los cisnes; demonarquía, gobierno de las ranas» (*Ibídem*, pp. 65-66) (8).

Superada pronto la época determinista de sus primeras obras, escritas bajo la tónica naturalista por la década de los ochenta, Sawa se mostrará esencialmente idealista. No debe sorprendernos que en su ideología le interese menos la historia que la leyenda («Pertenezco a la escuela crítica de los que afirman que la Leyenda vale más y es más verdadera que la Historia», *Ibídem*, p. 163) y que insista asimismo en «que lo inventado es generalmente más bello que lo averiguado» (*Ibídem*, p. 181). Hijo a veces de su fantasía, sabe viajar, según dice, por los espacios, pero resulta curioso observar que sus crónicas, que no suelen abundar en raptos de lirismo, tienen por regla general como punto de partida una concreta realidad vista u oída. En algún momento, sin embargo, es capaz de escribir:

... El más gran suplicio que se me puede infligir consiste en privarme del espectáculo del cielo, u ofrecérmelo con mermas. Desde mi observatorio puedo a mi guisa darme esas grandes fiestas de visión, mejores que las mejores, que consisten en, desdoblando la propia personalidad, viajar con la fantasía, y a las veces con el alma, por las regiones del azul sin fondo, y dejarse uno vivir, dejarse uno llevar como un nadador que hace el muerto, y dejarse uno llevar dulcemente por las ondas, y dejarse uno vivir arrullado por el nirvana adorable de lo infinito (*Ibídem*, pp. 114-115).

Pero ni en este momento le falta la conciencia de que la vida le pone trabas y no le permite despegarse del suelo:

---

(8) También escribe Sawa: «Después de todo, la mayoría, en Arte como en cuanto es intelectual, no significa otra cosa que la suma de los ineptos y el sufragio universal, el sufragio de las incapacidades». «Perfiles literarios», *Nuevo Mundo*, XI (545, 16 de junio de 1904). De *Iluminaciones* merece ser transcrito el siguiente texto, en el que habla del sol y de las brumas:

En estos días grises me ocurre soñar en lo que debe ser el dolor humano en ciertos páramos habitados, indecorosamente habitados, del planeta; en Londres, por ejemplo. El sol es un gran cínico; cierto: lo cuenta todo y lo enseña todo. Pero la niebla, esa gran taimada que se filtra sin sentir por todas partes, y además, en el hombre, piel adentro, ¿no es como la condensación visible del llanto universal, del viejo y eterno luto humano? (p. 117).

«...quiero elevarme a la vida espiritual y siento la triple suela de plomo de mis zapatos que me retienen en la tierra» (*Ibídem*, p. 54). Leamos, por ejemplo, la explicación cuasi lírica de su propia ceguera (9):

> Quiero dejar dicho, sin perisologías declamatorias, que al final de mi largo camino de pasión me aguardaba la ceguera material, y que ya no sé de los faustos de la luz sino lo que mis recuerdos me cuentan: exagerado en todo y víctima de los dioses malos, yo soy quizás un pecador cuyas pupilas quedaron abrasadas por su afán de mirar frente a frente a lo Infinito.
>
> Huyo instintivamente del teatralismo literario y no quiero ofrecer aquí, como en un cuadro clínico, la exposición de mis horrores cuotidianos (*Ibídem*, p. 249).

Como ya dije en páginas anteriores, llega el momento en que Alejandro Sawa, de regreso a Madrid, se da cuenta de que tiene que dar batalla a la vida. Con espíritu y afán de autoanálisis se mira por dentro y no le gusta lo que ve: «Me hallo, si no deforme, deformado: tal como una vaga larva humana» (*Ibídem*, p. 22). El problema principal de este hombre disperso y desorientado será organizar su vida, buscar un plan de acción positiva y lograr, por fin, una personalidad bien definida para no continuar a la deriva. Desde la primera página de *Iluminaciones*, cuyo texto originalmente se publicó en la revista *Helios*, confiesa saber que los desastres y fracasos de su existencia se deben precisamente a la falta de orientación y voluntad.

---

(9) En unas páginas recogidas en *Iluminaciones*, publicadas antes con el sugestivo título de «Iconografía roja» en *El Liberal* (16 de marzo de 1907), nos habla Sawa de Teobaldo Nieva, hijo espiritual de Proudhon, y exalta su buena fe para constrastarla con el modo de ser más bien materialista de Oteiza, el fundador de la *Revista social*. Veamos la silueta negativa que nos ofrece del último:

> En Oteiza, el mercader primaba y ocultaba al apóstol.
> Era Oteiza un curial en barraganía con el socialismo. De las ideas no veía sino su lado utilitario, mezquinamente utilitario, y de los hombres, el grado de explotación de que eran inmediatamente susceptibles.
> Pensó una vez, entre dos alegatos en papel de oficio, que también hay ruinas en lo azul, en la región de las ideas, y para explotarlas como conviene, hizo la denuncia ante la ley de una gran demarcación de infinito. Fue el acaparador pantagruélico de cuantos bienes da de sí la lisonja de los apetitos de la muchedumbre.
> ... En su periódico cebaba a las más bestiales multitudes de lisonjas, y en su mesa engullían trufas y capones hasta llegar a la ahitez, precursor del cólico. Y de eso murió, de un cólico miserere, arrojando excrementos por la boca... (p. 64).

Más fácil es, dice, remediar lo segundo, porque existe sin duda una terapéutica para la voluntad (*Ibídem*, p. 21).

Quiere vivir, pero no se contenta con una vida cualquiera; anhela una vida superior, en la que se impongan sobre todo las virtudes morales e intelectuales (10):

> ... Y yo quiero que en lo sucesivo mi vida arda y se consuma en una acción moral, en una acción intelectual y en una acción física incesantes: ser bueno, ser inteligente y ser fuerte. ¿Vivir? Todos viven. ¿Vivir animado y erguido por una conciencia que sólo en el bien halle su punto de origen y su estación de llegada? A esa magnificencia osadamente aspiro. Que Dios me ayude (*Ibídem*, p. 22).

No es que Sawa confunda arte y moralidad, sino que se propone un plan de vida idealista. Leamos el siguiente texto:

> Odio la Moral; no conozco nada tan vano. Ni tan peligroso para los altos fines de la Humanidad.
>
> Es, siempre, la amazona sin pechos de la vida; en lo espiritual y en lo material, su escudo de nobleza habría que buscarlo en los cementerios. La Moral en la Vida, en el Arte, en la Historia, equivale al tremendo vocablo latino *nihil* (*Ibídem*, p. 201).

A la última etapa de su existencia, amargado, con reiterados altibajos físicos y morales, en que alternaban con los días resplandecientes otros más bien lúgubres, me parece que corresponde el breve párrafo que ahora copio: «Las náuseas de ayer me han como purificado. Al despertar esta mañana me he sentido nuevo, mozo, y como si estrenara una vida. Quizá me convendría aún un día entero de reposo; pero no puedo. Quiero ensayar otra vez la emancipación por el trabajo» (*Ibídem*, p. 106). Nadie ignora que a Sawa le gustaba usar y abusar de los alcoholes, según frase de Darío, y, en relación con la voluntad, alude a esa afición que tiene a la bebida y a la necesidad de combatirla (11):

---

(10) Sobre el bien y los valores morales merece tenerse en cuenta otro texto, en el que Sawa afirma: «Era el elegido [Nicomedes Nikoff]. Tenía su perfil un dibujo de blasón heroico, y aunque aseguran en Kiew que estuvo a punto de casarse por amor con una prima suya, yo creo que nunca estuvo prendado sino del ideal. ¿Que cuál? El que sirve de Oriente a todos los buenos: canalizar el bien por el haz de la tierra» (*Iluminaciones*, p. 35).

(11) En otro momento de exaltación, dirá Sawa: «¡Oh alcohol! ¡Oh hästzchiz! [*sic*] ¡Oh santa morfina! ¿Por qué los desgraciados de todas las épocas han quemado ante vuestra ara sus mejores mirras,

La preocupación fija de todo intelectual cuando rinde sacrificio —¡divino sacrificio!— a Baco, consiste en dominar al potro salvaje, en manejarlo como a corcel de circo, en hacer ver que la voluntad y no el alcohol es quien dibuja el gesto y combina el alfabeto decisivo de la acción.
¡Vanidad de vanidades! No hay fuerza humana que iguale al poder expansivo de la pólvora, ni voluntad que no se disuelva —¡la miseria!— en el ácido de la uva fermentada.
Sin embargo, Dionisio es, con tal imperio, creador como Júpiter o Apolo. Las más bellas acciones de la vida, ¿no han surgido de un sueño, del sueño de Alguien? (*Ibídem*, p. 49).

Creo que los párrafos que transcribo a continuación carecen de teatralismo literario y dan la medida, sincera y exacta, de la desolación final del escritor. Aunque diferentes entre sí, creo que son lamentos auténticos; pero prefiero que los juzgue por su propia cuenta el lector:

Prefiero el hambre al insomnio, porque prefiero la muerte a la locura. Yo sé que la demencia aguarda al otro extremo de las noches sin sueño y sin ensueño, al final de la negra carretera en que se pisa un polvo de cuenca hullera, en que el aire se solidifica, en que el silencio se oye y en que la pesadilla ocupa la plaza del pensamiento.
¡Para qué seguir, para qué insistir! Ya no lucho; me dejo llevar y traer por los acontecimientos. Hombres y cosas me han hecho traición, o no han acudido a mi cita. Me sería difícil decir un solo nombre de mortal que se haya sentido hermano mío. Me puedo creer en una sociedad de lobos. Llevo en todo mi cuerpo las cicatrices de sus dentelladas y oigo aullidos cuando reconcentro mi espíritu para evocar recuerdos.
Nada, nada.
¿Por qué no habría de irme? (*Ibídem*, p. 132).

Presiente con horror la locura; después de haber luchado, trastornado el juicio, se rinde ante la vida y el destino (12).

si no fuera porque sois clementes, porque sois piadosos, porque poseéis secretos de fakir para curar las más rebeldes heridas? (*Iluminaciones*, p. 101).
(12) En sus prosas periodísticas le gustaba contar parábolas sobre las vidas de hombres de voluntad; es decir, cuentos azules que terminan en desastre, aunque sus protagonistas superen las circunstancias con un nuevo triunfo. Este es el caso de Daniel Urrabieta Vierge, que se refiere en *Iluminaciones* (pp. 50-52).
Varios son los textos sobre la voluntad. Mencionaré aquí uno más. Sawa toma como tema de su crónica «De la vida. Notas y comentarios» (*La Correspondencia de España*, 23 de agosto de 1903) la noticia de un niño de quince años que se suicidó; en él ve una briosa y gallarda manifestación de voluntad, motivo tentador para la Oda, según dice. No se trata de la apología del suicidio, sino de la voluntad:

En más de una ocasión percibe Sawa un símbolo personal en las figuras de Alfredo de Musset y de Poe. Quizá también, aunque en menor grado, en la persona de Baudelaire. Las páginas que dedica a Alfredo de Musset son excelentes; dentro del contexto que ahora nos interesa, veamos lo que dice del poeta francés:

> ... Y se hizo la noche, desde el momento aquel [cuando dejó a Jorge Sand], en la vida del mísero; una triste y larga noche, sólo alumbrada por la livideces, como espectrales, del alcohol ardiendo en el fondo de las poncheras, las noches en que Baco el velloso recibía triste consagración, como en los días idos de la Grecia agonizante... (*Ibídem*, p. 46).

> Y de allí en adelante, la vida de Musset no fue sino una monótona exposición de horrores: luego vino la impotencia de escribir, cuya causa no le era desconocida, pero contra la que no podía reaccionar. Como asistía al desastre de su ser día por día, hora por hora, es seguro que vivió embrujado por la tentación del suicidio todo lo largo de su postrero trayecto mortal. El demonio del alcohol había hecho presa en sus entrañas y ya no le soltó hasta su muerte. Vivía aislado, raído de tedio. Y llegó a no figurar en el movimiento literario de su país, como si efectivamente hubiera muerto (*Ibídem*, pp. 47-48).

Por lo que ya sabemos de Alejandro Sawa y de los últimos años de su vida, en manera alguna es difícil ver en esos fragmentos mucho de autobiográfico. Apenas es necesario destacar la soledad, la impotencia creadora, el demonio del vino, el aislamiento, el tedio y la muerte en la vida como rasgos característicos experimentados íntimamente en los años finales de Sawa. También en la evocación de aquel hermano espiritual que fue Musset, y a su lado siempre Poe y Baudelaire, se fija Sawa en lo que llama las dos caras del escritor:

> Yo lo veo moralmente con dos caras, bicéfalo, como un monstruo asiático: la cara plácida e iluminada por un sol de Atenas, de los días buenos, y luego, en los días malos, en los días de niebla y de alcohol, la cara fatal de un maldecido que purgara en la tierra crímenes que, por lo horrendos, no pudieran decirse (*Ibídem*, p. 43).

«... coger a pulso a la vida, ¡la propia vida!, y tirarla a la nada de una sacudida heroica y mortal, eso es, cuando se tiene quince años y todo es alrededor nuestro, hasta donde quiera que la vista alcanza, auroras y rosicleres, eso es la hazaña de un semidiós que hubiera vivido confundido entre nosotros. A los treinta años es lógico morir voluntariamente, y más allá de los cincuenta, llegaré a decir, si me apuran mucho, que es hasta digno. Morir por propio arbitrio, a los quince... Yo no conozco motivos más tentadores para la Oda.»

De nuevo, como en el caso del propio Sawa, el adolescente que triunfa gloriosamente y el hombre de la decadencia. Al escritor español le parece más interesante el segundo: «...el Musset de la derrota que el del triunfo, porque siempre he creído a Lucifer más propio de la oda que al ángel bueno que guarda la entrada del Paraíso» (*Ibídem*, página 44).

No hay en las páginas de Sawa ningún concepto más repetido, con verdadera insistencia obsesionante, que el de sentirse *extemporáneo* en la vida y en el mundo. Se siente solo y rodeado de fantasmas. Es distinto de los otros; superior a ellos. Y lo sabe. Esto constituye para él otro grave problema psicológico. Sawa es también vitalista. Muy pronto se entrega a un programa de vida plena y apasionada, elogia a la juventud y acoge las caricias del porvenir. Al prologar en 1905 el libro *Sevilla pura*, de L. Cornella de las Veneras, afirma que bajo el estímulo de su lectura, «...el irreductible andaluz que en mí existe, aunque postrado, se pone en pie y revive un gran pedazo de su alborotada juventud, de mi juventud roja, de mi juventud púrpura, que declina y se hunde como un sol poniente...» (p. 7). En la evocada época moceril se aunaban sueño y acción; ahora, pasados los años, se queja, como lo hizo también Musset, de la extemporaneidad que obliga a muchas personas «...a moveres en órbitas que no son las de su patria natural y a vivir en períodos de tiempo que no son coetáneos de sus sendos espíritus» (p. 8). Y en el mismo prólogo escribe Sawa:

> ...Maldecidos antes de nacer, esos hombres —yo soy uno de ellos— ofrecen al que los mira con fuerte visión espiritual, el raro espectáculo de vivir, por disparidad de temperamento, fuera de la generación de que, sin embargo, forman parte. Son los excomulgados de la vida. Llevan hiel en los labios, y no obstante ¡cuántas veces! mieles en el corazón. Pero de nada les sirve. ¡Son los excomulgados» (p. 8).

Con el mismo tono reitera que al leer los periódicos de Madrid se siente extemporáneo, porque el presente le parece «cosa del pasado o de una vaga realidad de ensueño». Solo entre sus contemporáneos, opina que su psicología no es la de ellos; hasta le perturba el no conocer, dice, el idioma que hablan. Por último, afirma: «Yo no soy de aquí, y mi cronología no se mide en la esfera de los relojes» (*Iluminaciones*, pp. 40-41). De una penosa carta dirigida a Rubén Darío extraigo las siguientes líneas (13):

> Yo vivo peor que Job. Job vivía en su tierra de Oriente, tan propicia al quietismo y a los piojos, y yo, expatriado y extemporáneo, vivo prendado de todos los puntos luminosos que forman las constelaciones de arriba: un mal azar me hizo nacer aquí y en esta época fea. Tú sabes mucho de mis gacetillas tremendas, que siempre serán inéditas...

Nada de extraño tiene, pues, que desdeñe espiritual e intelectualmente a su propia generación literaria y que no quiera escribir para ella, por considerarla nula y burguesa (*Iluminaciones*, pp. 235-236). Del hermano Poe afirma Sawa (14):

> ... Grosero error de miopía el de suponer que el hombre es natural del país en que las entrañas de la madre se desencajan para crear. Y no porque el industrialismo yanqui mate en flor, cierzo de viles prosas, los mejores naceres artísticos, sino porque el temperamento de Poe era extemporáneo y extranjero, una y otra calificación mortal en el país-pólipo donde le tocó nacer.
>
> Longfellow y Walt Whitman, el uno ungido con gracia apolínea, el otro alimentado con medula de leones, son americanos, sin embargo. Poe, no. Aun nacido en París, la ciudad del arte por excelencia, hubiera pertenecido al pelotón sombrío de los

---

(13) Dictino Alvarez, *Cartas de Rubén Darío*, p. 64.
(14) Un fragmento no incluido en *Iluminaciones* dice: «¡Qué tienen, pues, que ver los Estados Unidos y sus manufacturas con Poe, el abnegado paladín de un arte formado todo de Ideal? ¿Acaso Cristo es de Judea, ni Colón de la república genovesa?» En el mismo lugar se ocupa de Baudelaire, otro ser nacido «con signos de maldición», a la vez que se reproducen parcialmente palabras que tampoco figuran en *Iluminaciones*:

> Era de ayer y de hoy. De ayer, por su parentesco moral con la Esfinge; de hoy, por su percepción taladrante de la vida...
> Fueron éstos sus días luminosos. Dios quiera que hasta los más miserables los tengan. Luego, el augusto ideal, todo alas, se trocó para Baudelaire en algo tan irónico, pero desgarradoramente irónico, como un león devorado de inmundicia... Y a su muerte, una veintena de amigos siguieron al cadáver por las calles de París hasta el cementerio Montparnasse, y unas cuantas líneas, como paletadas de prosa, en la tercera plana de los periódicos, bastaron para anunciar a los navegantes de los mares procelosos la extinción de uno de los faros más refulgentes de la tierra.

«Dos recuerdos del rayo y de la gloria», *Los Lunes de El Imparcial* (10 de febrero de 1908).

poetas malditos. Echado a la vida en el país de los magazins y del reclamo, Poe fue un aurífice saturniano venido al mundo para sufrir (*Ibídem*, pp. 54-55).

En otra parte escribe nuestro autor: «...Yo llevo en mi corazón, no grabado sobre los hombros, mi patria y mis amores. Un acta de nacimiento sólo da fe del hecho más mecánico e involuntario de la vida» (15).

La misma idea de sentirse extranjero en su patria y en su tiempo se extiende, naturalmente, a la sociedad entera y a sus relaciones con ella. Un día, en el que aumenta de modo considerable la galería de bellacos, como dice Sawa, se siente traicionado y escribe:

> ... ¡Irme, irme! Ya no sueño sino con eso. Irme a una tierra cualquiera donde la villanía no sea el estado social de la gente, donde a lo menos las afirmaciones y las negaciones tengan el sentido filosófico que todos los léxicos les prestan, donde el honor se asiente en las almas y no en los labios. ¡Irme, huir de aquí, por dignidad, por estética, por instinto de conservación! Es que yo me noto aún sano eternamente en esta sociedad de leprosos (*Iluminaciones*, p. 77).

Para precisar aún más esta actitud espiritual de Sawa me permito intercalar aquí unas fuertes palabras suyas en que habla de Madrid y de la suerte de quienes viven en la ciudad corrompida. Se trata de un texto que se publicó en *Germinal* (16), y en él se dice:

> Vivimos desde hace unos cuantos días, los forzados de Madrid, la gente a quien una fatalidad sin entrañas obliga a residir en la corte, vivimos, decía, en pleno albañal, respirando emanaciones de letrina, formando parte de una cloaca. Harto lo barruntaban cuantos conservan íntegros la decencia y el olfato. Madrid es una ciénaga y el hombre que llega a adquirir aquí total carta de naturaleza, es un apestado... Se masca en el aire la corrupción de todas las cosas nobles o útiles de la vida, ideales, anhelos, esperanzas y gobierno, magistratura, milicia, clero, todo está, cuando no podrido, tocado de ese puntito de descomposición que señala como el contacto con una formidable maldición histórica.

Tan dura diatriba contra la sociedad madrileña finaliza con las siguientes frases explícitas:

---

(15) «El patriotismo español», *El Nuevo Mercurio*, núm. 9, septiembre de 1907, p. 1016.
(16) «Hay que insistir», *Germinal*, núm. 4, 23 de septiembre de 1903.

Hemos llegado a tiempos tan extraños que lo excepcional aquí es la honradez, ni más ni menos que lo fuera en Esparta la cobardía. Como tocados de una demencia general, los hombres públicos de España trabajan con bravía terquedad de condenados en la obra de tallar en esta tierra que pisamos un *Nihil* muy grande, para el cual no haya consuelo... Somos los huérfanos del Ideal. La Patria es una idea que se desangra.

¡Qué mucho que para conllevar una vida moral adecuada a nuestras almas, tengamos precisión de vivir con la cabeza vuelta hacia atrás, en íntima cohabitación con algunos esplendores del pasado, o con la vista espaciada más allá de las fronteras, no importa hacia dónde, más allá, más allá de las fronteras!

Otro botón de muestra de la misma actitud se encuentra en el párrafo final de «El patriotismo español» (17), en el que Sawa protesta contra el sentido limitado de la palabra patria y el falso concepto de la historia nacional:

Yo creo, con ardor, eso sí, que España es digna de mejor suerte, pero no creo que sea el medio más adecuado para que recobre su puesto al sol y a la vida entre las naciones verticales, deformarle a sus hijos, desde la niñez, el sentido óptico, llenarle el cráneo de amasijos de telarañas, darle a chupar con la leche materna una Historia mentirosa, una Moral manida, una Escolástica medioeval, una egolatría bárbara y asegurarle en todos los tonos y desde todas las tribunas de que disponemos (la cátedra, la hoja periódica, el libro) que vivir aquí es alentar en el paraíso, que esto es la bodega, el vergel, el granero del mundo...

En este mismo capítulo me referí antes, de pasada, a lo que denominé el temprano programa de filosofía vitalista de Alejandro Sawa y a su deseo de abrazar la vida, aprovecharla y gozar de ella con todos los sentidos y todo el ímpetu juvenil. Veamos ahora cómo Sawa, con el entusiasmo pleno de sus treinta años, exalta con pasión una juventud vital hasta en sus pormenores físicos (18):

Es un éxtasis vivir cuando la sangre es abundante y nutre con brío hasta las partes del organismo que apenas si colaboran a la gran obra de la vida con alguna exigua, modestísima contribución de fuerzas; cuando los músculos se señalan reciamente bajo la piel, y vibran los nervios como al compás de una batuta que estuviera manejada por la prudencia misma, y no hay, por incidencia siquiera, motines de ideas en el cerebro, marejadas de pasión en el pecho; cuando el hígado es un buen

---

(17) «El patriotismo español», p. 1017.
(18) «A modo de prólogo», para el libro de José Fraguas, *El estudiante* (1890), pp. 7-14.

amigo y se contenta con ser aparato secretor en vez de terminarse como pieza de tormento; cuando el porvenir es una caricia prolongada, definitiva, y el presente una expedición de placer a través de los campos, por la aurora, en primaveras inacabables que tuviera de extensión trescientos sesenta y cinco días todos los años. Es un éxtasis vivir cuando la vida es generosa y buena, y el himno del amor sale de los labios, alado y poderoso, tres veces santo, a continuar fecundando la tierra, a proseguir afirmando con cópulas inefables la eternidad de la materia, y las mujeres os miran devotamente, y hasta las flores inclinan sus corolas ante vuestros pasos; es un éxtasis vivir envuelto como por una nube en esa gran inconsciencia de la juventud, y tener el derecho de preguntarle al nuevo día que amanece: «¡eh, tú!, ¿qué me quieres?, ¿qué nuevo placer me traes?»...

El autor de tan vehemente apóstrofe desea que permanezca siempre viva la juventud y el deleitoso amanecer, aun cuando sabe que algún día aquella juventud consagrada en 1890 le abandonará «pérfida y... hastiada de la devoción ardiente» que le ha dedicado (19). Lo que en el libro de su amigo Fraguas elogia es justamente *la vida* que en él palpita; le halagan, dice, «esas impetuosidades de expresión que indican una gran alma y expresan una gran vida» (20). Y concluye el fogoso y retórico prólogo con las siguientes afirmaciones, que revelan un concepto dinámico de la existencia: «...La vida es movimiento. ¡Adelante, y sin volver la cabeza atrás para nada! La mujer de sal, la hermosa parábola de la Biblia, tiene en nuestro tiempo extrañas remembranzas, y el porvenir pertenece por derecho propio a los que marchan y meditan» (21).

(19) *Ibídem*, p. 9.
Quisiera recordar aquí una temprana página de Sawa («La fiesta de la juventud», *El Liberal*, 17 de agosto de 1897), en la que evoca cómo se celebró en París el aniversario de Enrique Murger, «un gran ventanal abierto de par en par ante la alegre civilización helénica y contribuyó más que escritor alguno a lo que, sin forzar mucho el concepto, puede llamarse la oxigenación de las costumbres». Percibe Sawa en él, cronista de la bohemia, que al decir su nombre «toda nuestra juventud se levanta y nos habla, según el famoso dicho de Zola, refiriéndose a De Musset. Toda nuestra juventud, sin los dejos de amargura de la edad presente». Describe la efemérfides y su asistencia a la fiesta inaugural, presidida por Verlaine, quien habló de un Murger desconocido «bonachón y filisteo, conservando la misma mujer y viviendo con ella veinte años seguidos, pagando puntualmente la casa y el restaurante todas las veces que su legendaria pobreza se lo permitía...; en fin, que era el reverso exacto del medallón ideal que nosotros nos habíamos forjado».
(20) «A modo de prólogo», p. 10.
(21) *Ibídem*, p. 14.

No dejaría Sawa de volver a la carga, para definir así
el vivir (22):

> ... Vivir no es someterse constantemente, sino muchas veces re-
> sistir. Vivir no es mostrarse siempre de humor plácido, sino
> algunas veces irascible. Vivir no es entonar a todas horas el
> *Rosario*, sino de cuando en cuando la *Carmañola*. Vivir no es
> sólo dormir, sino gritar y rebullirse. Vivir es tener un hígado
> con bilis, y un cerebro con pensamientos, y un corazón que
> ritma sus latidos al compás de todas las brisas y todos los
> huracanes de la vida. Vivir es atacar, vivotear es desistir.
> Señales de los tiempos son que el pueblo español resurja
> verticalmente a la vida.

De esta manera rechaza la pasividad y exalta la rebeldía
tanto intelectual como sentimental. Ni con el avance de
los años parece perder su fe o su afición al futuro; siempre tenderá a ensalzar esa desconocida dimensión temporal, quizá como escape posible del doloroso presente.
Hacia 1904 Sawa escribe, por ejemplo, los fragmentos que
tomo aquí de *Iluminaciones*:

> Subir y bajar. Tal parece ser la fórmula de nuestro destino.
> Ya estamos otra vez en la cúspide de un año, en lo alto de la
> montaña. Volviendo la vista atrás se abarca, en multitud infor-
> me, los hechos todos que llenaron el año recién fenecido; unos,
> los más, anónimos y obscuros, propios de la fosa común; otros,
> los menos, diamantinos y refulgentes, dignos de mausoleos or-
> nados con los graves epitafios de la Historia...
> ... La vida no es ayer, a menos que elijamos nuestros camaradas
> entre los muertos. La vida es el minuto que se vive, y todo co-
> mentario a lo que pasó deja en la mente sabor de necrología.
> Por eso, desde lo alto de la montaña, yo saludo en 1904 al
> porvenir, a las generaciones verticales y nuevas, a las que toda-
> vía postradas luchan en los limbos de lo desconocido por surgir
> a la vida, a las nuevas ideas, a las futuras batallas, a todo lo
> que no es y será, a las misteriosas alquimias en que se forjan
> los troqueles de lo futuro...
> ¡Y paz a los muertos! (pp. 144-145).

No se contenta con lo pretérito; hasta con cierto optimismo, parece querer lanzarse al porvenir. Ese mismo pensamiento dinámico, expresado años atrás en el prólogo al
libro de Fraguas, vuelve a relacionar al autor, preocupado
por el futuro de España, con la vida nacional, al exigir en
otra página vida y vitalidad a la política del país frente a
una sintomática indiferencia (23). Mayor importancia tie-

---

(22) «Crónica», *Alma española*, II (núm. 15, 14 de febrero de 1904),
página 4.
(23) *Ibídem*.

ne para nosotros, sin embargo, el ver cómo ese programa vitalista matiza incluso la estética de Alejandro Sawa. En una nota de comentario al libro de poesías *Humanas*, publicado por Núñez de Prado, nuestro autor afirma en 1904 que no le gustan aquellos versos, aunque sí el espíritu que los sostiene: «...el tuétano es lo verdaderamente admirable; la osamenta es como otra cualquiera» (24). Califica de *página afuera* las herramientas del versificador, así como su retórica, y de *página adentro* lo que verdaderamente vale (25):

> ... la desesperación, magníficamente sentida, de una gran alma. De ahí su arte y su alteza. Es un libro que llora, que ruge, que muerde, que blasfema también, un libro que es una convulsión de los nervios y no una convulsión de retórica como la mayor parte de los volúmenes de versos que se ostentan en los escaparates de las librerías. Es monótono, sí, como un cielo gris, como la tierra abrasada de algunos eriales de la Mancha, pero es porque está repleto de tristeza y no lo oculta ni lo disfraza, convencido su autor de que la sinceridad a más de ser un prepotente factor de arte es también un deber de todo el que lanza su alma al público. Digo que es un libro vivo, completamente vivo, tanto, que puede moverse como un organismo animado en la tabla del estante donde se le coloque entre otros libros, fósiles en su mayoría, y no es éste, ya lo comprenderéis, uno de sus menores méritos, que hacer obras vivas y no otra cosa es, en su gran síntesis, toda la tendencia del arte contemporáneo. Realismo, naturismo, verismo, no son sino etiquetas que arrojan fatalmente, combinándolas como se quiera, el mismo resultado: la vida.

Para otro libro (*Como la vida (versos)*, de Federico Gil Asensio, publicado en Madrid en el año de 1906) escribe Sawa un breve prólogo titulado «Carta liminar» (pp. 7-10). En él repite, al pie de la letra, las mismas palabras escritas antes como pórtico para el volumen de Cornella de las Veneras, a las que agrega las consideraciones que subrayan su noción de vitalismo que acabamos de transcribir. Pero hay otra prosa importante que se relaciona con ese mismo tema del vitalismo, titulada «Los cortesanos de lo ínfimo» (1905), donde Sawa se ocupa de algunos oradores e insinúa ciertos reparos ante una falaz distinción entre el romanticismo y el clasicismo: «El triunfo del compás y de la regla sobre las vehemencias de la inspiración y los

---

(24) «Los nuevos. G. Núñez de Prado», *Nuevo Mundo* (núm. 538, 1904).
(25) *Ibídem.*

anacronismos del pulso» (26). Advertidos algunos casos que desvirtúan la idea de que entre los románticos se encuentran los sentimentales y los afectivos, y entre los clásicos los intelectuales y los reflexivos, Sawa sostiene los siguientes puntos de vista (27):

La elocuencia política está formada de pasión, de ardimiento y de fe...
... Pero es que se nos quiere hacer retroceder a los tiempos del ergotismo glacial y de la yerma escolástica. Es que, a nombre de yo no sé qué sombría y esterilizante razón, se quiere llegar a abolir el sentimiento, como si ambos términos fueran incompatibles, o como si tal demoníaca empresa fuera hacedera por hombres mortales, tocados de insensatez y de impotencia. Es que se intenta segar (¿dónde están las hoces y los fieros puños capaces de manejarlas?) todas las protuberancias de la vida, todo lo que culmina, la inspiración, porque es anárquica, la carcajada porque es asimétrica, el rugido y el sollozo, porque, como los truenos en el aire, preceden y acompañan a las tempestades de los hombres. ¡Es que se nos quiere hacer vivir en el reino de lo mediocre!

Defendida la sinceridad como potencia de primera magnitud en el arte y exaltada la inspiración, así como el sentimiento, Sawa insiste de nuevo en la estética idealista (28):

Se ha iniciado en buen golpe de la juventud española una tendencia a rebajarlo todo, a macularlo todo, a mostrarse indiferente ante los más bellos espectáculos de la tierra, que es un signo y como un estigma aterrador de los míseros tiempos que vivimos.
Del mar parece interesarles más el yodo y los principios químicos que lo forman, que sus olas y sus cambiantes, y en cuanto al cielo, lo ignoran. Cuentan en prosas prolijas los amores de las alimañas, y tuercen la boca con desdén cuando alguien les recuerda el poema de Verona. Les ofende lo sublime como una injuria personal...
Son los tasadores y los comentaristas jurados de lo trivial y lo mezquino. No abomino de ellos, como no llegaré a negar la utilidad de sus microscopios: pero me interesan más las águilas que los ratones. ¡Ah, la visión del cielo azul, con un ala a cada costado y sentir cómo el éter vibra alrededor de nuestra cabeza...!

Al mezquino naturalismo de antes y al estudio científico, de tipo clínico, de las realidades más repugnantes se opone un arte mucho más sublime que apunta hacia una

(26) «Los cortesanos de lo ínfimo», *Renacimiento latino*, I (núm. 1, abril de 1905), pp. 62-63.
(27) *Ibídem*, p. 62.
(28) *Ibídem*, pp. 62-63.

meta espiritualista de mayor elevación. En otro lugar, al ocuparse del inteligente escritor José M. Matheu, reconocido antes como un nuevo astro por la crítica y habitante ahora de la penumbra del olvido, Sawa expone unas ideas estéticas que nos interesa destacar aquí (29):

> Sin que yo dé a la frase todo el valor de un paralelismo, de Matheu puede repetirse lo que de Flaubert se dijo, que es un clásico vivo. Concibe como un poeta, mesura como un matemático y escribe como un académico, y ése es su mal, que ignora la bilis y la sangre como elementos indispensables en la expresión artística, que no es peligroso, que le falta la gota de veneno sin la cual no existe en la modernidad de nuestras letras ningún talento completo... Tengo para mí que, a pesar de ser un enamorado insaciable del Arte, en Matheu muchas veces, las más de las veces, el escribir es algo a modo de una función mecánica, un hecho previsto y frío de esos a los que para estudiar su funcionalismo la ciencia da el nombre de fenómenos. Por eso su lectura no produce temblores subcutáneos, ni indigna, ni apasiona. Le basta y se satisface con encantar sencillamente. El estilista en él, es encantador; el forjador de tramas, el fabulista, no es más que un alma cándida que cree y ama. ¿Qué? Todo menos el mal, ese tremendo manantial, esa formidable cantera de cosas bellas, porque sin la serpiente no hay ancha y honda percepción del Paraíso.

Es decir, Sawa exige al escritor completo pasión e indignación, *sangre* y *bilis*, aquella gota de veneno que hace estremecer. Pide vida a la obra de arte y no tiene miedo a sondear los fondos del mal en busca de la belleza. No basta deleitar con la literatura.

En toda una serie de prosas altamente subjetivas, algunas recogidas en *Iluminaciones* y otras dispersas todavía, Sawa procura expresar una intimidad que puede caracterizarse por una sola palabra obsesionante: *dolor*. En una crónica de 1904, publicada en *Nuevo mundo* e incorporada luego a su libro póstumo, se entrega a unas típicas meditaciones amargas sobre la vida y su fruto. Le gustaría poder tratar temas alegres y ofrecer motivos de regocijo a sus lectores: «Demócrito se me antoja superior a Heráclito, e insistentemente he creído siempre que la risa debería ser más propia del hombre que el llanto» (*Iluminaciones*, p. 123) (30). No se encuentran, sin embargo, esos

_____

(29) «Perfiles literarios», *Nuevo Mundo*, XI (núm. 545, 16 de junio de 1904).

(30) En otro breve prólogo, antes aludido, que escribe Sawa para el libro de Federico Gil Asensio, puede leerse:

temas en el camino de la vida, y al final de su escrito se pregunta:

> ...Nacer es triste; vivir es cosa amarga; espantoso, morir. ¿De qué lóbulo cerebral de más o menos están armados esos hombres que sólo aciertan a ver el lado cómico de las cosas y que oponen al duelo la carcajada y la pirueta al desastre? ¿Serán ellos los únicos seres cuerdos de la existencia, sin otra contrariedad que la de verse obligados a convivir con nosotros en el vasto manicomio de la vida? (*Ibídem*, p. 128).

Por último, en el mismo lugar, Sawa relaciona con el dolor tanto la vida como la emoción estética:

> La vida es el dolor, y toda emoción estética no es bella sino porque ahoga momentáneamente un quejido de la carne.
> Virgilio y Anacreonte son dos Galeotes condenados al suplicio de evocar escenas y paisajes que no existían sino en sus ansias, como el sol, el movimiento y la independencia son el anhelo incesante de los ciegos, de los tullidos y de los siervos (*Ibídem*, p. 124).

En sus cada vez más frecuentes momentos acerbos y agrios, en los cuales llega a un nihilismo casi completo, Sawa lo niega todo, menos el dolor: «...Cuando las ilusiones se van, el cuerpo humano no es más que un almacén podre. Niego y niego sistemáticamente, porque soy sincero. Mi vida no me da derecho a afirmar otra cosa sino el dolor» (*Ibídem*, p. 70). ¿Cómo aguantar la vida si es sencillamente una infamia? A su juicio, hay dos soluciones factibles: «Ser imbécil o fusionarse con la miseria total ambiente» (*Ibídem*, p. 183); y más adelante dice: «Mi perro adivina el mal de ideas que me roe por dentro y me lame las manos. ¿Será mensajero del Bien? A veces Dios se vale de tan humildes mensajeros para comunicarnos sus mejores imperativos» (*Ibídem*). Le es indiferente y cruel el destino: «...Una estrella, que ardía más alta que las otras, me dijo mi pequeñez y la inanidad de nuestros medios cuando tratamos de rectificar las invisibles cifras del Destino» (*Ibídem*, p. 92). De ahí que escriba, agobiado

---

Lleva usted razón, mi querido Gil, en reír a carcajadas desde algunas de las páginas de este libro... Morimos de tedio, nos consumimos de tristeza. Nuestra bandera es negra, como la de los desesperados que se baten por la vida.
Usted ríe, sin embargo. Verdad que a las más espesas cerrazones de la Historia han correspondido también los más evidentes satiristas (pp. 8-9).

por el tedio y hastiado de todo, víctima de una vida que
no tiene ningún sentido:

> Y andar, andar. ¿Hacia dónde?, ¿por qué? Allá vamos, con
> nuestros orgullos, con nuestras vanidades, a confundirnos con
> los ácidos de la carroña que son nuestro último aliento mortal.
> Allávamos, sin saber por qué (*Ibídem*, p. 92).

Ni siquiera acierta a describir de modo satisfactorio el
estado de ánimo en que vive:

> Aquí los comentarios más preciosos serían los más vulgares,
> como en tantos otros casos. Los ciegos plañideros de la calle
> lo claman así, y sus plañidos suelen hallar eco en muchos cora-
> zones: «¡No hay nada tan triste como el que tuvo vista y no
> ve!» Así vivo yo hace tiempo: yo no sabría contar mi estado
> psicológico. No soy un resignado, no; no soy un sublevado tam-
> poco, y si tratara de expresar con sonidos verbales el estado
> actual de mi espíritu, diría que soy como un hombre que, asal-
> tado en medio de un camino por una tempestad de rayos que
> lo deslumbraran con sus fulgores, no se sintiera ciego sino tem-
> poralmente (*Ibídem*, pp. 249-250).

Así puede puntualizar en los siguientes términos una situación que parece ser diaria y que representa la tensión
que le rodea de manera constante en su doloroso vivir:

> Hoy mi situación de alma es la de un hombre que está en
> capilla para ser ejecutado al día siguiente: cumplen mañana
> plazos improrrogables de mi vida, y no sé cómo darles cara.
> Yo me desangraría y me haría descuartizar y vendería mi carne
> a pedazos, si en ello viera medicina para mis males. Yo me
> desangraría y me haría descuartizar, sobre todo, por evitarme
> el oprobio de, hoy como ayer y mañana como hoy, tener que
> solicitar del azar lo que por fatalidad de mi sino el trabajo no
> ha querido concederme. Pero es baldía la protesta. Y como todos
> los desgraciados, rezaré preces a la Casualidad, a ver si me
> salva...

Con una frecuencia cada día más acentuada tiende a repetirse el refrán monótono de «hoy como ayer y mañana
como hoy»; sin esperanza y resignado ante la imposibilidad de luchar, ese gran rebelde que era Sawa se limitaba
a testimoniar su dolor y desaliento en una serie de aforismos o breves parábolas, no exentas éstas algunas veces
de valor lírico. En ocasiones, ese dolor de vivir se exteriorizaba con una buena dosis de *self pity*, explicable dadas
las desastrosas condiciones de la última etapa de su vida.
Veamos unos fragmentos característicos:

(a)   ¡A la calle, a la batalla, a luchar con fantasmas! Pero son calles en que al andar se pisan corazones, y son fantasmas que ocultan bajo sus túnicas de niebla puñales y amuletos contra la dicha humana (*Iluminaciones*, p. 25).

(b)   Vino el duende que era embajador de la Dicha. Yo estaba ocupado en cosas inútiles, pero que me placían momentáneamente...

—Ven luego —le dije.

Y mi vida, desde entonces, ha transcurrido aguardando desesperadamente al emisario, que no se ha vuelto a presentar jamás (*Ibídem*, p. 131).

(c)   Desconfiad del cura cuando os hable del sol, de las cosas francas de la vida; creedlo, sin embargo, cuando os insinúe cosas de la sombra. Si es un verdadero cura, viene de allí, y en zonas de claridad tendría que reconocerse forastero (*Ibídem*, página 128).

(d)   ¡Qué hermosos días, qué espléndida primavera anticipada, y qué frío hace aquí, en mis entrañas! (*Ibídem*, p. 77).

(e)   Yo no creía antes en el mal sino como una figura retórica; hoy lo siento terriblemente fundido con el aire que se respira (*Ibídem*, p. 88).

(f)   Yo vivo ansiando que mi alma llegue a adquirir a ciertas horas de la vida la horrorosa serenidad del cadáver (*Ibídem*, página 108).

(g)   El gato es la concesión que la gran fauna carnicera hace a la mísera especie humana; cuando se acaricia el lomo de un minino, los tigres ronronean voluptuosamente en sus umbrías, y las mujeres histéricas y los poetas saturnianos se relamen, sin saber por qué, de gusto arrullados por vagas predestinaciones (*Ibídem*, pp. 195-196).

(h)   *Ananké*. Ese es el nombre plebeyo del Dios de todos los continentes (*Ibídem*, p. 201).

Para los fines de este capítulo, cuyo propósito ha sido asomarse un poco a la intimidad psicológica de Alejandro Sawa, hay un texto final muy significativo. Es el que se insertó originalmente en *España* (19 de septiembre de 1904) con el título «El que no nació jamás»; apenas modificado sino en el primer párrafo, vuelve a aparecer cuatro años más tarde como «Los desertores del ideal» (*Los Lunes de El Imparcial*, 20 de enero de 1908), para incorporarse más tarde sin título a *Iluminaciones en la sombra* (pp. 222-226). Esta página puede verse, desde nuestra perspectiva, como una parábola, cuyo sentido no parece estar muy distante de la vida y de los sentimientos mismos del desdichado Sawa. Comienza así el texto original de 1904:

154

La decoración era siniestra. Más tristeza hay en los paisajes donde la vida se ayunta con la miseria, que en los cementerios — y más luctuoso que el cadáver es el hombre vivo cubierto de duelo, como de un manto de andrajos.

En esa oscura habitación, pobre y siniestra, tuvo lugar el asesinato de aquel hombre, cuyo pecado más grande fue, según se dice textualmente, ascender a los cielos de lo Absoluto. Este drama vital es el que nos va a contar Sawa en sus tres estancias de niñez, pubertad y muerte. Asistieron al nacimiento del héroe la Buena Ventura y una brillante teoría de hadas que lo favorecieron con dones espirituales de apreciado valor (genio, gracia, amor, etc.):

En palacio alguno se han dado fiestas tan luminosas como las que se celebraban en la blanca almita del niño todos los días del año, todas las horas del día, al contemplar, con los éxtasis propios del amor, los múltiples matices policromos de la vida.

—¿Qué más admirable —cantaba un coro de serafines en su pecho— que la luz del día, si no son las misteriosas lobregueces de la noche? ¿Qué más hermoso que el vivir, si no es el vivir siempre?

Se inicia una segunda época en la vida de aquel portentoso y agraciado niño, que coincide con el comienzo de su pubertad:

...Pero al extender su vista alrededor, quedó espantado, quedó espantado de lo que veía.

Vio que había que rectificar la vida. Cierto, la montaña continuaba siendo imponente, el mar soberbio, los valles amorosos, nupcial lo umbrío de las selvas, dadivosa la tierra, y el sol y los soles humanos con el hombre...

¡Pero la obra social...! ¡Pero la labor humana...!

En este momento la historia de un alma que no llegó a nacer jamás, que principia como un cuento de hadas luminoso, se transforma en una historia verdadera, porque su protagonista es el Dolor. Con el tiempo nuestro personaje se casaría con el Ideal:

... ¡Qué tristes nupcias! Ese, ése es el camino de pasión que conduce, si a la exaltación de la conciencia, al lento y sangriento holocausto de la personalidad... Fuerza de cariátides, furor de centauros, inconmovilidad de dioses son precisos para que el amor al Ideal no sufra los atisbadores desmayos que fuerzan a soñar con el descanso. ¡Es tan justo el deseo de, harto de luchar en vano, harto de perder sangre en todos los encuentros, querer vivir como los demás hombres!

Coros de voces plañideras, tales que en los funerales de la Edad griega, vertían por los oídos en su alma los corrosivos del no querer, del dejar de amar, las voces tristes que suenan en el cráneo como las campanas bajo las naves de una catedral cerrada al culto, en los momentos que preceden a los colapsos dramáticos de la voluntad. ¡Miserere, mirerere mei!

Por último, tiene lugar en aquel lóbrego aposento la decisiva batalla final:

... Deudos y amigos, familiares y simples comparsas, todos a una, en complicidad con la naturaleza entera, en complicidad con su ardiente cuerpo mozo, en complicidad con el polen de las flores y con los brotes de los árboles y con el estallar de amores en que se agota la primavera, hicieron surgir, plásticas, a su presencia, frases que eran como coros de sirenas, irresistiblemente.

Cedió, sucumbió.

En las capillas mundanales las campanas tocaron a gloria; yo las oí en mi corazón sonar a muerto.

Conocido el triste caso de aquel ser humano que tras la luminosidad llega a conocer al mundo y su dolor y que perece después de sus tristes nupcias con el Ideal, no sería del todo desacertado recordar otra vez el fragmento de una carta que Alejandro Sawa dirigió a Rubén Darío algo menos de un año antes de su muerte (31):

Tú no sabes de esta postrera estación de mi vida mortal, sino que me he quedado ciego. Parece que esto es ya bastante, pero no lo es, porque además de ciego estoy, va para dos años, tan enfermo, que la frase trapense de nuestro gran Villiers, «mi cuerpo está ya maduro para la tumba», es una de las más frecuentes letanías en que se diluye mi alma. Pues bien: tal como estoy, tal como soy, vivo en pleno Madrid, más desamparado aún, menos socorrido, que si yo hubiera plantado mi tienda en mitad de los matorrales sin flor y sin fruto, a gran distancia de toda carretera. Creyendo en mi prestigio literario he llamado a las puertas de los periódicos y de las cavernas editoriales y no me han respondido; crédulo de mis condiciones sociales —yo no soy un ogro ni una fiera de los bosques— he llamado a la amistad, insistentemente, y ésta no me ha respondido tampoco. ¿Es que un hombre como yo puede morir así, sombríamente, un poco asesinado por todo el mundo y sin que su muerte como su vida hayan tenido mayor transcendencia que la de una mera anécdota de soledad y rebeldía en la sociedad de su tiempo?

(31) Dictino Alvarez, ob. cit., pp. 65-66.

De esta manera comunica Alejandro Sawa al poeta su dolor de vivir y la angustiosa soledad de su alma. En aquellas tristes líneas de 1908, sinceras y auténticas, lamenta además el estado de abandono en que se encuentra y pide a Darío que acuda a levantarlo del abismo doloroso en que había caído.

CAPÍTULO VI

LAS NOVELAS DE ALEJANDRO SAWA

Recordemos que durante su primera etapa literaria en
Madrid, inmediatamente anterior a su salida para París
en el año de 1890, Alejandro Sawa había publicado cuatro
novelas extensas, además de dos relatos de menor tamaño,
ambos de 1888 (*La sima de Igúzquiza* y *Criadero de curas*). En su ya citada Autobiografía se refiere a cómo escribió atropelladamente en poco más de dos años seis obras,
y recuerda el título, «sin mortales remordimientos» (*Iluminaciones*, p. 178), de las siguientes novelas, cuyo estudio
será el tema principal del presente capítulo: *La mujer de
todo el mundo, Crimen legal, Declaración de un vencido*
y *Noche* (1). Las fechas que atribuyo a cada libro parecen

_____

(1) Ha habido hasta ahora ciertas discrepancias en torno a las fechas de publicación de las cuatro novelas largas de Sawa que estudio
aquí. Quisiera corregirlas y describir, además, las ediciones que en este
trabajo se citan: (a) *La mujer de todo el mundo* (1885). Poseo la primera edición, de este mismo año ,Madrid, Establecimiento tipográfico
de Ricardo Fe), pp. 218. En *El Motín* [V, núm. 27, julio de 1885] se
publica una breve nota sobre la novela, en la que se recomienda eficazmente, «por ser obra de un hombre de mucho talento y gran imaginación». (b) *Crimen legal* (1886). Mi edición es la tercera y carece de
fecha de publicación. Lleva el pie de imprenta de la Biblioteca del Renacimiento Literario, pp. 247. Tiene además un apéndice (pp. 251-280)
titulado «Análisis de la novela», del cual es autor Eduardo López Bago.
Aparece sobre la obra una nota anónima en *El Motín* (VI, núm. 23,
10 de junio de 1886), que dice así: «No podemos, porque las exigencias
de la lucha política y religiosa nos lo impiden, emitir un juicio extenso
sobre esta obra importante, en que el autor revela una vez más lo muchísimo que vale como artista, como pensador y como combatiente;
pero sí la recomendamos eficazmente a nuestros lectores, en la seguridad de que hallarán en ella mucho que aplaudir y que admirar».
(c) *Declaración de un vencido* (1887). Mi edición, aparentemente la primera, no lleva fecha de publicación. Le falta, además, la portada. Sin

comprobar que no se publicaron en poco más de dos años, como dijera su autor, sino que más bien aparecieron en el transcurso de unos cuatro años (1885-1888). Sin embargo, la publicación de un libro extenso por año, además de las novelas no tan cortas de 1888, indica un ritmo nada lento en la elaboración de esas primeras obras. Ya hemos señalado que las novelas de Sawa publicadas en la década de los ochenta son, en general, de tipo naturalista, aunque algunas más que otras; incluso en algún caso de un fuerte y atrevido naturalismo, mucho más cerca de los postulados franceses que de los españoles. Es decir, que en estas obras llega a veces Sawa a ciertos extremos muy avanzados, no exactamente característicos del atenuado naturalismo propio de la mayoría de sus cultivadores hispánicos en su apogeo de tan limitada duración. Veamos a este respecto un testimonio recogido por Cansinos-Assens, que visitó a Sawa después de su regreso de París hacia el año 1902 (2):

... Hay que renovarse o morir, según el lema d'annunziano... Ya ve usted; yo también he cambiado..., en mi primera época hacía novelas truculentas, de un realismo zolesco exagerado, por el estilo de Zahonero el de la *Carnaza* y Ubaldo Romero Quiñones el del *Lobohumano*, cosas de que hoy me avergüenzo..., pero ¿no escribió también Hugo el *Bug-Jaagal* y no empezó Balzac imitando a Paul de Kock?... Esas cosas esperpénticas de sátira social, me valieron el destierro en París, condenado por

---

embargo, la dedicatoria al señor don Adolfo Calzado está fechada en Madrid, en febrero de 1886. En la «Nota al lector», firmada con las iniciales A. S., se indica al pie: Madrid, 13-10-86. Lleva el subtítulo de *novela social.* Granjel [*Art. cit.*, p. 434] la da como de 1887; Luis París [*Ob. cit.*, p. 111] dice que Sawa escribió esta novela después de *Crimen legal;* otros críticos (entre ellos Cejador, Sáinz de Robles, etc.) le asignan también la fecha de 1887. Una reciente comunicación (8-8-74) de mi estimado amigo y colega A. A. Parker me confirma la fecha de 1887 en el volumen que pertenece al British Museum. (d) *Noche* (1888). Mi edición es la segunda; aparece sin fecha de publicación en la Biblioteca de Renacimiento Literario, p. 294. Como en el caso de la obra anterior, se subtitula *novela social.* La dedicatoria a Luis París está así fechada: Madrid 5-10-88. En *El Motín* (IX, núm. 6, 14 de febrero de 1889) aparece otra breve noticia bibliográfica sobre *Noche,* donde se lee que en la primera edición figura la dedicatoria a Luis París, asiduo colaborador a su vez del periódico de Nakens, lo cual impide aquí un juicio que pudiera parecer apasionado y parcial. Algunos dan la fecha de 1889 para *Noche* (Cejador y Sáinz de Robles, entre ellos). Todas las citas que se hacen en el cuerpo del presente ensayo corresponden a las ediciones descritas en esta nota.
(2) Rafael Cansinos-Assens, *art. cit.*, p. 23.

delito de imprenta, y merecían desde luego el castigo por delito de lesa literatura... Si algún día encuentra usted en los baratillos un ejemplar de la *Mujer de todos* [*sic*], le ruego no lo lea... Ese Sawa no es el Sawa de hoy... Los jueces que me desterraron me hicieron un favor... porque fue en París, donde verdaderamente nací al arte, apadrinado por Hugo, por Gautier, por Dumas y el divino Verlaine... Hoy debe usted leerme en *Alma española*, en los *Lunes*, donde me brindan colaboración... Por esas producciones nuevas me conocen los poetas jóvenes, que ven en mí a un hermano mayor...

Afiliado ya al grupo liberal, como tantos otros en la época (3), Sawa encontró en las doctrinas naturalistas nuevas libertades de fondo y de forma, así como una mayor flexi-

_____

(3) Para el tema general del liberalismo y el anarquismo en la época finisecular es de consulta indispensable el excelente artículo de Clara Lida titulado «Literatura anarquista y anarquismo literario», *NRFH* (XIX, núm. 2), pp. 360-381. El escritor de fines de siglo se siente un poco al margen de una sociedad indiferente, cuyas instituciones oficiales rechaza violentamente; al abrazar un anarquismo estético (y no político), busca nuevas libertades de fondo y de forma en una literatura de protesta, de signo iconoclasta. La misma investigadora define el anarquismo literario de la siguiente manera: «El *anarquismo literario* fue el resultado efímero del descontento artístico y espiritual de un grupo de escritores de fin de siglo, que veían en el rechazo de los viejos moldes estéticos y sociales un medio eficaz para la regeneración de una España —y una Europa— en decadencia. La anarquía política y la intelectual fueron dos aspectos del múltiple descontento español en los años de la Regencia. Lo que los militantes ácratas habían logrado en el plano político lo iban a lograr los literatos jóvenes en su asalto a una estética acartonada. Si se echa una rápida ojeada a las revistas literarias y culturales en que publicaban los escritores disconformes, se observa de inmediato el hecho significativo de que todas ellas comparten en mayor o menor medida la preocupación por una España nueva... Después del Desastre, otros grupos compartieron el *j'accuse* de los intelectuales exaltados, y la preocupación por la regeneración de España fue tópico de derechas e izquierdas. El *anarquismo literario* muere en medio del torbellino del siglo que empieza, mientras los escritores sueñan en un nuevo renacer, olvidados de nihilismos y destrucciones...» (pp. 380-381).

En el mismo trabajo, Clara Lida observa cómo surge en España, frente al anarquismo literario e intelectual, una literatura obrera: a este respecto cita la «Carta» del joven Alejandro Sawa publicada en el libro *A los hijos del pueblo, Versos socialistas* (Madrid, 1885), de Francisco Salazar y Tomás Camacho. He aquí el final del texto de Sawa: «Hace falta, pues, queridos amigos míos, para que la revolución sea popular, que sea social [...]. El libro *A los hijos del pueblo* está inspirado en estas ideas, que es preciso que contribuyamos para generalizarlas más, más todavía, a que se disuelvan en la atmósfera de tal modo que así como no hay pulmón que deje de aspirar oxígeno [...], no haya tampoco un cerebro que deje de aspirar socialismo para la formación de la voluntad. Así ganaremos la batalla con menos bajas en nuestro ejército» (p. 375).

bilidad en la elección de temas y el triunfo de un concepto distinto de la novela. No creo que sea necesario hacer un resumen de los principios doctrinales del naturalismo ni de cómo fueron recibidas sus teorías por los críticos y los escritores españoles (4); bastan por el momento al-

(4) Como introducción general al tema del naturalismo en España es sumamente útil el libro de Walter T. Pattison, *El naturalismo español* (Historia externa de un movimiento literario), Madrid, 1965. El excelente artículo «Zola y la literatura española finisecular» [*HR*, volumen 39, núm. 1 (enero de 1971), pp. 49-60], de Rafael Pérez de la Dehesa, que es una especie de apostilla al libro citado de Pattison, agrega importantes precisiones sobre Zola y el naturalismo en España. El autor define así los propósitos de su investigación: «... Se pensaba entonces, sin duda, que algunos aspectos de aquella estética [la del naturalismo] habían sido superados, pero se inició también un arte de tendencia social que se consideraba naturalista y que tuvo influencia en las nuevas promociones literarias. Este naturalismo social siguió buscando su inspiración en Zola, especialmente en las novelas *Germinal* y *Trabajo*. Con la esperanza de poder contribuir a aclarar este problema, ofrecemos en este artículo nueva documentación sobre algunas facetas de la actitud española ante Zola en los últimos años del siglo; la reacción intelectual al proceso Dreyfus, los esfuerzos de Blasco Ibáñez para difundir sus obras, y la recepción crítica a la novela *Trabajo*» (página 49). Por último, llega el investigador a las siguientes conclusiones: «Como se puede deducir de los datos aportados en este artículo, a pesar de que algunos aspectos del naturalismo tales como el determinismo hereditario fuesen abandonados en los últimos años del siglo, esto en nada disminuyó la popularidad de Zola, que, por el contrario, fue en aumento. Esta popularidad estuvo en 'parte basada en la fama que alcanzó con motivo del affaire Dreyfus y tenía más un carácter político y social que teórico literario. Las mismas obras últimas de Zola habían abandonado en gran parte los aspectos más dogmáticos del naturalismo y tendían cada vez más al arte social, y como tales fueron acogidas en España. Este nuevo aspecto de la producción del novelista francés fue el que tuvo influencia en los escritores de la nueva generación» (p. 59). En su trabajo Pérez de la Dehesa reproduce también, entre la nueva documentación ofrecida, la carta dirigida por Zola (4 de marzo de 1898) a Miguel Sawa, en su calidad de director de *Don Quijote;* es la contestación del novelista francés al manifiesto «A la juventud española», lanzado desde aquella revista en adhesión al escritor francés. Recojo el texto en el capítulo IV del presente libro. Muy al final de su artículo, Pérez de la Dehesa menciona brevemente a Alejandro Sawa; lo mismo que Pattison, reconoce que no existió novela rigurosamente naturalista en España hasta la publicación por nuestro autor de sus obras de carácter social (p. 60). Además cita un artículo de Ernesto Bark sobre el naturalismo, publicado en *Germinal*, al que nos referiremos más adelante, y escribe por último: «... Efectivamente esa influencia naturalista social estuvo pronto mezclada con elementos neorrománticos y simbolistas, pero es un importante elemento que se debe tener en cuenta al juzgar la producción literaria de las nuevas generaciones» (p. 60).

6

gunas observaciones de tipo general sobre la novelística de Sawa antes de entrar en un análisis directo de las obras que aquí nos conciernen.

Por de pronto, hay que advertir que las novelas de Sawa evidencian desde un principio una clara orientación e interés sociales. Incluso en la menos naturalista de todas, *Declaración de un vencido*, que es una obra diferente de las demás, como se verá oportunamente. Dos de ellas (*Declaración, Noche*) llevan, en efecto, el subtítulo de *novela social* (5), que implica la idea de observación y estudio de un determinado sector de la sociedad, rasgo típico de las novelas de la escuela naturalista (6). En la dedicatoria a su hermano Enrique, al frente de la *La mujer de todo el mundo*, Sawa califica su propio libro como «un caso de patología social» (p. 6). Cabe agregar que en la «Nota al lector», incorporada a *Declaración de un vencido*, afirma que su protagonista fue víctima injusta de la sociedad, y piensa que las páginas de la novela «pueden servir de pieza de acusación el día, que yo creo próximo,

---

(5) En la última escena de *Luces de bohemia*, don Latino, con su acostumbrada retórica de borracho inútil, afirma: «¡Yo he tomado sobre mis hombros publicar sus escritos! [los de Max Estrella]. ¡La honrosa tarea! ¡Soy su fideicomisario! Nos lega una *novela social* que está a la altura de *Los Miserables*. ¡Soy su fideicomisario! Y el producto íntegro de, todas las obras, para la familia. ¡Ya no me importa arruinarme publicándolas! ¡Son deberes de la amistad! ¡Semejante al nocturno peregrino, mi esperanza inmortal no mira al suelo! ¡Señores, ni una representación de la Docta Casa! ¡Eso, sí, los cuatro amigos, cuatro personalidades! El Ministro de la Gobernación, Bradomín, Rubén y este ciudadano...» [Lo subrayado es nuestro.] Ahora bien: Zamora Vicente [nota 10, *Luces de bohemia*, edición citada, p. 165] recuerda que Sawa había calificado de social alguna de sus novelas, y agrega: «... La noticia de que Sawa dejaba un libro inédito estaba muy extendida. Quizá alguien pudiera sospechar que se trataba de una novela análoga a las ya publicadas». Según entiendo, el libro inédito a que se refiere Valle-Inclán en su carta ya citada (capítulo I) como de lo mejor escrito por Sawa era *Iluminaciones en la sombra*, exactamente «un diario de esperanzas y tribulaciones». Sin rechazar por completo la idea de la existencia de otro texto inédito, no creo en la posibilidad de que Sawa hubiera dejado una novela de tipo naturalista, debido a su rápida conversión a la estética simbolista e idealista después de 1890. No se nos olvida, sin embargo, el anuncio que se hizo de hallarse en prensa *Alborada*, segunda parte de *Noche* (ver la lista de obras de Alejandro Sawa en la citada edición de *Noche*); pero me resisto a crer que se publicara jamás dicha continuación.

(6) El mismo procedimiento lo había utilizado ya varias veces López Bago, quien solía calificar a sus obras de «novela médico-social», como en *La prostituta* y sus continuaciones, *El Cura (caso de incesto), El confesonario (satiriasis), La monja*, etc.

en que se entable un proceso formal contra la sociedad contemporánea». En el mismo texto dirigido al lector y destinado a explicar los propósitos de su obra, considera Sawa el tema, el del joven literato cuya ambición le lleva a Madrid para conquistar fama y gloria, como «un caso que el novelista moderno debe consignar preferentemente entre sus apuntes». Y llega a decirnos que esto es lo que él ha hecho en sus «curiosos estudios de observación *d'après nature*». Un poco más adelante explicará en su autobiografía que no pretende escribir la historia de su vida, sino que, inspirándose en ideales más altos, su libro es «un pedazo de documento humano» (p. 18). Procura presentar además el proceso moral y psicológico de la época (*Ibídem*). En otro lugar Sawa se refiere también a la función del novelista moderno como historiador de la escena contemporánea cuando habla de las circunstancias de la llegada a Madrid de la prostituta Julia la Gallega y del amante de turno en busca de su destino:

> Ella, a la primera mancebía con que sus ojos toparon; él, a fundirse con toda la humanidad anónima de que formaba parte y de la que los únicos historiadores posibles son los novelistas modernos (*Noche*, p. 231).

Así, en consonancia con la doctrina naturalista, la novela moderna trasciende la idea de mero pasatiempo para convertirse en el estudio serio y detallado de algún problema social. Las novelas de Sawa tienden, pues, a la presentación de *casos;* en este sentido, se trata de verdaderos documentos humanos. Lo mismo que Zola, entendía la novela como corolario de la sociología. No podía, por tanto, creer que el móvil de la fantasía novelesca fuera solamente el deleitar, sino que concebía su obra como una reconstrucción de la propia vida. Observar y decir la verdad: he aquí los ideales de la novelística de Sawa.

De vez en cuando, los personajes de sus novelas tienen antecedentes provincianos (en *Noche*, los padres, don Francisco y Dolores, de la familia González, son de Avila; de Galicia proceden los esposos en *Crimen legal;* oriundo de Cádiz es el protagonista en *Declaración de un vencido*), casi siempre cuidadosa y prolijamente detallados, como parte de una herencia familiar que nunca suele faltar; pero las obras en sí aparecen fundamentalmente vinculadas a la ciudad, sobre todo a Madrid, con la excepción notable de *La mujer de todo el mundo,* cuya acción transcurre en París y en el país denominado Z. Madrid representa en último término todos los vicios, que a su vez se extreman y acentúan en los personajes depravados de Sawa que allí viven. A la capital, por ejemplo, quiere trasladarse Carlos Alvarado, en *Declaración*, para poder realizar todos sus sueños de gloria. En su fantasía recrea cómo ha de ir a la corte, después de romper la estrechez de los horizontes gaditanos, y cómo será su triunfo. Condenado, sin embargo, por la sociedad a ser un miserable y aceptado su inevitable vencimiento (p. 227), Carlos escribe en su autobiografía, poco antes de matarse, la siguiente descripción de la ciudad que tanto le había decepcionado:

> ... ¡Ah Madrid, Madrid, solapada ramera, cuántas ilusiones seduces, atraes sobre tu seno, de todos los extremos de la patria, para darte luego el placer de exprimirlas, de dejarlas exhaustas, y de tirarlas adonde no vuelvan a incorporarse nunca, rendidas para siempre! ¡Cisterna, antro, sima, que mientras más devoras, más sientes aumentarse tu apetito! Pues bien: ¡yo te he amado! (*Declaración*, p. 79).

Su suicidio representa, por lo demás, la «imposibilidad moral y material de vivir», así como una «protesta contra la vida» (*Ibídem*, p. 227). En la misma novela el protagonista nos habla de su llegada a Madrid en los siguientes términos:

> ... Vagué al azar por todas las calles que me encontré al paso, con tanta energía en mi propósito de ver a Madrid, que cuando me retiré a casa ya había aprendido que, salvo alguno que otro edificio realmente notable, la corte de España más aspectos ofrece de poblachón de Castilla con aspiraciones de gran ciudad, que de otra cosa cualquiera. Aprendí además que lo que me pasaba no tenía nombre, que era incalificable de puro canalla: todo el mundo me había engañado. Había oído decir en mi provincia que los madrileños miden sus calles por kilómetros, y me encontré con que, salvo alguna que otra vía central, muy pocas por cierto, las otras calles, cuesta arriba y cuesta abajo, con raquíticos edificios enjalbegados de roña a ambos lados de las aceras, eran más dignas de un poblacho bárbaro y atrasado que de la corte de España (*Ibídem*, pp. 103-104).

Contrastemos esta descripción con la que se hace también de Madrid en *Crimen legal*:

> Había vuelto el invierno con sus escarchas y sus nieblas: Madrid volvía a recobrar su grotesco aspecto de poblachón de Castilla con aspiraciones de gran ciudad. Los teatros estaban todos funcionando, y los cafés centrales se mostraban orgullosos, tan macizos de carne humana, que aquello, más que una reunión,

era un amontonamiento confuso y brutal de sexos y de fisono-
mías contrarias. Rodaban por las calles miles de coches de todas
las formas, y ensordecían el espacio los vendedores de periódicos y de baratijas voceando sus mercancías. Los provincianos
pensaban que así debe de ser París, y todos apresuraban el paso
por miedo a una pulmonía (*Crimen*, p. 43).

En las páginas de *Noche* puede leerse cómo otros personajes llegaron a Madrid, centro corrompido, que atrae a
la canalla de los cuatro puntos cardinales de la península:

> Madrid es una población grande y viciosa. Madrid simpatiza
> con todos los aventureros, a la sola condición de que sean va-
> lientes y no se dejen dominar por escrúpulos de vergüenza. Ma-
> drid es la capital de España y la gran población predilecta de
> la canalla. Y a Madrid fueron, atraídos por la gran vorágine
> de quinientas mil cabezas, sin que ellos mismos se dieran exacta
> cuenta de por qué ni para qué, esclavos del azar, de la aven-
> tura... (*Noche*, p. 231).

Como contraste y punto de referencia se insinúa con
notable frecuencia que algunos de estos personajes, generalmente los que se dejaron enviciar por el ambiente de
la ciudad, no cesan de recordar y añorar aquel pasado
provinciano. Don Francisco, en su viaje rumbo a la capital, piensa en el porvenir. Avila es su pasado sentimental
y Madrid el futuro desconocido:

> ... y se trasladó con todos los suyos a Madrid, no sin experi-
> mentar en el cuerpo, al salir de Avila, sensación de dolor seme-
> jante a la que debe sufrir un árbol añoso, en el momento en que
> lo arrancan de cuajo, con raíces y todo, del cacho de terreno
> en que ha nacido, donde se ha desarrollado, de cuyo suelo ha
> estado chupando vida, y en el que lógicamente debía morir, pero
> sin que lo movieran de su sitio para nada. Volvió repetidas ve-
> ces hacia el Norte la cabeza, a medida que el tren acortaba la
> distancia, y notó en el pecho, un poco hacia el lado izquierdo,
> sobre el corazón, especie de peso angustioso que le impedía res-
> pirar libremente, ni más ni menos que si un atleta le apretara
> con el puño cerrado sobre el tórax. Poco antes de llegar a Ma-
> drid, volvió a despedirse mentalmente de su querida Avila, y al
> deslizarse el tren sobre las primeras placas giratorias de la es-
> tación de llegada, vio con los ojos de la inteligencia, ahora lúci-
> da, vio cortada, con tajo vertical, a su vida, en dos secciones:
> una, Avila, la tierra de sus padres y la suya también, y la de
> su hijos; y la otra, Madrid, lo Desconocido (*Noche*, pp. 27-28).

También es sintomático que hacia el fin de *Crimen legal*,
Juan, uno de los pocos personajes que merece ser calificado de bueno en toda la galería y que ha pasado toda su
vida en la ciudad donde logró reunir una modesta fortuna,

165

parezca renacer a medida que se va alejando de Madrid, no obstante las angustiosas circunstancias de su viaje hacia el Norte de España. Se verificará una verdadera conversión espiritual:

> ... aquel buen viejo, arrugado por la fiebre de las grandes poblaciones, medio rural y medio cortesano, pero más cortesano que rural, en razón de los años transcurridos en Madrid, se sintió de pronto hombre de la naturaleza, se sintió de pronto hasta un poco salvaje, y se precipitó ansioso a una de las ventanillas del coche, con la misma impaciencia con que podría haberlo hecho un gañán del campo, desterrado del monte, de la selva y del llano, y lanzado a la vida de la gran calle, del *boulevard*, a la vida sin oxígeno, sin nitrógeno, pero con mucho carbono, de las grandes poblaciones.
>
> ¡Ah! ¡El marrusiño!
>
> Aquel era su elemento; aquel era su verdadero campo de acción. Abría la boca, los ojos, hasta desencajarlos, y hacía ruidosas aspiraciones pulmonares de aquel aire helado, que mitigaba la fiebre del sin ventura y lo aliviaba interiormente con un inmenso consuelo. Abría con ansia los ojos, hasta hacer redondos los párpados como en las aves: y parecía que al avanzar el tren en las tinieblas, no era el tren quien arrollaba a la sombra, quien se colaba por ella, sino Juan exclusivamente, el que se fundía, desesperado de un placer extraño, con aquellas oscuridades espesas que taladraba la locomotora sin detenerse nunca (*Crimen*, pp. 201-202)

Por regla general, las novelas de Sawa no son descriptivas, en el sentido de que en ellas se dediquen largas efusiones líricas al paisaje natural o urbano. Sin embargo, en el instante en que Juan se siente próximo a la naturaleza que observa por la ventanilla del tren, quedan interrumpidos sus pensamientos con una bella evocación del campo en el amanecer:

> El principio apenas fue sensible. Algo de claridad espectral muy tenue, muy vaga, desvanecida con delicadeza exquisita por todo el firmamento, menos por la curva del horizonte sensible, que comenzó a iluminarse con los tonos anaranjados del alba. Las estrellas radiaban todavía; y la luna, que estaba en su cuarto menguante, comenzó a rodearse de una especie de zona blanquecina y lechosa, más intensa de color a medida que la manecilla del minutero recorría el cuadrante del horario; intensidades de color, rojizas al principio, luego cárdenas, y casi violáceas por último.

Las estrellas fueron haciéndose menos brillantes, hasta desaparecer por completo de la vastedad del cielo inmenso; aquel trozo de luna, solitaria y triste, aún alumbraba los espacios; y persiste la fina matización de colores, siempre cambiantes, como en un cuadro impresionista:

> La curva del horizonte sensible cambió su nota de color verdosa por la anaranjada, luego ésta por la amarilla, y, por último, se tiñó de un vivo color de grana al aparecer un cuarto de círculo del sol, en el horizonte. Y a medida que subía el sol, que iba poco a poco descubriendo su hermoso disco ígneo, el color del horizonte sensible se iba modificando con transiciones llenas de delicadeza, de rojizo en amarillo, de amarillo en opalino, de opalino en anaranjado y de anaranjado en verdoso, hasta quedar, por último, confundido en la misma línea de colores con todo el firmamento (*Crimen*, pp. 207-208).

En el mismo libro, quizá el más naturalista de todas las novelas de Sawa, encontramos otro fragmento descriptivo, de tipo idealista, donde se refiere el delirio de la pobre Rafaela, vuelta medio loca por un parto frustrado que se describe con todos los más repugnantes detalles. En contraste brusco con lo que era la realidad del parto, el autor nos transporta a otras regiones tranquilas y bucólicas de la siguiente manera:

> ... creíase en el campo, en plena naturaleza, libre, tranquila de preocupaciones y cuidados, saltando arroyos en competencia con las sílfides de la mitología griega, cuyos nombres había aprendido en el colegio, y cuya poesía sentía ahora, desde su lecho de parir, desde su potro de tormento; aspiraba con ansia —¡la desdichada!—, aspiraba con ansia las flores campestres, las campanillas azules, las margaritas de botón amarillo, los lirios, blancos como nos figuramos la pureza; morados también, como concebimos la pasión y el tormento; hacía, combinando colores, casando colores, con el profundo arte de las zagalas en las siestas de aprisco, hacía guirnaldas, coronas de flores, con las que se ornaba la frente, más al modo de las diosas del paganismo que al de las soberanas de la tierra; nimbos de colores, en que hacían de granates las amapolas, de amatistas los lirios y las violetas, de topacios las margaritas, de zafiros las campanillas azules, de rubíes los brillantse claveles rojos reventones, y de esmeraldas las hojas de los árboles, recién cogidas, frescas, lustrosas como acabadas de lavar por los dedos de rosa de las ninfas, y brillantes, llenas de resplandores, al ser heridas por el sol, barnizadas como estaban por el rocío de la noche pasada que acaba de desaparecer, vencida por el alba... (*Ibídem*, páginas 90-91).

En otra ocasión, un paisaje otoñal se llena de contenidos sensuales y voluptuosos:

> ... La atmósfera continúa llevando en disolución esos perfumes de la primavera que parecen una caricia, un gracioso y prolongado saludo de la naturaleza vegetal a la animal, de las plantas

a los hombres, esas otras plantas más infortunadas. El aire continúa tibio, amorosamente tibio, como el aliento de una mujer que se nos acerca para besarnos. Hay azul sobre nuestras cabezas, y ante nuestros ojos, vibrando con el éter, y descomponiéndose con la luz, los colores del iris, revueltos y confundidos en promiscuidades tan delirantes, que hacen pensar en los amores furiosos del verde con el grana y del blanco con el negro. Se oyen por todas partes armonías que confirman los supuestos conciertos de la Creación; y el tumultuoso parlotear de los niños, y el alegre trinar de las aves, parece como si hicieran bien al cuerpo, avivando la circulación de la sangre, y las soberbias combustiones de la vida, exuberante esos días, hasta en los tísicos, hasta en los curiales arrugados por el uso... (*Mujer*, páginas 137-138).

Aunque se entregue a una verdadera fiesta de aromas, músicas y colores, identificándose espiritualmente con la fuerza genésica de la pródiga naturaleza, el pintor Gamoda siente que para él también comienza el otoño de la pasión, puesto que poco a poco va separándose de él su amante, la Condesa. Como contrapunto de una naturaleza apacible y riente, recordemos otro trozo totalmente distinto del mismo libro:

... El camino es árido, sórdido y fúnebre como las fantasías dantescas del *Infierno* ilustradas por el lápiz sombrío de Doré. Ni un árbol, ni una fuente, ni una mata, ni una flor, ni un recodo donde poder sentarse y soñar con ideales de ventura en aquel desierto de greda; nada, sólo polvo. Se siente allí positivamente un gran desaliento de la Naturaleza creadora. Se ve fatiga, aburrimiento en la causa genésica del Cosmos. Aquello está hecho por un aprendiz de Creador y no por un maestro. Es aquel camino por misérrimo y por triste un bostezo y una lágrima, todo a un tiempo. No quiero decir que un argumento contra el cielo (*Ibídem*, pp. 157-158).

De esta manera las descripciones, relativamente pocas, de una naturaleza lírica e idealizada suelen funcionar en la novelística de Sawa para destacar notas de contraste o acompañar los estados de ánimo de los personajes. Pero sus novelas, de ambiente urbano, tienen la realidad concreta y conocida de los barrios y calles de Madrid, aun cuando en esa realidad de la propia ciudad sorprenda tal vez la escasez de verdadero paisaje urbano. Así, por ejemplo, la descripción de la ciudad nunca llega a ocupar tanto espacio como en algunas novelas de Baroja; de vez en cuando, sin embargo, aparece una página en la que se recrea el paisaje de Madrid. Transcribo de *Noche* el pasaje donde se representa el amanecer de un día frío y gris de invierno en la capital:

> Había vuelto el mal tiempo, los días frigidísimos del mes de diciembre. Se manifestaba el cielo como una injuria permanente contra la humanidad, y eso hasta el punto de que sólo dejaba de llover cuando a los lagrimones como garbanzos con que la lluvia azotaba a la ciudad, sustituía la nieve, unos copos de nieve anchos como cuartillas de papel blanco que dejaran caer de una gran altura
>
> La circulación por las calles, ofreciendo molestias y aun peligros, se había restringido considerablemente, y sólo algún que otro miserable o algún perro vagabundo, eran los osados a salir de sus casas, deslizándose en toda la extensión de las aceras más semejantes a fantasmas que van o vienen de los infiernos, que a realidades positivas y sensibles de esta tierra que pisamos. Allí donde la nieve se derretía, quedaban enormes barrizales intransitables, y sin luz arriba ni sosiego abajo, envueltos por el color gris del horizonte, eran aquéllos los días malos en que la desesperación es un consuelo y la muerte una promesa cariñosa; los días en que cualquiera que sea la organización y el temperamento de la criatura humana, se reconoce por todos que lo más difícil es vivir.
>
> Hacía muy poco que había concluido la brega laboriosa del amanecer. Fue una lucha prolongada, en la que parecía que todas las ventajas estaban de parte de la noche, que no iba a amanecer nunca (pp. 130-131).

El fragmento es característico de la actitud del novelista ante el paisaje de Madrid, porque destaca lo sombrío y gris de la ciudad fría, en la que siempre tarde en llegar la alborada, lo mismo en el día que despunta que para el hombre que lucha por la vida. Igual tono displicente e ingrato se percibe en este ejemplo de otra obra de Sawa:

> Allá por las alturas de Chamberí, frente al Depósito de agua del Lozoya, allí está la romería a la que van, en alegre caravana, toda la gente de estropajo, los domingos y fiestas de guardar, a resarcirse de las penalidades de la semana. El paisaje no puede ser ni más árido, ni más triste, ni más feo. Parece imaginado por el Dante y teñido de color por el pincel sombrío de Rembrandt. De greda el suelo, de color de ceniza los horizontes, y de miseria humana los detalles todos del terreno. A un lado, un cementerio, el de la Sacramental, y al otro, horrible amontonamiento de casuchas negras, en las que parece mentira que puedan introducirse y vivir seres de nuestra civilización y de nuestra raza: madrigueras o antros, mejor que viviendas. Un crimen social, cuya responsabilidad exclusiva es del Estado, en nuestras sociedades centralizadas. Al frente, conforme se viene de la calle de Fuencarral o de la de Hortaleza —las dos grandes vías que conducen al erial teatro de romerías y de fiestas—, las cumbres del Guadarrama, unas cumbres enanas cubiertas de nieve; y ce-

rrando el cuadro, la caseta encarnada, rodeada de árboles enfermos, que sirve de habitación al conserje y a los guardas del Depósito del Lozoya. Han establecido en la fúnebre planicie puestos ambulantes de chucherías y bebidas: cacahuetes, piñones, avellanas, agua de limón y vinazo del país... (*Crimen*, pp. 20-21).

Nos encontramos ante unas novelas en que pululan personajes, generalmente de la clase media para abajo (7), dominados y movidos siempre por los más bestiales instintos y apetitos. Sobre todo, el sexo y la lujuria. Son personajes monstruosos en sus egoísmos y sus infamias. En toda esa amplia galería que va desde los aristócratas hasta las prostitutas, falta la gente buena y virtuosa. Todos o casi todos son en el fondo malos y perversos. Algunos otros son simplemente mártires que sufren, víctimas de la maldad ajena. De manera singular ciertas mujeres indefensas (por ejemplo, Luisa en *La mujer de todo el mundo* o Rafaela en *Crimen legal*). Debo señalar, sin embargo, a dos personas que no merecen la condena general, puesto que son generosas y compasivas. Se trata, en efecto, de dos mujeres: Carmen, la ramera de *Declaración*, y Paca, una de las hijas de la familia González, en la novela *Noche*. Carmen acompaña al protagonista en los últimos días de su vida, anteriores al suicidio, y revela una compasión poco frecuente al atender a Carlos, dándole dinero y manteniéndole de manera por completo desinteresada. En los días que pasan juntos, en las afueras de Madrid, viven fugaces idilios que desvían y retardan el único desenlace seguro: la muerte. En *Noche*, la obra en que la indiferencia moral alcanza quizá un punto extremado, la segunda hija, Paca, tuberculosa y casi moribunda, se desvive por sostener a aquella familia de seres brutales, hundida en la miseria, lo que le obliga a pasar no sé cuántas horas diarias ante la máquina de coser. En última instancia, con su abnegado esfuerzo se ha sacrificado para mantener a unos padres que ni siquiera la habían dejado vivir desde la infancia.

_____

(7) Pattison ha escrito: «Las novelas de Sawa revelan la misma combinación de Zola y Hugo que hemos notado en López Bago. La aristocracia nos acarrea todos los personajes viles y corrompidos; el pueblo, los pocos virtuosos...». *Ob. cit.*, p. 137. Creo que el historiador del naturalismo español se limita a referirse aquí a *La mujer de todo el mundo*, porque un poco más adelante se lee (p. 138): «... De vez en cuando vemos, por contraste, la vida de los honrados obreros madrileños». Lo que quiero señalar es que la aristocracia como clase social tiene poquísimo papel en la novelística de Alejandro Sawa.

170

Amor, caridad, compasión y bondad distan mucho de ser las virtudes características de los personajes de las novelas de Sawa. Se trata más bien de gente capaz de toda clase de abyectas vilezas, físicas y mentales. Frente al amor espiritual predomina el sexo; frente al calor humano, la inmoralidad y el vicio. Según veremos, son novelas llenas de adulterios y asesinatos, de violencia y crueldades, de orgías y bacanales, de degradación y libertinaje. El fuerte erotismo, presente sin excepción en todas las obras que nos ocupan, llega a veces a los extremos de la más desenfrenada satiriasis. Abundan, por ello, en truculencias y situaciones melodramáticas de toda clase. Caracterizados así, en términos generales, los personajes de Sawa, que obedecen a sus instintos más primitivos, apenas les queda margen de vida para el optimismo. Faltan la luz y la esperanza. La maldad es la condición del hombre. De ahí que casi siempre y sin remedio sean obras sombrías, en las que domina una tonalidad lúgubre (8). Ninguna otra nota más sostenida que el negro pesimismo con que el autor presenta su primera novela, en cuya dedicatoria pueden leerse las siguientes palabras:

> Estamos bajo la impresión de la misma pena, del mismo desastre; esa dolorosa y sombría y desesperadora inmersión de mamá Esperanza en la muerte: todo nos es común..., tú [Enrique Sawa] comienzas a vivir, y yo parece que concluyo, según lo cansado que me siento... ¿Quién sabe, después de todo, si la inteligencia no es una monstruosidad física, una equivocación del cielo, una joroba, un ser con dos cabezas, una idiosincrasia que mata, un hígado enorme envenenando con segregaciones biliosas la sangre hasta dejar maltrecho el equilibrio en que se funda la vida, una morbosidad cancerosa, un testarudo principio de muerte?
> ... El camino es largo, el ansia de recorrerlo, inmensa; los medios de locomoción, mezquinos; tan miserables somos, que parecemos nacidos para complacer a alguien que goza con la muerte... (*Mujer*, pp. 1, 2 y 3).

Así, casi todos los personajes creados por Alejandro Sawa en sus ficciones actúan generalmente influidos por sus inclinaciones materialistas. Y no sólo en su conducta, ya que a veces también son literalmente animales. Es decir, seres humanos a los que el novelista asigna con frecuencia atributos de animal. Veamos algunos ejemplos de

---

(8) Luis París destaca, según veremos más adelante, esa cualidad lúgubre en su breve comentario sobre *Crimen legal. Ob cit.*, pp. 109-110.

ello entre los muchos que podrían señalarse. La figura humana se animaliza, degradándose en un progresivo embrutecimiento, tanto físico como espiritual. En *Crimen legal*, el novelista describe así a la muchedumbre que solía acudir a las fúnebres y áridas alturas de Chamberí:

> ... Las caras aparecen inflamadas por los ardores del vino, y los cuerpos epilépticamente alborotados por los sacudimientos del sexo. La palabra sale a borbotones, como el agua del manantial; y aquellas bocas de hombres y mujeres, por las que salen exclamaciones y frases completamente humanas, son una maravilla para el observador, porque, alargadas por las excitaciones del aguardiente y del sexo contrario, parecen jetas hirsutas, jetas de bestias, incapaces de dar salida a otro sonido que al grito imperativo con que la animalidad expresa sus sensaciones y sus deseos. Se ofrece allí el amar a gritos, no como mercancía, sino como placer y como instinto, también como descanso y como olvido... (*Crimen*, p. 22).

La grotesca descripción de Ricardo en la misma novela me hace pensar en los modos expresivos perfeccionados más tarde por Valle-Inclán en sus esperpentos:

> ... La cabeza casi calva, de una calva sucia que parecía sintomática de una enfermedad repugnante y contagiosa, de lepra, de tiña, y los ojos parduscos y pequeños, tan hundidos en sus cuencas óseas, que no se advertirían seguramente, ocultos en su madriguera, a no ser por la fosforescencia verdaderamente felina que despedían. Ojos de calenturiento, empotrados en cráneo de bestia.
>
> Tenía la nariz gorda, nariz glotona, tan móvil como la de un perro perdiguero, y la boca sensual y grosera, de labios belfos, constantemente humedecidos por el continuo entrar y salir de su lengua carnosa y sangrienta. La cabeza de un canalla y la jeta de un Heliogábalo. Pero con una gorrita inglesa de exquisito gusto cubriéndole el cráneo (*Ibídem*, p. 32).

Con un criterio estético parecido, de esta manera describe Sawa una parte de la violación de Lola por el clérigo don Gregorio:

> ... Cedió, pues, y quedó convertida en masa inerte entre las nerviosas patas del sacerdote. Sin voluntad ya, y sin encéfalo y sin nervios, fue más que una mujer, una presa, un trozo de carne lanzado a la voracidad de una bestia hambrienta. De un solo salto, el chacal, el sacerdote, aquella hiena, se había apoderado de la joven, la había rodeado la cintura con una de las patas delanteras, la había destrozado el cuerpecillo del vestido, y la había vuelto a derribar al suelo para consumar la profanación más cómodamente... (*Noche*, pp. 138-139).

172

Con el mismo derecho deberían figurar en mi breve nómina otros textos en los cuales se bestializa también al ser humano —por ejemplo, el borracho que aparece momentáneamente en *La mujer de todo el mundo* (pp. 182-183) o algunas personas encerradas en el manicomio, del mismo libro—; baste por ahora citar un breve fragmento en que el amante desdeñado pierde por completo su personalidad al cosificarse: «...aquel infortunado que había sido un hombre, convertido ahora en harapo, en desperdicio, en *detritus*, por el amor, esa cosa magnífica, como dicen los poetas» (*Mujer*, p. 178).

A la vista de estos ejemplos, tomados directamente de los textos novelescos, resulta evidente que Sawa gustaba del detalle feo, a veces caricaturesco en la traza de algunas de sus criaturas. Más adelante citaremos también otros pasajes que demuestran en su autor una marcada tendencia a la descripción morosa de otros varios aspectos igualmente ingratos o repugnantes de la realidad. Ahora, sin embargo, a manera de contraste, prefiero destacar su especial sensibilidad por el cuerpo femenino, en toda su exuberante sensualidad. A veces solía embellecerlo mediante la técnica parnasiana de las trasposiciones artísticas, procedimiento de época quizá aprendido en Gautier, autor a quien tanto admiraba. Entre los muchos textos que podrían aducirse para comprobar ese deleite en la estilización de la belleza femenina y sus formas me bastarán los siguientes ejemplos:

(a) La desposada tenía en su naturaleza la suficiente cantidad de distinción para siendo sencillamente bonita resultar admirable: una cabeza caliente, curada al sol del Mediodía, con ligerísimo vello sombreando el labio superior y rasgos apasionados en toda la fisonomía, valiente y graciosa al mismo tiempo: el pelo negro, lustroso hasta hacer pensar involuntariamente a los que lo miraban en el acero bruñido y en el agua transparente; y tan abundante y tan suave que se veía en él, independientemente del resto de la fisonomía, la manifestación bizarra de un sexo robusto y bien formado, que no había venido por equivocación a la tierra. La frente pulida, mimosamente pulida, baja y estrecha y con esas entonaciones suavísimas de color pálido que se admiran en el marfil antiguo; semejante por su forma a la de las Venus griegas, y así como cortada a pico; quiero decir, dominando con una pureza de línea recta, absolutamente matemática, a todo el rostro, que de ser menos moreno o más inexpresivo, hubiera parecido el de una de esas estatuas áticas... los ojos negros y sombríos, árabes por la expresión voluptuosa de la mirada y la magnífica dilatación de los párpados, europeos por el postizo sentimiento de cultura mundana que destilaban...

173

la boca sensual y graciosa, el cuello formado de una curva, de tal modo irreprochable, que hubiera hecho delirar a un artista y enardecerse a un voluptuoso; los pechos exuberantes y estremecidos, el talle garboso, la cintura ondulante, las caderas y los muslos bien marcados, el pie como mandado hacer de encargo a Cádiz, a la estatura tan armónica, que no tendría necesidad para besar en la frente a su esposo, de empinarse penosamente sobre la punta de los piececitos... (*Mujer*, pp. 43-44).

(b) ... Al día siguiente, que su boca al entreabrirse por la emoción o por la caricia, tenía tonos rosados que sólo se advierten en algunas flores a la hora del alba, cuando el sol sale y la naturaleza se dispone a las magníficas combustiones de la vida. Poco tiempo después, o aquel mismo día... —¿quién puede hacer la historia de estos descubrimientos de los enamorados fantaseadores que sólo ven armonías por donde quiera que pisan?...— poco tiempo después, que las redondeces de las caderas de Noemi estaban formadas por una curva más fina que las mismas de las estatuas griegas; y así sucesivamente, en un calor de apología animal tan considerable, que si, como era puramente animal, fuera inteligente, podría, ¡ya lo creo!, podría hacer una revolución en todas las artes plásticas, así antiguas como modernas. Más afortunado que Praxiteles, Ricardo había podido encontrar la belleza suprema en un solo modelo de mujer. Sólo que era tan bestia, que sentía esto, sí, pero no podía razonarlo (*Crimen*, p. 160).

Uno de los rasgos constitutivos de la novela naturalista es, desde luego, el análisis detenido y exhaustivo de los antecedentes de sus principales personajes, concediendo importancia máxima al peso de la herencia biológica en la determinación del carácter y destino del individuo. Además del papel de ese determinismo hereditario, relacionado a su vez con las pretensiones cintíficas y las leyes naturales, tan de moda en la época, el ser humano es considerado también como un producto directo del medio y del momento, sin ninguna posibilidad de trascender esas circunstancias verificables. Este naturalismo ateo y determinista, que deja tan poco margen al libre albedrío del personaje, influye intensa y poderosamente en la novelística de Sawa, condicionando casi siempre el carácter y la evolución psicológica de sus personajes, sobre todo en *Crimen legal* y en *Noche* (9). En estas dos novelas la at-

(9) En general, el naturalismo español, siempre más atenuado que en Francia, rechaza como todos recordamos el determinismo anti-religioso, pero, a juicio de Pattison, hay también en la península otra dirección, representada por López Bago y por Sawa, contraria al espiritualismo, que se caracteriza «como una rendición completa al naturalismo de Zola mezclado con [un] humanitarismo sentimental al estilo de *Los miserables* o *Los misterios de París*. *Ob. cit.*, p. 136.

mósfera densa y asfixiante apenas deja resquicio para respirar, debido a la fatalidad que pesa de modo constante sobre las personas y sus acciones (10).

En *Crimen legal*, Sawa consagra muchas de las páginas iniciales a la vida temprana de Juan, quien había huido muy joven a Madrid para escapar de la miseria de la vida pueblerina en Galicia. Cuando comienza la obra, ya enriquecido, tiene sesenta y cinco años; y era padre de un hijo ingrato y canalla, de nombre Ricardo, que había podido licenciarse en Derecho civil y canónico gracias a la generosidad de su padre. De esta manera, Juan piensa en su propia ambición y en cómo había deseado para su hijo una situación decente:

> ... quiso que el hijo del esclavo, el hijo del miserable, del paria emancipado por el trabajo, fuera un señorito, pero no un señorito cualquiera de tres al cuarto, sino un señorito de verdad, propietario y abogado, y ya sentía las inexorables consecuencias de su error. ¡El salto atrás! ¡Lo que llaman los biólogos el salto atrás! Ahora se acordaba que un abuelo suyo murió en la horca por asesino y ladrón, y pensaba con espanto en si su hijo, en si Ricardo sería un canalla, canalla por herencia, ladrón y asesino también, como su bisabuelo, como su antepasado. ¡Qué horror! Y veía el cadalso, negro, escueto, construido con madera y odio, madera que luego degradaba la hipocresía social; y a los curas confundidos con el verdugo; y oía el repiqueteo monótono de las campanillas con que los hermanos de la Caridad pedían, no magnanimidades y perdones, sino ¡dinero!... (*Crimen*, páginas 25-26).

Un poco más adelante, el padre apenado vuelve a la carga:

> No lo dudes, Vicenta: nuestro hijo es un canalla. Se avergüenza de mí, de mis andrajos, como tú dices, porque no tiene entrañas, ni nervios, ni corazón, ni nada; porque es un monstruo, y los monstruos no conocen otra ley que la de sus apetitos. Ese hijo es una equivocación tuya y mía, una equivocación de los dos. Yo creo que sale a su bisabuelo. Y si no, recuerda...
> Y entonces sí que no lo detenía ni aun el sollozo, acumulando hechos, recuerdos, observaciones, con la loca inspiración de un desesperado, para probar a su mujer que desde chiquito el recién casado había dado pruebas de malos instintos, de perversidad... (*Ibídem*, pp. 26-27).

---

(10) En *La mujer de todo el mundo*, la enfermedad o impotencia material de Enrique causan naturalmente el fracaso del matrimonio concertado por su madre, la cínica condesa arruinada. Su impotencia era de nacimiento (p. 36), quizá heredada del padre disoluto, ahora una mera figura grotesca, viejo y acabado ya.

Como una verdadera obsesión, se escucha reiteradamente la frase maléfica: «¡El salto atrás!» Siempre Juan recuerda a aquel bisabuelo suyo, muerto en la horca por asesino y ladrón, cada vez que piensa en su hijo encanallado por la herencia (p. 192). En una noche de desvelo angustioso se concreta así de nuevo el recuerdo de aquel antepasado:

> ... Y como él había oído decir a la gente, y aun lo había leído en muchos libros, que se heredan las inclinaciones y los instintos, como se heredan los humores, como se heredan las herpes y la sífilis, no ya de padres a hijos, sino de un modo arbitrario, a veces del bisabuelo al biznieto, y aun de una generación a cuatro o cinco generaciones distantes —el *salto atrás*, que se llama—, llegó el sin ventura a la evidencia de que su hijo, de que Ricardo, era asesino por herencia; asesino por fatalidad, y como si dijéramos a la fuerza; y que no podía, de consiguiente, exigírsele responsabilidad porque en la cadena cronológica de su familia hubiera aquel eslabón de infamia (*Ibídem*, p. 230).

En la misma novela se narra la biografía de una prostituta nacida en el burdel donde se vendía su madre. La niña llevaba grabada en su frente pura «una de esas maldiciones que el mundo luego se encarga de convertir en lo que vulgarmente se llama un *sino*» (p. 135). Estaba condenada, sin posible remedio, a ser lo que era su madre:

> Decir que en esta lucha de su temperamento de virgen con su educación de bestia, triunfó su temperamento, sería ponerse en evidente contradicción con la fatalidad humana. Josefina fue lo que se quiso que fuera, a pesar de su voluntad y contra su voluntad; lo mismo, exactamente lo mismo que hubiera ocurrido a cualquier santa del calendario en igualdad de condiciones (*Ibídem*, p. 136).

Un poco más adelante, amancebada ya con Ricardo, a quien absorbe totalmente, Sawa dice de ella:

> ¡Oh! ¡Las melosidades de una mujer ardiente y de talento, educada en los comedores y en las alcobas de las mancebías públicas, sometida a las leyes implacables de la herencia patológica, rellena de vicio, de virus de borrachos y de rameras, hasta el tuétano de los huesos! —¡La cadena!— ¡La cadena de fatalidades que llevaba Ricardo, por insensatez y por desdicha, enroscada al cuello! (*Ibídem*, p. 151).

Como en el caso anterior, en la primera parte de la novela *Noche* se dedican varias páginas a la presentación de los antecedentes familiares, con predominio de los biológicos, de don Francisco y de su esposa Dolores, ambos de Avila. Entre paréntesis, conviene indicar que Sawa parece haber tenido siempre una cierta predilección en sus obras de ficción por el análisis pormenorizado, lo mismo físico que espiritual, de las relaciones matrimoniales de sus personajes. De Paco se ofrece en los comienzos de *Noche* el siguiente retrato moral, nada exagerado por cierto, ni siquiera en los detalles más repugnantes y grotescos:

No heredó Paco de sus padres lo externo, pero sí lo interno, el aparato moral. Hipocresía, egoísmo, cerrazón de horizontes intelectuales, divorcio inconsciente con la naturaleza física, y fanatismos de devoción por los poderosos y los santos... El éxito, la victoria obtenida a cualquier precio (teniendo siempre cuidado de salvar las apariencias), *suprema ratio* de la vida. Sumado a estas miserias del pensamiento, un enorme egoísmo... Era, por lo tanto, parecido a uno de esos mausoleos semejantes a templos, que la vanidad humana levanta en los cementerios, y que, imponentes por fuera, sórdidos por dentro, encierran en todos los casos, cuando no las repugnancias de un pudridero en que tienen habitación la materia descompuesta y los gusanos que de la descomposición viven, eso otro que es más mísero todavía, por ser el último término reducible de nuestro cuerpo: el polvo de los esqueletos.

Aquel extraordinario vigor físico estaba determinado por un fenómeno de atavismo. Un abuelo por línea paterna rompía las nueces a puñetazos, y unas veces por hacer gracia, otras porfiando, se comía las cáscaras, y luego las digería sin ningún esfuerzo del estómago. Ese bestia metió en su cuerpo una porción de enfermedades contagiosas, envenenando la sangre de su mujer y la de los hijos en que se reprodujo. Tuvo una descendencia de escrofulosos y de herpéticos. El padre de don Francisco había nacido con dos bubones, uno en cada ingle, como los que se adquieren en el comercio con las mozas del partido... (*Noche*, pp. 11-13).

Conocidas estas cualidades morales y la brutal naturaleza física del personaje, así como su inveterada e hipócrita beatería, a nadie puede sorprender que el destino final de Nazario, quizá el más vicioso de los hijos y el más parecido al padre, dependiera en gran parte de la herencia paterna:

... Poseía aquel mozalbete de veinticuatro años cuanto es preciso para estar bien avenido con la limitada humanidad de que se forma parte: sistema dentario completo, en buen estado de conservación; estómago poderoso, bien abastecido de cuantos jugos gástricos son precisos para digerir piedras; aparato nervioso, casi nulo, sólo el suficiente para recoger y transmitir sensaciones; buena sangre y abundante, rica en glóbulos rojos. Y un enorme vacío moral en la cabeza.

Era la bestia humana en toda su desfachatez. Carne, músculos, huesos. Ni por casualidad la alborada, la anunciación tímida del espíritu. Materia, y materia y materia... (*Ibídem*, páginas 164-165).

Aquí Nazario sintió toda la influencia de su padre, de aquella espesa y caliente sangre heredada, igualmente susceptible de impulsar a la beatitud que a la furia... (*Ibídem*, p. 184).

Para solucionar el problema podían hacerse dos cosas: matar al marido de Venancia, que lleva en sus entrañas al hijo de Nazario, y casarse luego con la viuda. Una vez decidido esto, la muerte y el matrimonio («¡Himeneo de criminales! ¡Enlace de fieras!»), se exclama: «¡Oh, fatalidad, alma del mundo! ¡Determinismo, ley de la vida» (*Ibídem*, página 194). Por último, en términos de vida y muerte, Sawa escribe en la misma obra:

Y todo en el mundo continuaba su marcha ascensional hacia la vida y hacia la muerte. Furias de destrucción, furias de creación, libraban el eterno combate, nunca interrumpido, de donde surgen las verdes campiñas, y los campos de trigo, y las nuevas generaciones de seres, semejantes todas en el frenético grito de vida en que se les consume la existencia, y en la marca de miseria imperativa, imborrable, que llevan estampada sobre los lomos o en la frente. Malditas, maldecidas antes de nacer por los rencores de un destino que da tristeza sólo el considerarlo.

Y reincide en la misma visión implacable de la vida:

Todo en el mundo continuaba su marcha ascensional hacia la vida y hacia la muerte, sin que nada pudiera escaparse al exacto cumplimiento de su destino. Nacía un niño robusto, casi bello, enteramente viable, de los acoplamientos animales de Venancia y de Nazario, y aquella flor de adulterio provocaba éxtasis en cuantos la miraban, de lozana y de pura. Surgía la vida de todos los sitios en que hubiera organismos hembras, hasta de las cloacas, hasta de los hospitales y de los presidios, y mientras tanto, a los que le había llegado su vez, morían... (*Ibídem*, pp. 218-219).

Así, los personajes de Sawa aparecen condenados en su mayoría por leyes fatales e inexorables. Pocos tienen salida en nuestro mundo, feo y cruel; todo está predeterminado por la herencia y las circunstancias; el ser humano, con toda su miseria e impotencia, queda aprisionado sin posibilidad de superarse a sí mismo ni de superar su destino (11).

(11) Hay un caso curioso, hasta cierto punto a la inversa, que es el de la prostituta Julia la Gallega, amiga de Evaristo en la novela

En el análisis directo de cada una de las novelas de nuestro autor se verá oportunamente cómo se complace, a veces con cierta delectación, en la descripción de sordideces y de toda clase de inmundicias; pero ahora quisiera destacar otro elemento temático de suma importancia en la obra temprana de Sawa, con la excepción notable de *Declaración de un vencido*: la irreligiosidad y el anticlericalismo en sus manifestaciones más fuertes y degradadoras. Ni los curas ni los frailes pueden escapar de la inherente maldad con que representa la condición humana nuestro novelista.

En *La mujer de todo el mundo* es mínimo pero de bastante alcance el papel de don Felipe, confesor y consejero áulico de la Condesa de Zarzal, cuya situación económica puede salvarse con la boda de su hijo impotente con Luisa Galindo. Por de pronto, aparece así presentado en la novela:

> Don Felipe pertenecía a ese género especial de curas híbridos que no han previsto ninguna legislación canónica. Todo lo menos cura posible y todo lo menos seglar posible: un cura empezado a formar, pero resultando admirable en su estado de boceto: bonito, pulcro, de ojos chiquitos y brillantes, negrísimos hasta hacer aparecer blancas todas las cosas que los rodeaban; boca pequeña y nerviosa, nariz fina, testa de Luis Gonzaga perfeccionada por la pomada tártara. Vestía con suma elegancia hábitos entallados de seda, y una de las prendas predilectas de su coquetería sacerdotal eran los zapatos de charol con hebillas de plata que completaban su indumentaria de cura petimetre... Decían del color siempre sonrosado de sus mejillas los maliciosos, que el tocador andaba por mucho en ello, pero yo creo sencillamente que aquel agradable color de manzana bien conservada, o de cara de niño llorón, procedía de las riquezas gástricas del estómago de don Felipe... (*Mujer*, pp. 33-34).

Noche: «Era el suyo un caso de prostitución extraño. Un caso de prostitución más propia de la patología que de la fisiología. Sin antecedentes hereditarios que, a la fuerza, la obligaran a ser tan gran ramera; sin que las influencias, muchas veces mefíticas del medio ambiente, lo trastornaran con el sistema nervioso las funciones del pensamiento, sino al revés de todo eso, nacida en un hogar de campesinos honrados y respirando la atmósfera pura de las aldeas gallegas, a los doce años, Julia se escapaba todos los días de su casa para entregarse a los vagabundos de la carretera; y cuando huyó definitivamente de su pueblo para irse a una mancebía de León, pudo jactarse, pero contándolos por los dedos, de haber pertenecido a todos los mozos de su pueblo, sin exceptuar uno solo; ufana del número y de la calidad de sus desvergüenzas, como un artista de sus obras» (pp. 226-227). El caso antitético se presenta en la novela *Crimen legal*, en la persona de Noemí, prostituta nacida y criada por su madre en el burdel.

Para lograr sus propios fines, la Condesa seduce al padre confesor, excitándole la sexualidad sobre todo con el movimiento de sus imponentes caderas. De la siguiente manera se describe el efecto producido sobre don Felipe:

> Y con los pelos de la nuca erizados, el labio inferior colgante, la tez pálida, pero con resplandores de incendio alrededor de sus ojos de furioso, temblando como uno de esos infelices que llevan el azogue disuelto por la sangre, obseso, fascinado, con testuz de bestia y no de Luis Gonzaga, las manos agarrotadas y temblantes, decía a la condesa, olvidado de su cortesano saludo de cabeza y del tono dulzón de su palabra:
> —Sois bella y provocativa como una de esas mujeres históricas que han podrido sobre sus muslos a toda una generación..., como el sueño de un fraile trapense..., como..., como V. sola (*Ibídem*, p. 37).

La seductora Condesa quiere que el sacerdote influya en el pensamiento de la señorita Galindo, la joven escogida para esposa del hijo eunuco y para salvar la ya menguada fortuna familiar. Con todo cinismo se lleva a cabo el plan:

> ... oyó [Luisa Galindo] a su confesor, que le merecía fama de tan infalible como los vicarios de Cristo, oyó a su confesor que le susurraba con emoción un nombre al oído; que al día siguiente le hacía una apología de ese nombre; que al otro, poniéndose al nivel de una inmunda Celestina, le hacía por encargo de ese nombre una verdadera declaración de amor, de amor sin límites, como el que ella deseaba y llevaba tempestuoso en el pecho. ¿Cómo dudar de la lealtad del sacerdote y del consejero? La joven en cuestión se enamoró perdidamente de aquel nombre y del que lo llevaba. Resultado de esto una boda precipitada en que todo se hizo de prisa, atropellando dificultades, como los matrimonios de los sentenciados a muerte..., todo, menos la cuestión dotal, la cuestión de intereses, que era por lo visto lo que más interesaba, lo que más urgía... (*Ibídem*, pp. 129-130).

Los elementos antirreligiosos son aún más graves y se presentan de manera muy distinta en *Crimen legal*. Además, uno de los problemas básicos de la novela es de tipo médico. Se plantea, pues, en términos de la oposición existente entre la religión católica y la ciencia moderna, cuyas doctrinas están claramente representadas en dos doctores, uno viejo, apellidado Nieto, y el otro más joven, conocido solamente por el Salvador. Se trata de un caso de distocia, y el feto no podía salir debido a la estrechez de la pelvis de Rafaela. No quedó otro remedio que la embriotomía (página 72). Del médico de cabecera, el famoso doctor Nieto, se dice:

¡Lógica inflexible del combate! Aquel bruto, que era un sabio, se hizo infame, porque la religión católica, aplicada a muchas cosas de la vida, lleva a la infamia. Lleva a la infamia y a la anulación del progreso, en lo ideal; lleva a la infamia y a la anulación humana, en lo real. ¡Simiente odiosa de perdición! Por eso aquel bruto, que era un sabio y también un infame, condenaba a muerte a Rafaela, a ciencia cierta de lo que hacía; porque era católico, y el catolicismo condena el aborto provocado como un pecado irredimible... sabía que no provocando a tiempo preciso, y cuanto antes mejor, el aborto, antes del sexto mes, condenaba a muerte a Rafaela, pero la condenaba en frío, como si el oficio de médico fuera análogo al de verdugo, como si pudiera ser análoga la brega del que quita la vida, con el que la da, en lucha persistente y desesperada con la misma muerte. ¡Oh! El catolicismo, ¡qué cuentas más estrechas le debe a la moral y a la conciencia humanas! ¡Qué enorme responsabilidad ante la historia! (*Crimen*, pp. 66-67).

Vuelve a surgir el mismo dilema de matar a la madre o salvar al hijo en los siguientes términos:

El doctor Nieto aguardaba allí el *primer tiempo* del parto, para realizar su misión odiosa de católico; para proponer, una vez manifestada la distocia por la imposibilidad de la expulsión del feto, la operación cesá... ea... Ya sabía él desde que hacía uso del pelvímetro, aparato condenado también por el catolicismo, ya sabía él que no había otro recurso para salvar a la parturienta, que no había otro medio, que la craniotomía o la embriotomía, la extracción del feto a pedazos de las entrañas de la madre; pero también el catolicismo, su religión de salvaje, prohibía esto...

Pero, rigorista en todo, esclavo de la fórmula, de la rutina, continuó aguardando la presentación del *primer tiempo* del parto, para advertir al padre y al esposo la necesidad de efectuar allí, sobre el vientre de la dolorosa, la operación cesárea. ¡Una friolera! Zanjarla como a un cerdo y extraerle la criatura viva de las entrañas descubiertas. El procedimiento que recomienda el catolicismo, sediento de sangre, enamorado perdidamente de la muerte; el catolicismo, que todavía no está harto de víctimas. Matar a la madre, a la parturienta, que ya es católica y no se pierde nada con que se muera, y salvar al hijo, al feto, que todavía no pertenece a ninguna religión determinada, para ganar un alma más, para aumentar con un número más la cifra de población de los dominios celestiales... (*Ibídem*, pp. 76-78).

En última instancia el doctor Nieto rechaza el recurso de la embriotomía, puesto que lo prohíbe la Iglesia, y abandona su puesto al no poder obrar contra los dictados de la conciencia: «Sí; lo prohíbe la Iglesia; pero lo que la Iglesia no prohíbe es el bárbaro asesinato de la mujer que va a parir; lo que la Iglesia no prohíbe es que se sacrifique la madre al hijo para ganar un alma al cielo...» (páginas 84-85). Llamado para sustituir al sabio pedante, acude con alguna demora el joven médico de la Casa de Socorro. Es la antítesis del otro:

> ... Era un luchador incansable de los fueros de la verdad y de la ciencia, un heroico voluntario del porvenir, que para no dejar al brazo que se debilitara en la inacción, peleaba briosamente en las guerrillas, como preparándose para el día de la gran batalla, del combate definitivo, anunciado por la cámara de Versalles al mundo desde 1789. Antítesis perfecta del doctor Nieto. Muy poco sabio, muy poco metafísico, muy poco teológico; negando a Dios y afirmando la eternidad de la materia; atacando a todas las religiones con la ironía, con el sarcasmo, con la prueba positiva, con el argumento que el sentido común sugiere, con el puño cerrado algunas veces, con obstinación siempre; y, en una palabra, negando a la religión en nombre de la moral; buen fisiólogo, excelente patólogo, concediendo enorme importancia a la psicología —a la psicología experimental— en sus aplicaciones a la vida de relación de las especies... (*Ibídem*, páginas 98-99).

En efecto, las dilaciones y los rigorismos del viejo galeno católico (pp. 102-103) habían perjudicado el estado de Rafaela, cuyos trastornos físicos dificultaban la tarea de la operación, mediante la cual pudo salvarse por fin su vida (12).

Muy significativa es la actitud anticlerical de Sawa en su última novela. Parcialmente se ha transcrito ya la repulsiva escena en *Noche* de la bestial violación de Lola por su confesor don Gregorio, en cuya casa se había refugiado la cuitada (pp. 138-140). Mucho antes, sin embargo, y con premeditación estratégica, el cura había ido enviciándola y despertando en su pensamiento inocente los deseos carnales (13). Iba preparando, pues, el camino para luego apoderarse de ella; veamos de qué manera:

---

(12) Al final de la novela, de nuevo encinta la pobre mujer de Ricardo, que pretende asesinarla por medio del parto imposible (de ahí el crimen legal del título), el padre sale un día de casa y se dirige a la iglesia del pueblo, al que había ido para escapar de Madrid y del hijo odiado. Se arrodilla para pedir a Dios por la salvación de su nuera. A pesar de sentirse feliz, averigua luego que la opinión del médico acerca del estado de Rafaela era negativa. Se imponía la operación cesárea para salvar, por lo menos, a la criatura: «¡Ni la ciencia ni Dios! ¡Un derrumbamiento! ¡Un desplome! ¡Todo se había venido abajo!» (p. 246).

(13) Si a Lola le tocó en suerte como confesor don Gregorio, viejo amigo de la familia, su hermana Paca encontró otro diferente: «... un sacerdote viejo, completamente arrugado por la vida y tan íntimo conocedor del pecado, que no le hacía aspavientos por monstruoso

182

A partir del domingo aquel, el confesonario de don Gregorio se había convertido para Lola en verdadera cátedra de libertinaje. No respetaba nada la voracidad satiríaca del confesor. Quería saberlo todo, ya que no le era posible tentarlo y gustarlo todo. Llevaba la indiscreción de sus preguntas hasta un cinismo que tenía derecho a pedir plaza en los tratados de medicina legal, allí donde se ocupan de la aberración en los órganos genitales del hombre, el furor erótico o la satiriasis. Sólo que la lujuria de don Gregorio como macizo de hipocresía que estaba, era una lujuria mansa, capaz de contenerse...

El cura contemplaba su labor de estrago, y sonreía satisfecho. Esa labor era su arte; la tallaba y la pulía con el mismo mimo que un escultor su estatua. Sólo que tallaba con cieno en vez de con mármol, porque era el cieno su primera materia. Hacía obra de impudor y de desvergüenza. Preparaba, y más que eso, construía artificialmente el momento en que Lola fuera la presa infame de su lujuria de cura. Eso: la gran vergüenza. Una barragana (*Noche*, pp. 48-49).

Es decir, la tenía reservada para sí, con el empeño de convertirla en barragana de su lujuria. Lo que más le preocupó cuando supo que se había fugado aparentemente con Galán a Toledo, a donde se apresura a dirigirse inútilmente en su busca, fue el haberla perdido. Antes de la partida del cura, el autor, que normalmente suele mantener cierta distancia objetiva en el relato, interviene de modo directo para enjuiciar al sacerdote y al padre, igualmente egoísta e hipócrita:

Pero esa mujer, ¿qué hace ahí llorando, que no toma parte en la conversación, con el derecho que le da el haber parido esa hija cuyo porvenir se discute? ¿Qué hace que no se levanta para gritarle a esos dos egoísmos que deliberan sobre la cabeza de una desgraciada sin más propósito que el convertirla en una desgraciada mayor, que no les grita con la desesperación del convencimiento aherrojado: «¡Eh, basta ya! ¡El uno por bruto y el otro por cura, ninguno de los dos tenéis la aptitud de jueces! ¡Habláis de pasiones y de almas, y no se os alcanza ni una letra siquiera de lo que en el mundo se expresa con esas dos palabras! La niña se ha ido de casa, porque tenía derecho a no morirse de asfixia; y tú, Paco, no le dabas atmósfera respirable; y tú, cura, la pervertías con tus conceptos y enseñanzas desde la rejilla del confesonario...» (*Ibídem*, pp. 97-98).

que fuese; ni indulgente ni severo, muy poco brutal, y que podría ser, al decir de sus penitentes, un confesor completo, si no fuera por la desgracia de que le apestara el aliento hasta provocar la náusea en cuantos se ponían en el caso de aspirarlo. Y el sacerdote, que no echaba de ver esa su falta, acercaba su cara a la del penitente de un modo que daba horror» (p. 54).

De regreso en Madrid sin haber podido localizar a los fugitivos (se habían quedado, en efecto, en la ciudad), no puede don Gregorio conciliar el sueño porque los deseos carnales y la lascivia no le dan descanso. ¡Siente todas las tentaciones y se compara con San Antonio! Abandonada Lola por su amante, llama a la puerta de la casa de su único protector para pedirle misericordia y piedad:

> Quería, sobre todo, abandonada como estaba, ultrajada en su dignidad y en su sexo, herida en un costado por la puñalada innoble de un canalla, quería solicitarle a la religión bálsamo para la llaga, y perdón para la culpa; morir en gracia de Dios; prevenirse contra la probabilidad de que le impusieran una doble condena: la que estaba sufriendo en la tierra y la que le tocaba sufrir en los infiernos (*Ibídem*, p. 133).

Ya sabemos lo que le esperaba en aquella casa. El drama de la infame violación estalla poco después en toda su brutalidad.

En la misma novela, de los cinco hijos del matrimonio González, el que más se parece a la madre es Paco:

> Paco parecía por su complexión y por su insignificancia, producido exclusivamente por su madre, sin el concurso de varón alguno. Era el hijo único de doña Dolores; era la dilatación de su propia personalidad; era el más grande pedazo de sus entrañas que dejaba sobre la tierra; era ella misma transformada en ser masculino, pero con la menos porción de virilidad posible. Rubio como ella, tenía los mismos ojos azules de mirar abatido, y la misma cara de convaleciente recién sacado del lecho. Como su madre, carecía en absoluto de voluntad y de glóbulos rojos en la sangre... (*Ibídem*, pp. 30-31).

Teniendo en cuenta ese carácter insignificante, es natural que lo llevaran al Seminario para destinarlo al sacerdocio; pero hay que reconocer que tenía buena memoria y que aprendió a leer a una edad muy temprana. Se recordará que hacia el final de la obra queda cesante el padre, siempre falso en su beatífico celo religioso, cuyos escrupulosos rigores de católico son en realidad la causa principal del derrumbamiento moral y físico de toda la desgraciada familia. Perdido el empleo, se entrega a toda clase de exageradas prácticas religiosas y ejercicios devotos:

> ... Y entonces los excesos de devoción que se le consagraron en la casa, revistieron las proporciones de un misticismo enorme, de una rabiosa adoración, de una demencia colosal naturalmente susceptible de las más inauditas agresiones, capaz de descuarti-

zar vivos a niños recién nacidos para extraerles las mantecas y con ellas encenderle velas al Santísimo Sacramento. Ya no hubo otra función en la casa del lúgubre beato que la de desagravio al Dios colérico que los apisonaba. Ni comer, ni asearse, ni dormir. De rodillas y en cruz horas seguidas, miraban al techo del comedor, que era la cámara de tormento, y prorrumpían, marido y mujer, cada cual por su lado, en oraciones bárbaras, fidelísimamente recitadas de memoria al empuje de sus sobresaltos del momento... *Ibídem*, pp. 153-154).

En las últimas páginas de la obra, cuando se hace necesario pagar las medicinas de la mártir que agoniza en la casa, el padre acude primero a Nazario, sin éxito naturalmente, y luego se dirige como última esperanza a Pablo el Santo, seminarista. Me permito reproducir, por lo menos en parte, el diálogo entre el padre y el hijo:

—Venía a molestarte... tu termana está muy mala... no tenemos dinero.
Pero Paquito le interrumpió.
—Siento mucho no tener dinero para dárselo... mi mayor placer consiste en socorrer al prójimo...
Trató don Francisco de insistir en su pretensión.
—Es inútil que continúe usted hablando; ya le he dicho que no puedo hacer nada por usted...
Entonces la figura negra dirigióse lentamente a la puerta, añadiendo como despedida:
—Y no olvide usted, para ahora en adelante, que mis estatutos me prohíben tener familia (*Ibídem*, p. 292).

No creo que sea necesario enjuiciar la conducta y la actitud del hijo ante la petición del padre (14).

_____
(14) En dos ocasiones es por lo menos la Biblia arma propicia en la obra de seducción. En *Noche*, Miguel Galán, para vencer los escrúpulos de Lola, la niña inocente que ha huido con él, recuerda el caso de Magdalena y dice a la joven: «... Vamos a ver, ¿cuál es tu gran falta, tu imperdonable delito? Quererme mucho; ¿no es eso? ¡Pero tonta, si ésa es la recomendación más grande que se puede llevar para el Dios de justicia que lo ve todo y lo compadece todo! ¿No ha sido Jesucristo el que le dijo a la Magdalena: "Mujer, te será perdonado mucho, porque has amado mucho"? ¿No es en la *Biblia* donde están estampadas esas palabras?... ¡Y tú, en cambio, te crees condenada por lo mismo que han absuelto a las más grandes pecadoras!» (páginas 112-113).
En la novela *Crimen legal*, Ricardo, en un arrebato de deseo y «congestionado de falsa poesía su cerebro de sátiro» (p. 39), lee a su novia Rafaela, con quien acaba de casarse, los ardientes versículos del *Cantar de Cantares*. En un rapto de pasión, tira al suelo el libro que tanto le había ayudado en su triunfo erótico, y se arroja sobre la hembra. Sawa agrega lo siguiente: «La *Biblia*, el libro de Dios, fue el galeoto. Uniéronse sus labios en ósculo infinito, y allí, a presencia de aquella

En virtud de la caracterización anterior de las novelas de Alejandro Sawa, en sus aspectos más singulares, no cabe duda alguna sobre la filiación naturalista y francamente zolesca de esas obras. En la novela cuasi autobiográfica *Declaración de un vencido*, que aspira a ser el documento de toda una generación y que en realidad apenas tiene nada de naturalista, se describe la época y el estado de alma general de los jóvenes. Me he referido antes al siguiente texto, pero por su innegable significación merece ser destacado de nuevo:

> De este malestar colectivo, de este malestar de todos, ha partido el grande e irresistible movimiento pesimista de la época. Literatura, artes, ciencias de abstracción, todo se resiente de este sudario de tristeza que nos cubre de arriba abajo, entorpeciendo la libertad de nuestros movimientos. La filosofía es positivista; la moral, determinista; el arte, rudo y atrevido, como si la nueva generación artística tuviera la misión de hacer con sus contemporáneos lo que los vándalos y los hunos con los pueblos afeminados y envilecidos que asaltaron para purificarlos. Todo es indicio de un renacimiento o del despertar de una nueva época... (*Declaración*, pp. 46-47).

La filosofía positivista, el determinismo, el extremado pesimismo son, pues, piedras angulares del nuevo arte y de la nueva estética. Y por las citas que a menudo hace, Sawa también se muestra familiarizado con la obra de Claude Bernard, Zola, Spencer y otras figuras mundiales tan de moda en su tiempo. Se ha querido ver en el naturalismo una especie de protesta contra la inspiración y la fantasía, subordinadas a los dones de la más fiel y rigurosa observación y no a la creación imaginativa. El escritor naturalista, impersonal e impasivo, anota los aspectos de la vida contemporánea con un cierto desinterés. Teóricamente pretende alejarse de su obra para no ser considerado

---

hermosa naturaleza que recorría el tren sin detenerse un solo punto, quedó realizado el santo misterio de la generación de los seres» (p. 42).

Interesa recordar aquí lo que afirma López Bago sobre el último episodio de *Crimen legal:* «Es inconcebible que Ricardo, para vencer las repugnancias de la virginidad al contacto carnal, para vencer las resistencias de Rafaela, apele a la lectura en voz alta del *Cantar de Cantares* de Salomón. No porque, en efecto, la idea y la ocurrencia dejen de ser buenas, puesto que la *Biblia* es uno de los libros que más excitan el sensualismo, y el *Cantar de Cantares* sobremanera, sino por la inverosimilitud, por lo antinatural que es en aquella situación tener la *Biblia* tan a mano, o llevarla como a prevención. Un hermosísimo capítulo que Sawa se ha complacido en afear. Digo que da coraje» (página 272).

cómplice de la misma. He aquí otro planteamiento teórico: la eliminación de la presencia del autor. Si se plantea el problema de la relación del autor con su obra en tales términos exclusivistas y simplistas, el naturalismo opone otro concepto de la vida y del arte a los postulados fundamentales del romanticismo.

Negar el naturalismo en Sawa sería negar lo obvio, pero hay también otra vertiente en sus novelas que no puede silenciarse: el romanticismo. No creo que en su caso sean actitudes incompatibles. Ya se ha visto, en el capítulo anterior, que juzgaba falaz la distinción convencional que suele establecerse entre romanticismo y clasicismo. No siempre figuran entre los románticos, dice Sawa, los sentimentales y los afectivos, así como tampoco los intelectuales y los reflexivos entre los clásicos. El cree en la inspiración, al mismo tiempo que demanda al artista pasión e indignación. Lo que importa en la obra de arte es la vida, no las etiquetas ni los *ismos* colocados por fuera para caracterizar o clasificar. Tampoco debe olvidarse que el arte de Sawa evoluciona hacia una expresión cada vez más idealista con el transcurso de los años. En otras palabras, le resultan estrechos los moldes del naturalismo.

Las novelas de Sawa son, pues, híbridas. Es decir, hay en ellas un fuerte residuo romántico debido quizá en parte a su temperamento de andaluz, en consonancia con una tendencia natural hacia la exageración o la exaltación. Los argumentos folletinescos y melodramáticos revelan también sus antecedentes; un lenguaje con frecuencia declamatorio revela también esa filiación. Cierto es que mediante el relato en tercera persona, que predomina por lo menos en tres de las cuatro novelas, el autor logra una cierta impersonalidad. O mejor dicho, intenta una mayor objetividad. Sin embargo, el autor no deja de intervenir en el relato a veces, aunque no a menudo, para enjuiciar o moralizar. Al leer a Sawa, uno no deja de sentir vibrar su fuerte personalidad tras las palabras. Nunca reniega de su herencia romántica y rebelde; se desahoga y derrama bilis al pintar en cuadros crueles la miseria humana.

Me parece que casi toda la crítica más responsable ha reconocido esa doble vertiente, entre romántica y naturalista, como el eje constitutivo de las novelas de Sawa. Desde un principio, al examinar con algún detalle *Crimen legal,* Eduardo López Bago saluda a Sawa como valeroso compañero y nuevo combatiente en las barricadas del naturalismo, pero sin dejar de señalar en la novela más de un dejo romántico. Según el comentarista, esta obra, de 1886, es «el primer acto de valor que realiza bajo sus nuevas banderas» (15), una vez superada la época romántica y espiritualista, López Bago advierte, sin embargo, en su colega una cierta indisciplina y exuberancia, rasgos que no son propios del naturalismo, y escribe así acerca de su estilo:

... Un estilo de temperamento nervioso-sanguíneo, suelto, fuerte, robusto, con mucho color, y poseyendo el instinto, raro en nuestra época, de la belleza material de los vocablos. Modernista, no lo es mucho en sus gustos, en sus aficiones, y es un contraste raro con su estilo, que llega hasta el afán de hacer descubrimientos en el lenguaje. No trata de corregir su exuberancia, y así, es maravilloso que resulte fresco cuanto dice, que resulte el producto de una impresión mental viva, a pesar de que habla un idioma que no es de los que tienen mucha sustancia en pocas palabras. Es maravilloso que, cargado de inutilidades (baratijas que se ha traído de la casa de los románticos, para vivir en la nuestra, y que irá vendiendo a los compradores de lo viejo), con tales embelecos, pueda ser y sea espontáneo, vibrante, sincero, amoldando exactamente a la impresión las palabras destinadas al análisis detallado... (p. 252).

Tampoco deja el crítico de puntualizar el temperamento fogoso y vehemente de Sawa, quizá más por su audacia que por el dejo romántico (p. 254). Más recientemente, Granjel, quien recuerda también los juicios de López Bago y de Luis París (16), ha afirmado (17):

No cabe dudar que en el temperamento de Alejandro Sawa y en su temprana preferencia por la ideología romántica, influencias ambas patentes en su estilo literario, halla justificación el hecho evidente de que la adscripción suya al naturalismo propugnado por López Bago nunca llegó a ser total; ello, y también inclinaciones inspiradas por sus primeras admiraciones de

---

(15) Eduardo López Bago, «Análisis de la novela», p. 251.

(16) Textualmente, escribe Luis París: «... Sawa posee estilo personal, suyo, tan propio, tan identificado con su naturaleza, que participa de todos sus méritos y de todos sus defectos... posee todas las condiciones peculiares de los individuos que pertenecen a las actuales razas orientales: ampulosidad en la expresión, exuberancia en la hipérbole, ductilidad de carácter, fantasía inagotable, amor entrañable a la oratoria y fe inmensa en el poderío de la forma. Con estos caracteres heredados, aumentados por la permanencia en Andalucía durante los años primeros de su vida...» *Ob. cit.*, p. 105.

(17) Luis Granjel, *art. cit.*, p. 433.

lector adolescente (Espronceda, Becquer y Lamartine, Musset, Byron y Víctor Hugo), explican el que con ocasión de su estancia en París, Alejandro Sawa olvidara su fe en el naturalismo y se adhiriera al credo poético de Verlaine.

Aunque parcialmente, Granjel cita asimismo la página tan conocida de Andrés González Blanco, en la que el historiador de la novela española se refiere en la obra de Sawa al «doble y contradictorio ingrediente ideológico y estético, la mezcla aparentemente incomprensible, de naturalismo y romanticismo» (18). De este crítico no quiero dejar de transcribir las siguientes palabras (19):

> Alejandro Sawa escribió novelas *(Un criadero de curas* [sic], *La sima de Igúzquiza, La mujer de todo el mundo)* en que a un derroche de metáforas huguescas se unía una acuidad y una penetración en la vida sexual dignas de Zola; Sawa ha sido injustamente postergado, pero sus novelas quedan; pues son a la vez espirituales como las del simbolista o decadentista más reciente en el uso de las alegorías e instrumentos nuevos del arte, y fuertes e intensas, como la Verdad y como la Vida.

Este juicio corresponde a 1909. Creo que sólo puede aceptarse en parte; en su totalidad exigiría ser examinado con mucha cautela. De mayor interés y novedad me parecen otras opiniones posteriores del mismo historiador pertenecientes a un texto en que se alude precisamente al tema que ahora me ocupa (20):

> Alejandro Sawa comenzó su labor literaria por novelas naturalistas. Pero el naturalismo francés, que era el patrón de moda entonces, no le iba bien a este romántico retrasado, y se salió de la órbita de acción zolesca. Era como poner frac a pecho viril que ha de vestir cota de malla... Era el naturalismo un tremedal donde había demasiado barro para un espíritu que a ratos sentía que le brotaban alas... Sawa pasó sobre el naturalismo como sobre ascuas —con tiempo suficiente, sin embargo, para dejar su huella en la novela naturalista española— y se afilió a las huestes contrarias del idealismo. El naturalismo le venía estrecho. Había demasiado de Víctor Hugo en aquel hombre para que pudiera tornarse en un López Bago cualquiera. Y con todo, quedarán sus obras naturalistas como reveladoras de un temperamento fuerte de artista, al cual correspondía una imaginación meridional por lo ardiente y un estilo algo indisciplinado, pero épico, heroico...

---

(18) *Ibídem.*
(19) Andrés González Blanco, *Historia de la novela en España desde el romanticismo a nuestros días* (Madrid, 1909), p. 701.
(20) Andrés González Blanco, «Movimiento literario», *Nuestro Tiempo*, XI (núm. 152, agosto de 1911), p. 190.

No me costaría trabajo alguno firmar con placer este juicio posterior (es de 1911) que acabo de citar de González Blanco. Estas páginas revelan un conocimiento mayor de la obra y la personalidad de Sawa. En el mismo lugar escribe también el crítico: «El naturalismo le fatigó pronto, porque el naturalismo es obra de decadencia y él fue siempre espiritualmente entero y viril, aunque orgánicamente, por desgracia, llegase a decaer y a ser una ruina, un sobreviviente de sí mismo...» (21). No quiero dejar pasar la ocasión de transcribir las palabras con las que González Blanco finaliza estas páginas (22):

> ... quiero consignar aquí mi homenaje de admiración al pobre Alejandro Sawa, que no murió en la flor de su edad, como dicen los cronistas cursis; que no ha sido malogrado... porque vivió demasiado tiempo para darse a conocer, pero que, como el poeta alemán Gunther, «por no haber sabido moderarse, perdió su vida y su talento...».
> ¡Su vida, que estaba destinada a tan altas empresas; su talento, que era tan sólo y tan latino, tan *mediterráneo*!

Me gustaría concluir este breve recorrido por la crítica sobre la novelística de Sawa, siempre parca sobre él, con la cita de algunos juicios pertinentes de su amigo Ernesto Bark. Figuran en un buen artículo, generalmente olvidado (23), con el título «El naturalismo español» que se publicó en *Germinal* (I, núm. 19, 10 de septiembre de 1897, páginas 5-6). En él se ocupa de Zola y de la nueva estética naturalista. Allí se dice, por ejemplo:

> Este carácter científico es esencial en la nueva escuela estética. Zola ha dicho terminantemente que sus novelas no son obras de fantasía escritas para deleitar, sino estudios sociológicos, reconstrucciones de la vida social, basados en documentos humanos...
> En España debía encontrar este naturalismo ateo-determinista y socialista revolucionario la acogida peor posible... En España encontraba una revolución híbrida e hipócrita en 1868 cuyos representantes en la literatura eran su expresión fiel: gente estimable pero sin grandes pasiones ni entusiasmo por el progreso. Para demostrar la posición falsa del pseudonaturalismo español sirve el hecho de que la señora Pardo Bazán pudo levantar la bandera de Zola sin que la crítica la indicara lo gro-

---

(21) *Ibídem*.
(22) *Ibídem*, p. 192.
(23) No se le olvida a Rafael Pérez de la Dehesa, quien lo cita brevemente al final de su buen trabajo «Zola y la literatura española finisecular», al que me referí en la nota cuarta del presente capítulo.

tesco del intento, dado su devoción de católica y su carácter de amiga de don Carlos, y sin que una carcajada general hubiera contestado a esta «corazonada» de la autora de la biografía de San Francisco de Asís (p. 5).

Según afirma Bark en este mismo texto, Joaquín Dicenta fue el principal heredero de Zola en España («Y no debe extrañar que el país clásico del teatro haya elegido la escena dramática como teatro de batalla y no la novela como Balzac y Zola», *Ibídem*). Concretamente sobre Sawa, a quien se atribuye el primer intento de aclimatar en la península el naturalismo moderno, se escribe el siguiente juicio:

... Pero no es el naturalismo frío y duro de Emilio Zola: el alma profundamente poética española lo ha transformado comunicándole un perfume de poesía romántica que exhalan las canciones populares, las coplas admirables de las alegrías y dolores del pueblo. El determinismo, la concepción sociológica de la vida que levanta las obras de Zola a la altura de estudios científicos que serán los documentos que al historiador del porvenir servirán de base para sus trabajos, forman también la característica de las citadas obras de Alejandro Sawa.
Digno de la sociedad gazmoña que aplaudía a Antonio Alarcón por llamar al naturalismo moderno la *mano sucia* de la literatura, es que los esfuerzos nobles de este precursor fracasaron ante la enemiga de la crítica, la indiferencia del público y las intrigas de la reacción, mientras que el «naturalismo» de *Insolación* y de *La Pálida, La Buscona, La Querida* fue leído con avidez. Se ha querido culpar el fracaso de la novela naturalista en España a la crudeza de estilo de Sawa, a su afán de lastimar las preocupaciones de la generalidad de los lectores por exageraciones de expresión y concepto. La obra de Sawa era sobre todo una protesta contra la hipocresía reinante y su estilo se asemeja a la oratoria guerrera de un Napoleón I y le faltan los tintes finos que acompañan las descripciones y que no deben buscarse en esta clase de literatura militante. Tampoco debe olvidarse que Zola tuvo que luchar sin gloria largos años hasta que pudo lograr que sus radicalismos filosóficos y estéticos fueran aplaudidos por Francia, que es el país más avanzado del mundo. ¡Cómo extrañarse que en España no pudiera vencer el naturalismo desde los primeros ensayos! (*Ibídem*, nota 1).

Aunque muy extensa, creo que merecía la pena la cita del artículo de Bark por tratarse de una página prácticamente olvidada. Y más aún porque señala con toda claridad el carácter de protesta de las novelas de Sawa y la transformación que el alma poética de éste hace del naturalismo frío e importado. Aun cuando comparta con Zola el determinismo, así como la base sociológica y científica, nuestro autor lo cambia en un documento palpitante de vida. Reconocido, pues, ese aspecto híbrido de las novelas de Alejandro Sawa, en las cuales se combinan en fondo y en forma naturalismo y romanticismo, y estudiados algunos de sus rasgos genéricos, nos encontramos ya en condiciones de pasar a un comentario un poco más directo sobre las novelas escritas en su primera época literaria. Debo recordar también que Sawa cree en la estética de la indignación; exige al escritor completo, como él dice, bilis y una gota de veneno; y sondeando el tremendo manantial del mal logra una más ancha percepción del Paraíso.

Presentados en las páginas anteriores los principales rasgos constitutivos de las cuatro novelas largas que publicó Alejandro Sawa en la década de los ochenta y puntualizadas algunas de las notas más características de su primera etapa literaria, en la que se adhiere a un naturalismo audaz, por lo menos en el caso de *Crimen legal* y *Noche*, quisiera ahora examinar un poco más de cerca sus novelas, prácticamente olvidadas hoy, resumiendo sobre todo su contenido. El enfoque crítico será necesariamente, por tanto, más descriptivo que analítico en el estudio que me propongo.

La mujer de todo el mundo (1885)

Es la novela de la Condesa del Zarzal (24), hermosa y apetitosa mujer («tan bella, que parecía un reto a la castidad forzada de los enfermos, de los impotentes y de los viejos», p. 21), nacida en América, que vive en una moderna y lujosa *corte de amor*. Su más apremiante deseo es casar a un hijo suyo, impotente y raquítico, con una joven acaudalada Luisa Galindo para poder restablecer así la fortuna perdida de la familia. La trama principal gira en torno a ese asunto, siendo secundarios los amores de Eudoro Gamoda con la Condesa. Es además una novela en que las pasiones desenfrenadas del sexo y la lascivia, así como la avaricia y el egoísmo, predominan con fuerza avasalladora como móviles supremos de la conducta de los personajes.

Aunque Sawa califique a su primer libro de «un caso de patología social» (p. 6), en la dedicatoria a su herma-

---

(24) Según el propio texto, Z es la capital de un país de cerca de veinte mil habitantes, «tostado por el sol y por la cólera de los dioses» (página 7).

no Enrique (25), poco tiene en realidad de naturalista *La mujer de todo el mundo*. En términos generales, representa el cruce de tendencias opuestas: un romanticismo pretérito y aún no superado se funde con el incipiente naturalismo que anticipa en algunos momentos el desarrollo futuro del novelista (26). A pesar de su fuerte erotismo, a veces claramente malsano, hay relativamente poca insistencia en la miseria humana y la sordidez de su condición. Las crudezas de argumento y de lenguaje tienden a concentrarse en los actos sexuales. Los conflictos suelen resolverse mediante truculencias exageradas o melodramáticas, no muy alejadas de las tramas espeluznantes de los folletones de la época. Más frecuentes también que en otras novelas de Sawa son las descripciones poéticas de la naturaleza, generalmente sensual y sonriente, lo que lleva a Luis París a referirse a *La mujer de todo el mundo* y al temperamento andaluz de su autor con estas palabras (27):

> ... pandemónium repleto de luces y colores, de brillantes fuegos artificiales, de confuso griterío, que ofusca y ensordece, fatigando la vista y el cerebro cuando, después de su meditada lectura, se detiene uno mareado ante tanto cielo azul, del color del añil,

---

(25) Ya desde la dedicatoria del libro (pp. 1-6) resuenan las notas de pesimismo y acabamiento (¡Sawa tenía en aquel entonces veintitrés años!); se menosprecia la inteligencia, que es una monstruosidad, si bien «podemos protestar de esa inteligencia del mal que parece presidir los destinos humanos, viviendo en serio, tomando la vida, no como a una querida, sino como a un conflicto, y estudiándolo para resolverlo» (p. 3); se habla del progreso del mundo moderno y de la filosofía positivista y se define la vida como una lucha contra las fatalidades naturales (p. 5). En parte, por lo menos, las palabras que acabamos de transcribir se ajustan, en más de un detalle, a un concepto del mundo característico de las doctrinas naturalistas.

(26) Observo que López Bago, al referirse a *La mujer de todo el mundo*, niega también su condición de novela naturalista, y escribe: «Hay en la novela [*Crimen legal*], como ya he dicho, un trabajo hecho a conciencia, ímprobo en lo que se relaciona con la parte que pudiéramos llamar médica, interesante y acertado en la que sólo se refiere al estudio social. Analizado el escritor y la obra, resultan dos entidades de batalla. Sawa, como naturalista, en su primer libro de este género (*La mujer de todo el mundo* no lo es), obtiene lugar de eminencia; las desigualdades que se notan analizando página por página no resultan luego en el conjunto: la composición es de un gran cuadro. Hay vida que palpita en el lenguaje, hay exuberancia de vida, hay desenfreno.» *Ob. cit.*, pp. 276-277.

(27) Luis París, *ob. cit.*, pp. 106-107.

193

y tanta casita de fachada blanca como la nieve rodeada de naranjales verdes como la esmeralda. Sawa, en esa su primera época, es un pintor de la más pura escuela granadina.

Las efusiones líricas, embellecedoras y ricas de sensualismo, revelan ya ciertos procedimientos que los poetas prosistas del modernismo no tardarán en perfeccionar. También se reflejan algunos motivos característicos del romanticismo en la presentación de ciertos personajes (el fuerte contraste entre la madre y el hijo, por ejemplo). De las mujeres más destacadas en la novela, una (Luisa) termina recluida en un manicomio y otra (la condesa) muere abrasada en el incendio de su casa. El amante principal de la condesa pretende matarla sin éxito, pero logra suicidarse con el mismo puñal. Además, lo enfático y superlativo del estilo delata una clara filiación romántica. Valga como ejemplo el siguiente trozo:

> ... Luisa Galindo experimentó este último sentimiento: el de quedar desfallecida al oír aquella bárbara sentencia con que la había aporreado aquel demonio de mujer, que por lo visto estaba propuesta a ser constantemente su espíritu negro, su ángel malo. Inclinó la cabeza sobre el pecho, como si de pronto le hubieran arrancado los músculos sostenedores del cuello, extendió las piernas con la crispación nerviosa del que se muere, murmuró entre dientes y con voz ronca una especie de blasfemia en el lenguaje inarticulado y único de la desesperación, estrujó entre sus manos un vacío que para ella estaba lleno de complicidades misteriosas con aquel crimen que estaba cometiendo, aquel crimen en que se asesinaba su alma, cerró los ojos ¡y nunca la muerte ha escuchado una plegaria más ardiente, más desgarradora que aquella que formuló interiormente el conturbado espíritu de la desgraciada! (p. 125).

o este otro:

> ... Pero el *asesino* no pensaba huir. Se había cruzado de brazos, con el puñal todavía en la mano, y repartía entre la multitud miradas hermosas que lo mismo podían significar compasión que desprecio. Estaba magnífico, sin sombrero, tumultuosa la cabellera, desabrochada la levita, pálido, intensamente pálido, la cabeza erguida, provocando a aquella multitud de cobardes que no se atrevían a amarrar los brazos que acaban de cometer un crimen; el poderoso cuerpo de la Zarzal caído, derribado a sus pies, como una presea... Era Azrael, el ángel de las venganzas orientales: Azrael y Apolo al mismo tiempo. Furioso y bello (p. 186).

Con la indispensable ayuda ya señalada de don Felipe, confesor y «cura petimetre» (p. 34), a quien naturalmente

194

seduce la cínica y provocativa condesa, se concierta y se arregla la boda de Luisa y Enrique, aun después de escuchar la confesión del hijo sobre su incapacidad física. El matrimonio, con un gran derroche de lujo, se celebró en París (28); constituía la salvación de la condesa, que de esta manera podía entregarse a todos sus vicios y gustos materialistas. La novia, verdadero dechado de belleza seductora, era una niña de temperamento pasional, especialmente apta para los deleites del amor físico. Unos meses después la vemos, convertida ya en la marquesa de Puerto-Arcas, paseándose del brazo de su esposo por el Bosque de Bolonia. Se muestra decepcionada y abatida; incluso indiferente a la fiesta genésica de la naturaleza (p. 59). En una palabra, está profundamente resentida por la insatisfacción de sus imperiosos deseos. Todo su ser apasionado se despierta y la convierte en mujer a los pocos meses de casada (29):

---

(28) Veamos lo que Sawa escribe de París en este su primer libro: «... ¡qué lujo y qué animación, y qué alegría tan desordenada en aquellos extranjeros que habían pedido albergue a París para realizar la cosa santa del matrimonio; a París, una patria prestada, una patria que no era la de esos extranjeros, porque ellos eran en su inmensa mayoría o afortunados o imbéciles, y París es la patria de los desheredados y los perseguidos, de los calumniados y los proscritos, de los voluptuosos y los sibaritas, de los que sufren, de los que gozan y de los que piensan, de todos los que llevan en el cerebro o en el pecho un sentimiento o una idea necesitadas de auditorio o de consuelo! Y también, ¿por qué no decirlo?, la patria de los que sienten con el vientre y piensan con los intestinos; de los que no ven más allá de su organismo puramente físico de los que se deleitan con Rabelais usado a dosis para servir de estimulante a todas las porquerías de nuestra monstruosa relajación de costumbres, y se afanan luego, con terquedades de babosa, por trepar a la altura de las reputaciones más brillantes, y emporcarlas, a la de Balzac, a la de Musset, a la de Hugo; de los que saben apreciar las sensaciones del amor por adarmes y quilates sin equivocarse en un átomo, sólo de una mirada, al vuelo, como los jugadores prácticos reconocen de un vistazo las monedas que caen sobre el tapete... ¡París!... El nombre de Aspasia le sentaría admirablemente: prostitución y genio, también belleza; hace belleza, construye belleza con Víctor Hugo sobre sus rodillas, y luego se vende al primer bárbaro que la solicita. ¡Oh, eterna degradación de todo lo inmenso! ¿Por qué tiene el Océano arenales y bajíos y emboscadas; limo en el fondo, broza en la superficie, rencor y odio a lo humano en sus entrañas?» (pp. 41-42).

(29) Quisiera notar aquí de paso la relación que establece Alejandro Sawa entre la literatura folletinesca y el despertar erótico de la joven esposa: «Una amiga suya de colegio, la señorita Villodas, contribuyó prestándole tres o cuatro absurdos folletines de la *Correspondencia*, a la obra de la Naturaleza, a aquella brutal revelación del sexo

... Una mañana, al levantarse, al saltar sobre la cama y sacudir las sábanas que lisas y todo como eran, rodeándola con su blancura, la asemejaban de un modo bastante exacto a la Venus surgiendo del mar que hay en el Museo del Louvre, excitada por la codicia de palpar tanta belleza, tanta armonía, acarició con sus manos de virgen las redondeces de su pecho, las curvas de sus extremidades; y a aquel contacto tibio, suave, de su propio cuerpo, brillante y terso, y tan sólido como si fuera un molde para la creación de nuevas bellezas, la virgen sacudió la cabeza con el elegante ademán de una leona nostálgica de sus amores del Desierto, lanzó el grito apasionado de la hembra en celo, volvió a caer tumbada sobre el lecho, entornó los párpados, dejó resbalar sus manecitas nerviosas y sensibles de quince años sobre sus muslos; luego, siguiendo la misma línea curva de su carne, las subió hasta la cara, hasta la cabeza, que no era ya cabeza de virgen, sino testa de bacante; volvió a bajarlas, así, poquito a poco, en un prolongadísimo mimo, hasta la punta de los piececitos, y embriagada de aquellos milagros que parecían como una fiesta silenciosa y caliente de la juventud de su carne, de la impetuosidad de su sangre, de todo su hermoso sexo que se manifestaba en una orgía de entusiasmo, borracha de sensaciones, amante arrebatada de ese enorme infinito eterno que parece manifestarse con más claridad que nunca en los hermosos días primaverales, con las venas hinchadas de sangre y la cabeza apopléctica de sueños, aquella hermosa niña cayó en uno como a modo de desmayo, del que despertó mujer; había sido niña hasta entonces... (pp. 60-61).

Luisa, martirizada por su forzada virginidad, lo sabe ya todo: la cínica condesa la había casado con un eunuco, y el ayudante del verdugo había sido aquel «petimetre» de sotana, el propio don Felipe. Así, la condesa había logrado apoderarse en muy poco tiempo de la fortuna de su nuera para administrarla en su provecho personal. La pobre niña, todavía virgen después de cuatro meses de unión matrimonial, pide la disolución del vínculo por impotencia del marido. En boca del pueblo cunde la noticia:

... Lo que en los círculos dorados se comentaba sólo con una sonrisa maliciosa o con un signo hecho todo, formado todo, de una intención venenosa que hubieran envidiado los zanganotes

de mi heroína. Montepin y Pierre Zanconne han transportado más carne de mujer a los mercados de vicio, carne fresca, todavía pura, tersa y brillante, propia para el cambio del sentimiento fingido por la plata de buena ley, que todas las Celestinas juntas. La hora de las grandes juticias se agolpa sobre nosotros con violencia, casi puede decirse que está encima, inexorable, terca como el derecho, blandiendo la piqueta y amenazando con la demolición a los ídolos falsos, a las reputaciones escamoteadas a la ignorancia, a los convencionalismos... No seré yo quien escatime a esos folletinistas la importancia que les corresponde» (pp. 61-62).

del infierno, era comentado en las tabernas con esos apóstrofes que revientan en la boca del pueblo de exceso de energía, de sobra de fuerza... «esa aristocracia podrida, esos marqueses que ni siquiera son hombres... chupando en la misma odiosa proporción oro que vicio y nunca ahítos. ¡Más oro, más vicio!, que critican nuestra hambre y se burlan de nuestras manos, callosas...» (p. 71).

La anulación del matrimonio supondría, por supuesto, la ruina de la condesa. Le urge, para evitarlo, que se traslade el caso a un juzgado fácil de ser manipulado por el conde, viejo degenerado, que antaño había sido diestro en la improvisación de generales, ministros y magistrados. Es en el capítulo VI donde se presenta al conde, que vive separado de su bella esposa:

... el conde había dado de sí todo lo que podía; mientras había sido joven, acometedor, gracioso, todo había ido bien: la condesa no tenía nada que reprocharle, aun teniendo conocimiento de sus continuas infidelidades conyugales; pero ahora, viejo, sórdido, casi idiota, roído por la gota y la displicencia, usado, arrugado, andando trabajosamente sobre los dos pies, durmiendo dieciséis horas diarias... tan gastado que ni aun tentaciones de lujuria podían arder bajo su reluciente calva... el conde del Zarzal había sido declarado inútil ya hacía tiempo por la condesa: un andrajo de hombre; lo que se llama *un resto* en el lenguaje gráfico de las horteras... (p. 74).

La condesa, en su deseo de obtener el traslado del expediente de anulación a un tribunal local, se dirige a las habitaciones de aquel viejo grotesco para comunicarle la separación de Enrique y Luisa. Cuando su marido le pregunta por qué abandona a Enrique su esposa, la condesa contesta: «...Porque Luisa ha ido al matrimonio como otras mujeres van a la prostitución: en busca de placeres, buscando el hartazgo» (p. 76). A pesar de la total y abyecta senilidad del anciano libertino, que sólo desea que lo dejen en paz para dormir plácidamente, la condesa, que a todo trance quiere trasladar de juzgado el asunto del hijo, se lanza sobre el moribundo en un rapto de lujuria:

Ya sabía lo que se hacía. A aquel organismo corrompido, hastiado, impotente y gotoso le quedaba todavía el compás, como a los músicos viejos. Restábale algún rescoldo a aquel montón de ceniza. Había que remover, eso sí; había que remover mucho, había que aplicar el cauterio a la carne fofa, a la carne muerta, para obtener un rugido de sensibilidad; pero la condesa era como esos cirujanos que tienen más sangre fría y más cálculo a medida que la operación es más difícil, más arriesgada, y tendiendo su hermoso cuerpo sobre la cama en que yacía su viejo macho, abrazándole la cabeza, la pobre cabeza cana, besándole con pasión que no era fingida, porque la hacía nacer en ella el contacto, el simple contacto con cualquier naturaleza masculina por monstruosa que fuera... (p. 80).

Prefiero no transcribir la continuación de tan apasionado acoplamiento. Incluso llega un momento en que el propio autor interviene para decir: «Y entonces sobrevino una escena que la novela, si ha de ser honrada, no podrá describir nunca, porque esas escenas son con relación al arte lo que ciertos cuadros al vivo con respecto al pudor: una negación enorme» (p. 82). El capítulo termina con otro episodio carnal, en el que ahora toma la iniciativa el viejo. Lo mismo éstas que las páginas que antes en parte he transcrito, son en realidad excepcionalmente fuertes para la época en que fueron publicadas.

En este momento (capítulo VII) se introduce en la novela un argumento secundario; comienza el relato de los amores funestos de la condesa con el joven pintor Eudoro Gamoda, quien acaba suicidándose (capítulo XIV). Parece que ahora se trata de un libro de memorias (p. 91), que empieza con otra suntuosa descripción de la belleza física de la condesa, hecha a base de las trasposiciones del arte. Se hace también alguna referencia a la vida del nuevo súbdito avasallado por la insaciable condesa. Alumno de la Academia de Bellas Artes (30), logra muy pronto cierta fama de artista. Son muy significativas las palabras que Sawa dedica a la inspiración artística del joven, porque pueden relacionarse directamente con la estética naturalista:

> ...Hijo de su raza y de su siglo, viviendo plenamente, con toda su vida, dentro del círculo cada día más dilatado de los modernos ideales, Gamoda no sentía ni las insípidas inspiraciones clásicas, ni las delirantes fantasías místicas; ni místico, ni clásico, artista, sencillamente; y artista del siglo XIX, de este siglo en que han vivido Rosales, Delacroix y Courbet. Quiso dar en Z la batalla del naturalismo y fue arrojado del Salón; rechazada la obra. En concepto del Jurado aquel cuadro era inmoral y dañino porque representaba la vida, porque estaba tomado de la vida... (página 97).

En el mismo lugar alude también el novelista a la generación a que pertenece el pintor y a sus ideales:

---

(30) De la Academia escribe Sawa: «... ¿Cuándo damos un sofocón nuevo a los jefes de ese cementerio de obras osificadas que se llama la Academia de Bellas Artes?» (p. 145).

... Esta generación que, en concepto de muchos, es creyente —creyente de sus negaciones— y en su consecuencia entusiasta, no es más que nerviosa. Una generación víctima de la neurosis, que no puede reposar ni estar tranquila, marchar ni arriba ni abajo, correr ni estarse quieta, que parece enamorada del porvenir y sostiene y alimenta con su sangre a todos los odiosos parasitismos del pasado, que parece detestar a los organismos sociales picados de uso, y transige con la monarquía, y autoriza el monarquismo; una generación de convulsorios, en una palabra. Podrá muy bien ser representada por la figura de un hombre que mirara hacia atrás con el cuello completamente vuelto, y hacia adelante con el rabillo del ojo. Por eso ha sido ella la que ha inventado el eclecticismo (pp. 97-98).

Gamoda piensa en la emigración a París, donde sus cuadros triunfarían en un ambiente menos estrecho y de cultura más avanzada. Está dispuesto sobre todo a no transigir (p. 98). El joven vive inmerso en su mundo artístico, al margen de cuanto le rodea; llega así a los veintidós años sin haber conocido el amor. En una larga carta refiere sus ensueños acerca de la mujer ideal (pp. 100-104); pero de improviso, en medio de la busca de idealidades y de amores eternos, comete la torpeza de enamorarse (!!) de la condesa, quien, más corrompida que nunca, desea que todo el mundo conozca su último adulterio.

Mientras tanto (capítulos IX y X) Luisa regresa de París, porque en efecto se había trasladado el asunto del divorcio al tribunal apetecido por la condesa, y se enfrenta con ésta en una violentísima escena, de tono melodramático. Luisa sabe perfectamente que el nuevo juzgado negará su petición, lo cual equivale a que la condesa, por delegación de Enrique, siga siendo la administradora legal de su fortuna. Cuando la joven pregunta a su suegra si está dispuesta a devolverle su dinero, la respuesta rotunda y categóricamente negativa no se hace esperar; y la cínica condesa recomienda a la nuera que se reconcilie con su esposo como el único partido posible. Luisa replica a esta locura con el relato que hace de su propia vida, como si fuera «casi el argumento de una novela al uso» (página 128). Se refiere a su educación religiosa y a los varios pretendientes rechazados; pero un día prestó oídos al confesor pérfido que le susurraba continuamente un solo nombre. Después de realizada la boda, y tras la total decepción que para ella representó el matrimonio, comienza a informarse acerca de su marido, y pronto se entera que su enlace no ha sido otra cosa que una gran estafa concertada por la madre. Al oír los insultos de Luisa no puede reprimirse la condesa, quien se abalanza sobre la pobre niña; en una lucha desigual termina este violento encuentro. Después de este episodio, el novelista vuelve al relato de los amores de Eudoro y la condesa, que insensiblemente habían comenzado a enfriarse; la ruptura se precipita, de hecho, cuando un amigo del pintor refiere a éste sus propias aventuras amorosas con la infiel condesa. El capítulo siguiente (XII) se desarrolla en un manicomio, descrito de la siguiente manera:

> El horrible erial con pretensiones de parque, que se extendía hondo y ancho, ante el edificio, parecía por lo fúnebre y lo antipático, una amenazadora advertencia para que no entrárais en él; y los desconchados de las paredes, y las manchas verdinegras y verdi-amarillas de los muros, las supuraciones purulentas de una asquerosa enfermedad crónica, que os hacía pensar con espanto en una inaudita transmisión, en un contagio nauseabundo... (p. 164).

> La inmensa debilidad humana se presenta allí en cueros, en carne viva y de tamaño natural. Un manicomio es una síntesis. La ambición, el egoísmo, la fiebre de dominio, la borrachez, la lujuria, la gula... En carne viva, una sociedad sin encogimientos, de tamaño natural (p. 166).

De los habitantes de aquel horrible lugar, en su mayoría grotescos, se nos da a conocer por lo menos a uno de ellos:

> Pero la figura más extraordinaria de aquel Congreso de gente extraordinaria, era la de una joven, vestida de blanco como la simpática *donna* del vate florentino, que alejada de todo, de todo aquel mundo, recostada contra el ángulo más sombrío del parque, y, como Ophelia, deshojando flores, simulaba la estatua de la Melancolía cuando llega a este punto en que amenaza convertirse en desesperación y en catástrofe.
> A un visitador del edificio que, herido por aquella aparición tan llena de calma y de poesía, preguntó por el nombre que llevaba en vida la loca... —daba lástima llamarla así; la desgraciada, aquella desgraciada—, le respondieron:
> —Luisa Galindo, marquesa de Puerto-Arcas (p. 168).

Así termina la triste historia de aquella niña, que llega a perder el juicio después de haber sido mártir y víctima de la codicia de la condesa.

Poco falta ahora para el final de tan extraña novela. El acento viene a caer en el funesto desenlace de los amores de la condesa y el joven pintor, alterado y entristecido por los desdenes que ha sufrido. Como era su costumbre, una noche se encuentra de guardia ante la puerta del hotel donde vivía su antigua amante para esperarla a su regreso de los placeres nocturnos. Está resuelto a matarla y suicidarse luego. Por fin aparece después de largas horas de espera; Eudoro, totalmente descompuesto, se abalanza sobre ella. Brilla la hoja del puñal; cae desplomada la condesa; la gente grita: «Prender al asesino.» Apenas un instante después, el joven se clava el mismo puñal y cae sobre el cuerpo de la condesa. Es entonces cuando se descubre que ella no había muerto en realidad; la salvó el que la hoja tropezara con una de las ballenas del corsé, siendo sólo derribada por la fuerza del golpe (!!). En una fiesta de gala celebrada algo más tarde en la Embajada francesa, Luis, un amigo del joven suicida, se acerca a la condesa para calificarla de monstruo infame y recriminarla por lo que había hecho con Eudoro y Luisa Galindo. Ninguno de los presentes recogió el insulto; todo el mundo guardó silencio ante la determinación proclamada por Luis de perseguirla toda la vida de modo implacable, martirizando y atormentando a la miserable. En el último capítulo de la obra se inicia en la condesa una crisis neurótica; roída su belleza por la enfermedad, se acentúan ahora las notas lúgubres y macabras. Casi no la reconoceríamos en el estado en que aparece descrita:

> ... La piel era cetrina, la nariz afilada, los ojos vidriosos, la boca torcida, el cuello una amarillenta tira de pellejo y los pechos piltrafas... Amenazaba ruina, estaba llena de grietas por todas partes, venía abajo... muy hondo, a la fosa...; daba pena... No había puntales capaces de contener el derrumbamiento, la catástrofe... Aquella frente había sido señalada por el índice del Dios que mata (p. 213).

En uno de sus delirios demenciales pide a la criada que le lleve una caja de ébano para quemarla. Las llamas que se producen al prender fuego a la caja convirtieron los aposentos de la condesa en su propia capilla ardiente. Las dos mujeres murieron abrasadas.

En *La mujer de todo el mundo*, la primera novela de Alejandro Sawa que escribió a la temprana edad de veintitrés años, apenas hay nada que mereciera ser recomendado. Dentro del proceso de evolución del escritor, se trata de una obra de transición, fuertemente influida todavía por el romanticismo de su pasado, aun cuando asome ya tímidamente su futuro naturalismo en algunos pormenores. González Blanco la califica de «bellísima novela» (31); con mayor severidad la enjuicia en nuestros días Granjel (32):

> ... es buen testimonio de la aceptación por su autor de los postulados del naturalismo, según la versión que de ellos elaboró López Bago; acierta a enjuiciarla Sawa cuando la define como «un caso de patología social». Las criaturas del relato son simples muñecos zarandeados por elementales impulsos carnales. Al extremoso naturalismo, desvirtuado ya por la misma demasía, se mezcla, impurificándolo aún más, la trama folletinesca del argumento. Por su parte, el lenguaje colorista en exceso, rico en metáforas, descubre la insinceridad, más inconsciente que voluntaria, de la profesión de fe en el naturalismo que pretende hacer con su obra el autor.

Discrepo ligeramente del juicio citado en cuanto al grado de adhesión a la escuela naturalista, pero hace bien Granjel, a mi modo de ver, en señalar la trama folletinesca de esta novela, cuyos personajes se mueven dominados por los deseos carnales, impulso típico siempre en la novelística de Sawa. Además, lo que el crítico denomina «lenguaje colorista» tiene quizá mayor papel en esta primera novela suya que en las que le siguen, menos descriptivas y más directas en la narración. Merecen destacarse en el libro, como rasgos permanentes de la novelística de Sawa, el fuerte erotismo y el anticlericalismo, temas incrustados en un argumento que debe mucho al folletín por sus truculencias o episodios melodramáticos.

Crimen legal (1886)

En la segunda novela de Alejandro Sawa, el residuo todavía romántico, muy visible en *La mujer de todo el mundo*, tiende a ceder no poco de terreno a un fuerte programa naturalista, de raíz más francesa que española. De *crimen legal*, por ejemplo, escribe Granjel, con quien estoy ahora totalmente de acuerdo (33):

> ... en este relato es un problema estrictamente médico el que se pretende, con poca fortuna, convertir en materia novelable; también en *Crimen legal* la pura apetencia carnal, una desnuda y desenfrenada necesidad instintiva, domina a los personajes. Comparada con *La mujer de todo el mundo*, esta segunda creación

---

(31) Andrés González Blanco, «Movimiento literario», p. 190.
(32) Luis Granjel, *art. cit.*, p. 433.
(33) *Ibídem*, pp. 433-434.

de Alejandro Sawa da testimonio de un mayor plegamiento del autor a las fórmulas del naturalismo, si bien, desde luego, tal propósito acaba siendo traicionado en el frondoso lenguaje escrito de Sawa...

Acierta plenamente el crítico. *Crimen legal* es un libro mucho más fuerte que el anterior, con una actitud militante más decidida en su protesta social. Se acentúan, además, las notas deterministas, que resuenan casi como un *leit motiv* a lo largo de la novela, según se ha hecho ya notar. Por otra parte, el lenguaje, todavía enfático, alcanza nuevos extremos de crudeza y recoge toda una serie de tecnicismos médicos, que revelan un claro interés por el detalle clínico. Sawa ha plegado un poco las velas de su fantasía, por lo que la novela se enriquece con una mayor precisión. Al comentarla, Luis París la considera «un libro muy hermoso por más de un concepto» (34), y luego agrega que es «un magnífico *debut* de un novelista. Muchos escritores reputados por insignes la firmarían con gran provecho para su fama engañosa» (35). No deja, sin embargo, de ponerle algunos reparos muy significativos. El crítico percibe que el autor, afiliado a la nueva fórmula naturalista, ha forzado la nota lúgubre en su novela, quizá porque se olvide que en la vida hay luz y sombra, risas y lágrimas (36). También censura por demasiado excesiva y sombría la acción dramática, en que intervienen casi exclusivamente criaturas deformes y anormales, con la excepción del joven médico. Asimismo afirma Luis París: «...pero la misión del naturalismo como escuela fundada en el método inductivo exige copiar sólo lo que se ve, y no deducir, sino a condición de ser lógico en la experimentación, y en *Crimen legal* no hay más lógica que la de la abyección...» (37). A su juicio, ello se debe a que el autor extremó a propósito la violencia de conceptos de lenguaje para lograr carta de ciudadanía entre los naturalistas; de ahí que opine así de la novela (38):

... está revestida de una forma excesivamente exuberante, rescoldo de pasados incendios... y esa exuberancia de lenguaje, así como en otros escritos, le ocasiona graves prejuicios, porporcionándole tremendas exageraciones de concepto y de estilo.

---

(34) Luis París, *ob. cit.*, p. 107.
(35) *Ibídem*, p. 110.
(36) *Ibídem*, pp. 109-110.
(37) *Ibídem*, p. 108.
(38) *Ibídem*, p. 110.

El crítico recomienda al autor que tenga la valentía de reducir su obra metiéndole la tijera, porque ve en ella un exceso de hojarasca y de talco (39). El argumento de *Crimen legal* es bien sencillo. Se trata de un asunto médico, un caso de distocia; en el primer parto de Rafaela, mujer de Ricardo, se descubre que no puede tener descendencia. Se le salva entonces la vida, pero más tarde su marido, enamorado ya de Noemí, una antigua prostituta a la que convierte en su amante, para satisfacer los deseos sociales de ella regresa al hogar con la infame solución planeada. A pesar del terminante diagnóstico médico, Ricardo, para eliminar a su mujer, consigue dejarla embarazada. Irónicamente, según advierte López Bago (40), la asesina cumpliendo con sus deberes de marido católico. Rafaela y sus suegros huyen de Madrid y se establecen en el campo. Allí muere ella al tratar de dar a luz al segundo hijo. Se ha realizado un crimen legal.

Ya me he referido antes a la enorme importancia concedida al problema de la herencia en *Crimen legal;* es una fuerza implacable que pesa sobre la conducta del infame asesino, y con frecuencia se repiten estas mismas palabras: «...¡El salto atrás! ...canalla por herencia, ladrón y asesino también, como un bisabuelo, como un antepasado» (p. 192). También he hablado ya de la peculiar actitud antirreligiosa de Sawa, puesta de relieve sobre todo en el conflicto dramático que se establece entre la ciencia moderna y la doctrina católica, que prohíbe el aborto provocado para procurar salvar a la madre (41). Recordemos

(39) *Ibídem.*
(40) López Bago afirma en su comentario sobre la novela: «... La asesina recordando las advertencias y prohibiciones del médico. Prohibiciones de la ciencia a que se opone también la Iglesia: la asesina cumpliendo con sus deberes de marido católico. Por medio del coito. Porque Rafaela no puede resistir un segundo parto distócico, y muere.» *Ob. cit.*, p. 268.
(41) Acerca de este aspecto central de la novela ha escrito su comentarista López Bago: «...La ciencia prescribe lo más humanitario: la muerte del feto para la salvación de la madre, apelando a la embriotomía; la religión manda que muera la madre para salvar el feto: la operación cesárea. Un crimen. Como se ve, Alejandro Sawa ha estado verdaderamente feliz en la elección del caso: es quizás uno de los más interesantes de obstetricia.» Y López Bago prosigue con su análisis: «Además, en el terreno de la novela, lo aprovecha admirablemente; porque, practicada la operación, no la que ordena el catolicismo, sino la que recomienda la ciencia, el problema es otro: se trata de un matrimonio católico, de un lazo que la Iglesia ha hecho indisoluble, y

cómo el famoso doctor Nieto, católico viejo e intransigente, es sustituido por el médico de la Casa de Socorro, la más perfecta antítesis del anterior, quien salva la vida a Rafaela sin escrúpulos de ninguna clase.

En estas páginas centrales de la novela, jamás vacila Sawa ante los detalles clínicos o biológicos; su prosa se deja llevar por un extremado gusto por todo lo repugnante y asqueroso, así como por un indudable alarde técnico. Los fragmentos que ahora transcribo dan testimonio de esa preferencia por determinadas crudezas de concepto y de lenguaje (42):

(a)   ... y acre y fuerte hedor a medicinas y a excrecencias emporcaba la atmósfera; la enferma gemía sin detenerse, y de su boca salían a bocanadas alientos ácidos, fetideces nauseabundas, que hacían pensar a Ricardo, con estremecimientos angustiosos de su estómago, en las salacidades inauditas de un colosal vertedero o en los miasmas pestilenciales de un retrete público. Un olor que asfixiaba, que formaba nudos en la garganta.

La enferma era víctima, desde hacía una semana próximamente, de esa enfermedad tenida malamente por defecto de educación o de mimo, que en ciencia obstétrica se llama *pica* o *malacia*: enfermedad que se enseñorea de todo el cuerpo, como un vencedor implacable, pero muy especialmente de los órganos gástricos, y que determina la comisión de esas extravagancias y monstruosidades que citan los tratadistas de partos como verdaderas aberraciones de la sensibilidad y del gusto...

Tenía manchada de vómitos verdes la colcha de la cama; y como todo su cuerpo era una convulsión, desde los pies a la cabeza, y las vomituriciones no cesaban nunca, aquella habitación se había convertido en un albañal tan lleno de viscosidades de todo género, que casi llegaba a los tobillos del médico y de Ricardo, los dos únicos actores de aquel drama de la naturaleza... (páginas 68-70).

que resulta otro crimen; se trata de un marido, de un ser humano a quien, al despedirse, advierte el operador "que no tenía mujer para nada; que no podía hacer vida marital, si no tenía el propósito de matarla...". Ahora bien: el lazo indisoluble, ¿dónde está? Este es el caso. Siempre en oposición la Iglesia con la ciencia, con el organismo, con todo lo creado.» *Ibídem*, pp. 267-268.

(42)   Al comentar esos capítulos centrales de la novela, López Bago escribe: «... tratan del caso de distocia, el momento del parto. El drama. Aquí sí que Sawa puede figurarse que son insuficientes cuantos elogios se prodiguen a su obra. Aquí el naturalismo es tal y tan amplio, tan ajustado en todo a nuestro procedimiento, que el mismo Zola no tendría inconveniente en firmar esas páginas como suyas; Zola, como Tourgueneff, como Goncourt, como Maupassant; Daudet, quizás no; bien es verdad que Zola vale por todos... Las descripciones de la alcoba de la enferma y del estado de ésta tienen minuciosidades de observación profunda, acabada y bien hecha, hasta el punto de asombrar por el ímprobo trabajo que suponen...» *Ibídem*, pp. 274-275.

(b)   Entonces Rafaela, creyendo que era cosa hecha, que iba a
perecer, tanto le mordía el dolor en los riñones y en el vientre,
se acostó para morir... La lengua se le había secado completamente, y pedía agua, un líquido cualquiera que enjugara sus
fauces, a voz en grito; el color del rostro, que antes era pálido
como el de una muerta, se le había encendido hasta el punto
de hacer temer la congestión, la apoplejía, a la simple vista;
el pulso había aumentado considerablemente; las partes genitales estaban húmedas, hasta darle asco a ella misma, y desarro-
llaban viscosidades extrañas, coloreadas por estrías sanguino-
lentas... (pp. 80-81).

(c)   Aquello que sacó, lo que extrajo, no era un culebrón ni un
mico, pero tampoco era un feto. Un cuajarón de humores y de
leche; una masa informe de carne y huesos, una especie de
monstruoso coágulo de sangre, que daba horror verlo, que hacía
vomitar la idea de tocarlo; peor, más repugnante que los des-
perdicios amontonados de una sala clínica; más asqueroso aún
que los barreños de grasas y mondongos que sirven como de
rótulo y anuncio a las triperías.
    El Salvador arrojó a una jofaina, ya preparada al efecto,
aquella repugnancia, aquella cosa sangrienta; luego introdujo la
mano derecha, que parecía un cuajarón de sangre de puro te-
ñida de encarnado, en los órganos genitales de la mujer, para
extraer con ella coágulos y estrías y filamentos que el gancho
obtuso no pudo arrancar al mismo tiempo que a la masa sangrienta a que había quedado reducido el feto; y después de
haber explorado minuciosamente por las trágicas interioridades
de la dolorosa, por aquel campo de batalla, sin repugnancia
visible, y antes al contrario, con cierta especie de fervor místico,
muy semejante al del cura católico cuando levanta la hostia a
la altura de su cabeza para comulgar en amor con todos los
fieles, aquel médico, o aquel sacerdote, consintió en aceptar el
descanso... (pp. 104-105).

Después del episodio del parto distócico de Rafaela,
milagrosamente salvada, la novela cambia hasta cierto
punto de rumbo, poniéndose aún más de relieve otro motivo muy poderoso: el desenfrenado erotismo. A partir de
aquel momento Ricardo puede considerarse viudo a los
diez meses escasos de matrimonio, ya que le fueron prohi-
bidas las relaciones sexuales con su mujer so pena de asesinarla. Ello le hace cambiar radicalmente de vida:

    Nunca había amado a su mujer Ricardo. La había deseado
y la había poseído. Eso es todo. Ahora le inspiraba hastío, y aun,
debemos decirlo, asco. ¡Había visto salir tantos humores de su
cuerpo, que llegó a parecérsele, pero esto de un modo vago,
como la estatua de una mujer tallada en pus y serosidades!...
Y la frase de Nieto, que la apretaba en el vientre como unas
tenazas: «No cuente usted con [su] mujer para nada; sería un
asesinato; la sociedad, no; pero Dios le pediría a usted cuenta...»

Era preciso pensar en otra mujer, volver de nuevo a la vida delirante del amancebamiento. Exigíalo su naturaleza de bruto. Pedíalo su abstinencia de los últimos meses transcurridos (páginas 111-113).

Con una repugnante ceremonia de admisión, Ricardo ingresa como socio en una sociedad soez denominada, no sin segunda intención, *Academia de la lengua*, de la que formaba parte un grupo de bestias degenerados que solían frecuentar la casa de *Matilde la de los brillantes*, uno de los antros de vicio más concurridos de Madrid. Allí, en la casa de citas, conoce a Noemí y se enamora de ella (43). Se inicia así la absoluta y franca degradación de Ricardo, quien piensa incluso en casarse, engañándose siempre, con aquella pobre víctima:

... El, él mismo no tendría inconveniente en pedir a los altares sanción a sus amores... en desposarse con la infortunada, con la víctima social, con la desheredada de todo, hasta de felicidad, y presentarla a la humanidad, a la gente, como su compañera, como su esposa, ungida por Cristo... Y haría obra de justicia, y realizaría los fines de la sociedad. Y sería bendito (página 143).

Tras una conversación con Rafaela, otra mujer martirizada por la vida, en que ella se confiesa emancipada de la dictadura del sexo, que siempre le había repugnado, Ricardo pone casa a Noemí, quien le tiene ya esclavizado por los imperiosos dictados de la carne. En esta casa será donde el erotismo llegue a veces a extremos de locura. Los cuerpos de los amantes parecen insaciables; hasta el punto de que ella comienza a agotarle a él físicamente con sus orgías genésicas y la constante glotonería de su cuerpo (páginas 163-165). Al mismo tiempo, Ricardo va alejándose cada día más de su esposa con el pretexto de que los asuntos políticos requieren su ausencia del hogar.

A pesar de todo, Noemí no está contenta. En su deseo de regenerarse por completo, quiere convertirse en una mujer honrada casándose con su amante. Una vez encontrada la fórmula de solución que ya conocemos, se lleva a cabo el acto infame. Actuando como un verdadero sáti-

---

(43) Al día siguiente llevan a Ricardo una carta y un periódico, en que figura un artículo titulado «Josefina», que es la biografía impresa de la prostituta, condenada a seguir la misma profesión de su madre, otra víctima de las leyes de la herencia patológica. Ese documento se reproduce en el texto (pp. 130-139) y es curioso notar que aparece firmado con el seudónimo A. WASA (p. 139).

ro, según escribe Sawa (p. 188), Ricardo consigue excitar a su mujer hasta el punto de que fuera suya la iniciativa, con el fin de evitar responsabilidades a su conciencia. Así, con increíble cinismo, al meterse en la cama el infame esposo: «...se arengó a sí propio con la tranquilidad de espíritu de un justo: ¿Ella lo ha querido? ¡Pues de ella es la culpa!» (p. 190). Claro está que Rafaela quedó embarazada. Muy fuerte fue la reacción de Juan, el honrado padre de Ricardo, quien llegó hasta sentirse parricida al darse cuenta del crimen cometido por su hijo. Abrumados bajo el peso de las circunstancias ya conocidas, Rafaela y sus suegros se marchan de Madrid y se refugian en el norte de España. De nada valieron ni la ciencia ni Dios. Después de morir Rafaela, el último capítulo de la novela no puede ser más lacónico; pero es también muy expresivo. Dice sencillamente así:

> Se casaron dos meses después.
> Yo creo que, a lo menos durante algunos años, continuarán siendo felices con la magnífica felicidad de los sentidos (p. 247).

Hay otro elemento en *Crimen legal* que no hemos visto hasta ahora, y que no quiero dejar de mencionar brevemente. También se ocupa de él López Bago en su comentario de la novela. Se trata de la sátira social, acerca de la cual escribe lo siguiente (44):

> Y esto que digo de las audacias que campean en las páginas del libro titulado *Crimen legal*, estos comentarios deben hacerse extensivos a la parte de sátira, que es mucha, porque en realidad el naturalismo no puede desprenderse, por su índole analítica y experimental, por su copia de la existencia tal como es cuando es; no puede desprenderse, repito, de llevar ese sello, esa marca de fábrica que caracteriza mejor a Diderot que a Voltaire, porque Diderot fue naturalista y Voltaire sólo ateo... no tienen nuestras obras el carácter de las obras de amenidad, sino el de estudio. No son novelas; pero sí son los libros de Balzac, los de Stendhal, los de Zola, *sátiras sociales*. Eso es el naturalismo de ahora, y en eso se parece al de Cervantes y Quevedo. Pues bien: como sátira social, no conviene matar a fuerza de heridas, por el número de heridas, sino por una sola, certera, en el corazón...

Más adelante, en su análisis de *Crimen legal*, el mismo López Bago elogió como sátira social sobre todo la ridícula cena burguesa en la casa de Juan con la que se

---

(44) López Bago, *Ibídem*, pp. 255-256.

celebra el quinto mes del embarazo de Rafaela (capítulo III) (45). Estas páginas irónicas, de un humorismo no
agrio, sino más bien delicioso, destacan en la novelística
de Sawa, que no suele abundar en notas de verdadero humor. En ellas se recogen todas las trivialidades vulgares
de la conversación de aquella noche. Veamos los siguientes fragmentos, escritos con cierta gracia:

(a) [el médico de la casa]... un puritano de la vieja escuela orto-
     doxa en medicina, cuyo trato sería verdaderamente encantador,
     si no fuera por la desgracia de que no podía hilvanar tres pala-
     bras seguidas (p. 49).

(b) Y soltó allí, extemporáneamente, y sin solicitud de nadie,
     pero entre la admiración de todos, un brindis, como él había
     dicho, en que había tal profusión de frases hechas y de lugares
     comunes —y eso que era evidentemente un discurso aprendido
     de memoria, preparado de antemano—, que ni en el Congreso,
     ni aun en el Senado, se ha escuchado jamás prodigio semejante
     de vulgaridad y raquitismo (p. 53).

(c) ... pudo romper a hablar con la espantosa abundancia de un
     loco, sin detenerse, sin fatigarse, en un olvido tan completo de
     la gramática, que daba admiración oír a aquel demagogo de la
     sintaxis recorrer de un extremo a otro los absurdos más grandes
     de la imaginación, sin llegar a formar, siquiera por incidencia,
     oración gramatical alguna, con el aspecto soberbio de un tribuno
     cuando arenga a sus partidarios para la pelea, para la próxima
     pelea, que ya está encima... (p. 55).

La sentimentalidad cursi llega a su colmo en el discurso con que el abuelo pone fin a la cena:

     No hubo aplausos, porque hubo más que eso. En ocasiones,
     un aplauso puede parecer una profanación. Hubo lágrimas y
     abrazos. Todos estaban conmovidos. Se oían los corazones pal-
     pitando. ¡Qué triunfo aquél del sentimiento! Aquello parecía
     una fiesta de consagración, en que se coronaba de laurel y roble
     al abuelo, al viejo esclavo que había sabido sacudir los ligamen-
     tos férreos de la gleba (p. 58).

Y un detalle último que merece señalarse aquí en el comentario que se dedica a *Crimen legal*. Casi al final de
aquel mismo banquete, al hablarse de la novela moderna,
surgió el nombre de López Bago. No faltó mucho para que
se expulsara de la mesa al desgraciado que tuvo la osadía
de mentar al autor de *La prostituta* y algunas otras obras
escandalosas:

---

(45) *Ibidem*, pp. 272-273.

—¡López Bago! ¡López Bago!... No me habléis de ese hombre —declaró el semicurial, semipresbítero, devoto del Papa y cofrade de los Amigos de San Luis Gonzaga—. ¡Un hombre que, según dicen, tiene un barril de aguardiente al lado de la cama, y que escribe todas sus novelas borracho perdido! ¡Un hombre que, según dicen, se pasa las noches en las prevenciones y en las mancebías!... ¡Que, según dicen también, vive amontonado sobre quince o veinte muchachas perdidas!... ¡Desvergonzado, procaz!... ¡Siempre en manos de los tribunales por ataques al pudor y a las buenas costumbres!

Y todos asintieron a la profunda sabiduría y justicia de esta crítica literaria (p. 51).

Declaración de un vencido (1887)

«Esta novela —dice Luis París— es un libro extraño», y agrega al terminar su breve comentario que es «...muy desigual, y que no constituirá nunca verdadero timbre de gloria para su autor» (46). Recordemos, sin embargo, que esto lo dice el crítico del grupo de *gente nueva* aproximadamente en la época en que se publica la obra de Sawa, cuando quizá le faltaba una perspectiva que hoy se tiene para enjuiciarla. De ahí que *Declaración de un vencido* alcance en nuestros días para el estudioso un valor simbólico e histórico que difícilmente podía percibir quien escribiera en 1888. Por otra parte, este libro extraño no se ajusta muy fielmente a los postulados naturalistas de la época. Y además para todo el que estuviera enterado de la penosa trayectoria de Alejandro Sawa, vencido y derrotado a su vez por la vida, la obra se convertiría inmediatamente en algo más que un mero documento del período.

En el segundo capítulo de este ensayo, destinado a puntualizar algunos rasgos característicos de la ideología de la generación literaria a que pertenecía Sawa, me he referido a *Declaración de un vencido*, porque su protagonista, Carlos Alvarado, oriundo de Cádiz y luego vecino de Ma-

---

(46) Luis París, *ob. cit.*, p. 111 y p. 113.
Por otra parte, el mismo crítico elogia en *Declaración de un vencido* «detalles finísimos de observación psicológica» (p. 111) y anota cómo «desde el primer momento se advierte que el autor lo ha subordinado todo a su propósito de describir la absorción en la nada de un desgraciado» (*Ibídem*). París ve asimismo en la novela un progreso en la nueva fórmula literaria, aunque «... continúa... sacrificando muchas veces la verdad a su fantasía» (p. 112). Por último, piensa que Sawa sigue en *Declaración*, a detrimento suyo, un plan preconcebido (p. 112).

drid, vive los mismos conflictos sociales e intelectuales de Sawa y de todos los demás jóvenes escritores que se iniciaban en las letras en la década anterior al desastre de 1898. Identificado de modo estrecho con aquella juventud, nuestro autor habla en su novela, según hemos señalado, del malestar colectivo, del pensamiento pesimista de la época, de la filosofía positivista y de una cierta moral determinista. Y ¿el arte? A su juicio, fuerte y audaz, con la misión de purificar un pueblo envilecido, lo cual le permite reafirmar su fe en un posible renacimiento y en el despertar de una nueva conciencia por la función combativa de este nuevo arte.

Desde un principio quisiera dejar sentado que veo en *Declaración* una novela relativamente poco naturalista. Cierto es que más o menos hacia el final frecuenta el protagonista los bajos fondos del Madrid finisecular, asociándose con una prostituta; pero no hay verdadera inmersión en los detalles sórdidos. Tampoco llega Sawa a lo procaz, ni en el concepto ni en el estilo. Todo lo contrario: a veces una extraña y sorprendente literarización de la vida influye en la contextura de la novela, sobre todo en los diálogos. Se trata, fundamentalmente, de la *educación sentimental* de un joven provinciano que a los dieciocho años llega a Madrid con sueños de gloria literaria. Como opina Ernesto Bark, son «las "confesiones de un hijo del siglo" del modernismo español» (47). En efecto, Sawa nos ofrece aquí la historia personal de Carlos Alvarado, la historia de otros muchos, desde su adolescencia hasta su voluntaria muerte, sus amores y tribulaciones, su miseria y derrota final. El acento es introspectivo; a la falta de acción exterior sustituye, naturalmente, el análisis interno de la psicología del protagonista. Y así se diferencia de un modo radical de las otras dos novelas estudiadas hasta ahora en su forma autobiográfica y su carácter subjetivo, junto a su claro alejamiento de un naturalismo brutal y crudo, tan aparente, por ejemplo en *Crimen legal*. En resumen, *Declaración* se aproxima más a la novela romántica e incluso a la modernista de la época, ligeramente posterior. Salvando grandes distancias, por su contenido misceláneo, entre intelectual y sentimental, y por sus notas autobiográficas, no puedo menos de pensar en *Declaración* como un lejano antecedente de *La voluntad*, de Azo-

---

(47) Ernesto Bark, *Modernismo* (Madrid, 1901), p. 65.

rín, en que se encuentran también muchos materiales digresivos, con el evidente propósito de romper con el patrón novelesco decimonónico. Novela asimismo de la personalidad y del cansancio vital.

Sin embargo, el documento humano contenido en *Declaración* es, como dice Sawa, estudio de observación hecho *d'après nature*. Adoptada la forma autobiográfica y lograda así la más completa identificación con su protagonista, el novelista presenta a Carlos Alvarado como una víctima de la sociedad:

> ... Yo no salgo una sola vez a la calle y paso por los sitios que Carlos y yo hemos recorrido juntos, sin mirar compasivamente a la imbécil multitud que desfila ante mis ojos, y sin pensar que, como los judíos contemporáneos de Cristo, toda esa multitud lleva las manos manchadas con sangre de mi amigo. No tuvo, entre quinientos mil hombres que forman la población de Madrid, uno sólo que lo animara en sus desfallecimientos, ni le tendiera la mano cuando iba a caer, y su cara acongojada lo revelaba a gritos. Verdad es que mi amigo era demasiado orgulloso para pedirle socorro a nadie. Yo no pude auxiliarlo, porque desgraciadamente para los dos, cuando llegó hasta mí su grito de suprema angustia, era ya demasiado tarde. Se me presentó como un moribundo voluntario que tácita y expresamente había presentado la dimisión de su vida... («Nota al lector», sin paginación.)

El autor afirma, además, que al publicar estos recuerdos de su amigo ayuda a los historiadores del futuro, y que los considera una acusación contra la sociedad contemporánea. El propósito de su obra volverá a ser expuesto más adelante:

> Además, el hombre que escribe este libro, el hombre que ha vivido este libro, sabe lo que hace publicándolo. Sabe que ofrece en él un proceso, un verdadero proceso moral, que, aun siendo subjetivo por su forma, no es en su gran síntesis otra cosa que el proceso psicológico de toda la juventud de su tiempo. Yo sé que cuento con el aplauso de todas las manos que no han creado arrugas en la explotación y en la infamia, y sé también que muchas bocas sonrosadas y frescas de veinte años se han de abrir para decirle a estas páginas, que yo quisiera que palpitaran... ¡Sí, por Dios! Este autor lleva razón; podrá ser o no un literato, un retórico, un arreglador de frases; pero es un hombre, y es un hombre que graba humanidad en cuanto afirma... (pp. 18-19).

Reconocido el fondo autobiográfico, de múltiples reminiscencias directas, debo señalar que *Declaración* se escribe desde la perspectiva del recuerdo. Es decir, lo último que hace Carlos, antes de suicidarse, es redactar su historia. El siguiente fragmento es bien explícito:

> Viven esos recuerdos mezclados con mi sangre, circulando con ella por mis venas, asaltando a mi cerebro a cada latido con que el corazón reparte la vida por todo el organismo. Forman parte de mi carne y de mis huesos. No quiero que mueran completamente conmigo, y por eso los estampo en esta página. Quizá andando el tiempo lea esto, desde su oscuro rincón de provincia, algún joven corroído por la pasión de la gloria, ganoso de aventuras, azotado por la misma borrasca de emociones que el autor de este libro, y quizás también, al compadecerme, aproveche las experiencias de que pretendo dejar llenas estas hojas, tomando otros derroteros y otros caminos que los que yo he seguido. Están malditos esos caminos, están sembrados de sangrientos despojos de mi vida; y yo quiero que la publicación de esta crónica de desventuras tenga siquiera la transcendencia de esas cruces que clavan en algunos senderos de Andalucía para avisar al caminante que en aquel sitio donde la cruz está clavada ha hecho explosión una desgracia, han matado a un hombre, como Madrid y mis errores me han matado a mí (pp. 123-124).

En realidad, la novela no empieza hasta el libro tercero, porque las dos partes anteriores son doctrinales, de poco interés novelesco. Por ejemplo, todo el libro segundo (páginas 23-47), de naturaleza ensayística, es una larga disertación histórica y social en la que Sawa revisa ciertas ignominias de la historia patria para satirizar de modo especial la España del XIX. Esta preocupación política y social se revela de modo irónico en muchas páginas; me limitaré a transcribir un par de ejemplos:

> Circulaba por entonces, y aún continúa circulando como válida, la especie de que los españoles somos invencibles; de que esta tierra ibérica es granero y bodega del mundo; de que los capitales extranjeros no tienen, como aquí, por signo la moneda, sino la trampa, y de que no hay en absoluto porción de tierra europea o americana que pueda compararse en ningún sentido de utilidad o belleza con esta legendaria tierra de santos, de conquistadores y de sabios; se creían ungidos por la Providencia con óleo bendito, sólo por el hecho de haber nacido en España, y eran nuestros padres felices a su modo; tan felices, por lo menos, como sus hijos somos desdichados (p. 28).

> Que cada cual hable en nombre del país en que ha nacido. Sostengo que el pueblo español de la primera mitad del siglo XIX era feliz, al modo que lo son los bueyes que tienen buenos terrenos donde pacer, y sostengo también que trabajaba menos, que hacía vida más bestialmente satisfecha que el pueblo de los demás países de Europa. Había hecho de su estupidez una coraza, y contra ella botaban, por admirable ley de refracción, lo mismo las inclemencias del frío que las del calor. Lo que la coraza no bastaba a rechazar era el latigazo del déspota en ple-

no rostro, ni el espectáculo insolente de la lascivia y la glotonería del fraile y del mandatario; pero cosas eran ésas tan corrientes, como que el sol apareciera todos los días en el horizonte; y además había criado callos en la cara y cataratas en los ojos. No era completamente sensible, y en esto tenía también una vaga semejanza con las piedras de la calle (pp. 37-38).

Carlos inició sus primeras letras en una pensión francesa de Cádiz, su pueblo natal; a partir del libro tercero, Sawa describe con cierto detalle la formación intelectual de un joven provinciano de familia aparentemente acomodada. Era Carlos, sobre todo, gran lector de cuanto le venía a las manos, y muy pronto se convertiría en «un dipsómano de ideas» (p. 61). Sin embargo, más que los libros en él influyó la mar:

> ... El ir y venir acompasado y rítmico de las olas, ¡qué fecunda contemplación para los espíritus que no han hallado todavía su orientación en la vida, y andan errantes y a tientas, tropezando contra todas las realidades enojosas, ciegos, completamente ciegos, a las doce del día y con dos hermosos ojos en la cara! (página 62).

Bajo la influencia de ciertos versos de Víctor Hugo, el joven concibe sus proyectos, altamente románticos, de lanzarse a la conquista del futuro y alcanzar la gloria:

> En lo que no tenía vacilaciones de ningún género, en lo que no aceptaba rebeldías de mi voluntad, ni análisis de mi inteligencia, era en lo referente al porvenir, que era, según los propósitos de mi fiebre, mío, y muy mío; mío por ley de juro de heredad; y si esto no era bastante, mío por derecho de conquista. Estaba decidido a trepar a todas las eminencias y a dejar que dorara mi frente el sol de todos los países: propuesto a ser César y Víctor Hugo al mismo tiempo. César, para abatir a los poderosos, y Hugo, para ennoblecer a los miserables, para formar con ellos una simpática aristocracia (p. 65).

Carlos decide hacerse literato. Se entrega primero a lo que llama la literatura inofensiva, publicando «fragmentos de epopeya elogiando la nariz o los pies de Fulanita o Zutanita, y seguidillas cantando rabiosamente las excelencias de la libertad» (p. 68). Al darse cuenta de que aquellos disparates no valían la pena, desea escribir una obra seria:

> ... Me propuse llevar calor de mi sangre y electricidad de mis nervios a todas las páginas de esa obra, de *mi* obra, haciéndola de tal modo humana, que pudiera palpitar entre las manos del lector con los estremecimientos de vida de los libros tallados para la inmortalidad ...(pp. 68-69).

Sigue escribiendo —un drama y una novela— y quiere trasladarse a Madrid. Tenía entonces dieciocho años.

Comienza así una nueva vida. Sin embargo, la triste ciudad le decepciona, e incluso le produce una sensación de melancolía. Ve a Campoamor por la calle; conoce a Núñez de Arce y sigue a Echegaray una porción de veces desde su casa al Ateneo o al teatro Español. Portador de una carta para el director de *La Voz Pública*, periódico de la oposición, entra a formar parte de su cuerpo de redactores. Después de describir las mezquinas oficinas del periódico, afirma como contraste:

> ... ¡Y cosa admirable! El periódico que en tales condiciones se confeccionaba, rugía o bramaba a diario contra las fealdades de la sociedad antigua, y pedía, a diario también, la reconstrucción de todas las cosas mal hechas de la vida, para mejorar de ese modo a la horrible existencia humana con la posesión de un mundo mejor, más digno de ser habitado (p. 114).

Con el tiempo, el joven se decepcionará cuando averigüe que el periódico está vendido al gobierno. Carlos había atacado en el artículo a algún fantoche, como dice, de la política; pero resulta que *La Voz Pública* no podía tirarle a aquel estadista porque estaba subvencionada por el propio personaje de su artículo. Se niega a escribir una línea más para aquel diario, y sufre otro desengaño en la larga serie de disgustos que le llevan por fin a la miseria.

A la pasión literaria pronto sustituye otra: la amorosa. Carlos conoce a Julia, a quien describe externamente bajo la influencia de Gautier, «aquel mago del estilo» (página 139). Una tarde quedó realizada la fusión de sus almas y de sus cuerpos, según nos dice Sawa; en lo que a Carlos se refiere, por toda la vida. Entregado al culto de Julia, con la que vive a partir de entonces, deja de acudir a la redacción de *La Voz Pública*, aumentan los apuros económicos y no se hacen esperar los desengaños amorosos, ya que el amor no es compatible con la miseria. Carlos lleva sus novelas a las casas editoriales; sus dramas, a los teatros. No tiene éxito, y Julia lo abandona.

El libro duodécimo es clave en la vida de Carlos, quien comienza su curva descendente, en su envilecimiento cada vez más progresivo. En algún momento piensa en ir en busca del pueblo y promover la revolución social. Su plan era el siguiente:

... buscar al pueblo por los talleres y por las tabernas; sacudirlo fuertemente para despertarlo como se hace con los sonámbulos, y cuando lo hubiera conseguido, gritarle al oído las palabras que, en día más o menos próximo, han de emanciparlo fatalmente, haciéndolo grande y digno, con grandeza y dignidad que ni siquiera puede sospechar ahora. ¿Qué valen todos los triunfos literarios del mundo, todas las hazañas guerreras de los conquistadores y los déspotas —carniceros equivocados de vocación—, todas las grandes manifestaciones de fuerza que en el mundo se han realizado, junto al esfuerzo atlético que supone eso de levantar a pulso a toda una generación, para organizarla, para instruirla y comunicarle una segunda alma con la simple revelación de los derechos que le son ingénitos y que la sociedad le usurpa? ¿Qué valen, ni significan, ni suponen mis antiguos sueños al lado de éste, que más bien que el sueño de un individuo, parece, por su amplitud magnífica, el sueño de toda una raza? (pp. 187-188).

La familia, cuya fortuna había sido muy mermada, no puede facilitar a Carlos el dinero que él solicitó; por otra parte, se considera víctima de la sociedad al no hallar trabajo en ningún lado; termina por entregarse a la bebida, haciendo de «la embriaguez mi estado normal, y como si dijéramos fisiológico» (p. 195). Pero tampoco le satisface este recurso, según escribe más adelante:

Era necesario sucumbir. Ni aun la embriaguez me daba el consuelo que le pedía. También el vino me había traicionado. Eran tan negras mis borracheras, y aparecían en ellas con tanta lucidez, ante mi espíritu, constantemente despierto, las osamentas de mi pasado doloroso, que se me hizo imposible continuar bebiendo. Cada átomo de gas alcohólico se convertía, al llegar al cerebro, en un incidente vivo, animado, de mi propia vida, y la embriaguez de los borrachos era para mí lo que los fenómenos de clarividencia y de doble vista para los iluminados. De modo que a cada libación repetía mi vida. ¡Yo he vivido todos los horrores que llevo descritos, lo menos cien veces, en sólo algunos días! (p. 225).

Una noche, al regresar totalmente ebrio a su habitación, encuentra a Carmen, una joven prostituta con quien pasa los últimos días de su vida, alternando breves idilios y placeres castos, a despecho de la realidad, con los momentos de depravación, en que golpea a la muchacha como los demás chulos amancebados con sus queridas. En su proceso de envilecimiento hasta se dirige a un editor que publicaba clandestinamente obras obscenas; incluso al pedir a un banquero cualquier puesto insignificante, acepta las dos pesetas que aquél le ofrece. En forma obsesiva comienza a resonar la frase «era preçiso sucumbir». Piensa en el suicidio ante la «imposibilidad moral y material de vivir» y «como protesta contra la vida» (p. 227). En esta situación moral se pregunta:

> ... ¿No era yo un sublevado, un insurrecto? La sociedad me condenaba a ser un miserable toda la vida. Bueno. Pues yo me alzaba de la sentencia, y destruía mi vida porque me daba la gana, porque no quería ser un miserable. ¡A ver lo que toda la sociedad junta puede contra una voluntad aislada, cuando esta voluntad es irrevocable! (p. 227).

Carlos tiene prisa, y escribe atropelladamente sus memorias dolorosas. Se despide de Carmen y de la vida, convencido de que «no hay otro canalla latente que la sociedad» (p. 238).

Noche (1888)

En el caso de *Noche*, la última obra extensa de Alejandro Sawa, los comentarios de tipo general sobre su novelística hechos en la primera parte de este capítulo me eximen de un análisis prolongado de la misma. Su vertiente naturalista la aproxima más a *Crimen legal* que a las otras dos obras de la etapa inicial de la vida literaria de nuestro autor. Sin embargo, aquí en ésta nunca llega Sawa a los extremos expresivos puntualizados ya en *Crimen legal* en cuanto al espacio concedido a la detenida descripción de inmundicias. El programa naturalista, todavía fundamental en el libro, se evidencia más que nada en la extraordinaria importancia dada a la herencia, ley fatal que determina en la mayoría de los casos la conducta de los personajes: «¡Oh, fatalidad, alma del mundo! ¡Determinismo, ley de la vida!» (p. 194).

En los cuadros sombríos, y casi asfixiantes del libro, ninguna cualidad humana aparece más subrayada que la maldad monstruosa que caracteriza de alguna manera, con la excepción de Paca, una de las hijas, a todos los personajes (48). Y así, casi todos ellos, desde el padre

---

(48) Quiero transcribir aquí un comentario anónimo sobre *Noche* publicado en *Los Lunes de El Imparcial* (18 de febrero de 1889), cuya copia debo a mi amiga la profesora Lily Litvak: «... La nueva producción de este joven novelista tiene, como todas las suyas, un estilo valiente, conciso, expresivo... pero demasiado libre. Los asuntos de sus novelas son en grado sumo atrevidos. Nada le arredra, atropella por todas las conveniencias con tal de llegar al punto que se propone, y

para abajo, obedecen ciegamente a sus instintos más materialistas; en *Noche* el ser humano no suele saber superar, ni por un instante, su franca condición de bestia. Como se ha visto ya, otro ingrediente característico sobresale en la novela: el feroz anticlericalismo, representado sobre todo por el lascivo y bruto sacerdote don Gregorio, el que posee a la hija mayor en la violenta escena antes mencionada. La actitud irreligiosa de Sawa también se extiende a las estrechas costumbres cristianas que rigen la hipócrita crianza y educación de los hijos de la familia González, con resultados funestos a la larga. Tampoco escapan de la pluma satírica de Sawa, hacia el final de la novela, los excesos de devoción y el falso misticismo del padre. Y en cuanto a los ambientes frecuentados por los personajes de la obra, no faltan asimismo los bajos fondos de las tabernas y los burdeles de Madrid.

En *Noche*, donde son censuradas fuertemente las costumbres anticuadas e hipócritas que de modo inflexible impone la gazmoñería de la tradición, se presenta la tragedia y el hundimiento de una familia burguesa procedente de Ávila establecida en Madrid, en cuyo ambiente urbano transcurre casi toda la acción. Es también, dentro del marco materialista ya señalado, una historia ininterrumpida de asesinatos, adulterios y truculencias de todo género, con un claro predominio de pasiones egoístas y nada virtuosas. Como dice el subtítulo, se trata de una novela social y de protesta.

Pienso que el método mejor para dar una idea clara de lo que es esta novela un poco dispersa, en la que se narran varias historias diferentes, aunque todas terminen de manera desgraciada, sería señalar con la mayor concisión la trayectoria individual de los padres y de los cinco

---

ni dulcifica la dureza ni atenúa la espantosa desnudez de sus cuadros. Es lástima que un escritor tan notable como el señor Sawa gaste su lozana y exuberante imaginación en revolver el fango de la vida para sacar de él... fango. A más nobles empresas creemos reservada su pluma. El naturalismo brutal de *Noche* sólo puede exhibirse en Francia. Aquí en España no estamos corrompidos hasta el extremo de adorar al vicio como a un ídolo y de hallar encantos en obras que no tienen ninguno, bajo el punto de vista artístico.»

Me he referido antes a una posible continuación de *Noche*, que iba a publicarse con el título antitético de *Alborada*. Es muy probable que la novela ni siquiera fuese escrita; pero quizá aquella designación de título coresponda a la conciencia de haber forzado de manera algo exagerada las notas lúgubres y sombrías en la obra de 1888.

hijos que componen la monstruosa familia de los González.

Dolores y Francisco, los dos de Avila y de educación sacristanesca, llegaron a casarse por un simple imperativo de la costumbre, sin amor ni pasión («la meditada y fría conjunción de dos destinos», p. 8), a una edad bastante avanzada. Francisco, ayudante de curial, era de potente naturaleza física, aun cuando viviera desde muy pronto en lo que Sawa denomina una castidad viciosa (página 15). Un día se fija en una vecina suya:

> Estaba todavía contenida en las fronteras de la juventud, tenía veintiocho años, era flacucha, rubiaca, con los ojos de mirada blanda, mirando siempre hacia el suelo, compungidos de beatitud, y con todas las apariencias de carecer de sangre en las venas. Luego, lo interno completaba lo externo. Era testaruda, fanática y asustadiza. Carecía de carácter, y menos en sus obstinaciones, su voluntad era siempre feudataria de otra voluntad cualquiera. Hablaba con largas intermitencias de período a período, y no llegaban a mil las palabras del idioma que sabía de memoria. Otra característica de su intelectualidad es que en sus conversaciones no lograba formar, siquiera por incidencia, oración gramatical alguna... (pp. 15-16).

> ... Fue una hembra, pero por el sexo y nada más; exactamente igual a todas las de su especie, en cuanto tenía mamas en el pecho y un aparato génito-urinario propio para la concepción debajo del vientre, pero incapaz de la pasión ni de la perfidia, incapaz de otras muchas cosas que son atributos femeninos en todas las especies animales (p. 18).

Con el tiempo, Dolores, que cumplió fielmente con su función de madre católica al dar a luz cinco hijos, se reduce meramente a su natural condición de esqueleto, sometida por completo a su marido y a sus caprichos. Poquísimo o ningún papel desempeña en la novela. De padres insignificantes y anémicos («ella clorótica y él exangüe», página 10), hasta el punto de que la madre era «un repugnante esputo de humanidad» (*Ibídem*), Francisco heredó todas las malas cualidades morales internas de ellos: «hipocresía, egoísmo, cerrazón de horizontes intelectuales, divorcio inconsciente con la naturaleza física, y fanatismos de devoción por los poderosos y los santos» (páginas 11-12). La semblanza espiritual de este caballero se completa con los siguientes datos, no menos desagradables:

> ... de aquel hombrecillo flacucho y pálido, a quien llamaba *papá*, desde que le fue posible articular sonidos [había heredado], el espíritu de rutina (espíritu de conservación) y la perfidia.

Era, pues, don Francisco, una antinomia completa. Naturaleza de bruto y de curial al mismo tiempo, y según las ocasiones... Estas son las circunstancias que en antropogenia se llaman de *herencia*. Las de *adaptación* fueron peores. El padre de don Francisco tenía horror a la cultura, a la que echaba la culpa de todas las fatalidades de la vida, y se obstinó en no darle ningún género de educación intelectual a su hijo (p. 13).

Sawa parece decirlo todo cuando se limita a afirmar que don Francisco se *curializó*. Esta pareja, tan antipática por los cuatro costados, llega a producir —¡sólo Dios sabe cómo!— cinco hijos criados rigurosamente en los moldes de la moral cristiana. Son dos mujeres (Lola y Paca) y tres varones (Paco, Nazario y Evaristo).

Lola, la mayor, prometía ser una hermosa mujer, *sanguínea*, según la terminología de Sawa, cuya radiante belleza molestaba grandemente a su padre, quien llegó por eso a odiarla. La hermana menor, Paca, era menos armónica en sus atributos físicos, tímida e inocente. Vivían las dos una vida de auténticas prisioneras, siempre encerradas, como si fuera su casa madrileña un convento. El sacerdote don Gregorio, de una gran voracidad satiríaca (página 48), comienza en el confesonario su obra seductora, despertando en Lola, con sus preguntas sugestivas, toda una serie de pensamientos no exactamente puros. Una noche acude el padre con las dos hijas a la tertulia dominical en casa de don José Gutiérrez (49), el jefe de

---

(49) Ya advertí anteriormente cómo le gustaba analizar en forma pormenorizada las relaciones matrimoniales. He aquí otro ejemplo, referido a los Gutiérrez: «... Llevaban veinte años de cohabitación marital, y tan miserables de naturaleza eran, que en todo ese tiempo no habían llegado a dar por hecho lo que es sin disputa el principal fin del matrimonio, de la unión de los sexos legitimada por el *visto bueno* de la sociedad: la reproducción de la especie. Ella estéril, y él también; marcados los dos con sello maldito que los condenaba al cumplimiento de destinos solitarios, su representación biológica era semejante a la de esos árboles abandonados y escuetos que se ven resaltar en algunas planicies... Pero ella, la mujer, sentía, circulando con la sangre de sus venas, el hastío de aquella unión insensata que no parecía cumplir otra finalidad que la grosera de que un hombre y una mujer se hubieran casado exclusivamente para comer juntos... Por efecto de contraste, ella, condenada a la pasividad de una vida sin incidentes, se enamoró perdidamente de la aventura. Y como era un ser exclusivamente material desde los pies a la cabeza, buscó las caricias o los castigos del azar en el comercio de muchas intimidades que solicitaba y obtenía de los amigos de su marido, completamente extraña por su complexión a las aventuras espléndidas de lo ideal; entregóse en frío al adul-

Paco; allí la candorosa Lola conoce a un cierto señor Galán quien la pierde, seduciéndola después por medio de una vulgar retórica amorosa. La pobre niña termina fugándose con él.

Enterado de la huida de su hija por una carta en la que solicita el perdón de sus padres por lo que ha hecho, Paco no sólo la maldice, sino que acaba por renegar de ella. Con marcada ironía le hace decir Sawa:

> —¡Una niña en cuya educación yo me había esmerado tanto! ¡Que rezaba el rosario todas las tardes y se confesaba todos los domingos! Una niña así, ¡Dios mío!, y con unos padres como los que tiene. Yo, ¡yo, sobre todo!, de mi casa a la oficina, y de la oficina a mi casa, sin pararme a descansar y a buscar consuelo a mis trabajos en otros sitio que en la iglesia más próxima..., siempre lo mismo..., hoy como ayer, y mañana como hoy, ¡siempre lo mismo! ¡Consagrado a Dios y a ellos... y dándoles siempre buenos consejos!
>
> Entonces la mujer se creyó en el caso de gemir algunas palabras.
>
> —No ha sido ella, no; convéncete de eso..., ha sido Satanás que la ha tentado...
>
> Tuvo don Francisco la palabra sublime de realidad en los labios, y la soltó; la dijo:
>
> —Vamos a ver, grandísima tonta, y entonces, ¿por qué Satanás no me tienta a mí lo mismo, y hace que de la noche a la mañana os abandone, como ha hecho esa cochina, aunque no sea más que para quitarme quebraderos de cabeza? (pp. 88-89).

Los padres se apresuran a llamar desde luego al sacerdote, quien marcha a Toledo en busca de los fugitivos amantes. Es en ese momento de la acción cuando interviene el autor para enjuiciar a Paco y a don Gregorio, que decían pestes de la pobre hija engañada; el fragmento en cuestión, de punzante ironía, se reprodujo anteriormente. En él un beato y un cura conversan sobre el destino de Lola; y esta página, muy lograda, sirve para destacar lo mismo la duplicidad del padre estúpido que la del perverso sacerdote. Con la bestial violación de Lola, después de haber tenido que buscar refugio en casa del confesor, termina el primer libro de la obra. No quiero dejar de citar el siguiente resumen, en que se habla de la suerte de la joven y se exponen las razones que la obligarán a convertirse en una prostituta:

---

terio sin llevar a él otro concurso que el de su voluntad de hembra corrompida... Pero como guardaba perfectamente las apariencias..., don José callaba, fingiéndose ignorante de su deshonra» (pp. 67-69).

Cuando salió del hospital y se vio en medio del arroyo, notó en su sangre, notó en todas sus entrañas, que no había ya salvación posible para su alma ni para su cuerpo; que estaba hundida para siempre; que había perdido todo, honor, hogar, afectos, familia; que no tenía derecho ni aun a las atenuaciones de pena que la ley humana concede a los más empedernidos criminales; y que puesto que su padre se había negado a recibirla, era que la sociedad también la rechazaba... Aquella desventurada infancia suya; la severidad con que su padre había tratado de arrancarle la juventud y la belleza como quien hace la amputación de un tumor malo; aquellas costumbres claustrales que venían a hacer del hogar así como una reminiscencia de presidio; el egoísmo de don Francisco... y sobre todo, ¡eso! —¡eso, que no hay palabra en ningún idioma para expresarlo!, crueldad, indiferencia, odio, infamia..., haberla rechazado de sus brazos y de su hogar cuando iba a pedirle, perdida, miserablemente perdida, protección y cariño, o un poco de calor simplemente, y con eso hubiera quedado satisfecha...— Vino después a su memoria, como una pesadilla viva y sangrienta, el recuerdo de don Gregorio, villano, sucio, goteando el fango de una podredumbre sobrenatural, produciendo arcadas dolorosas en el estómago, quitando las ganas de vivir, afirmando un odio ciego contra la humanidad... (pp. 144-145).

Se acuerda del hombre que la había perdido, y, sintiéndose perversa, cuando un hombre cualquiera de la calle la requebraba, se marchó con él a celebrar «amores raros y desconocidos» (p. 146). A partir de entonces desaparece de la novela.

Menos papel activo tiene Paca en *Noche*. Puede decir incluso que carece de historia. Apenas sabemos de ella más que pertenece al grupo, siempre muy reducido, de los seres buenos que hay en la novelística de Sawa. Después de la marcha de su hermana, víctima inocente del mundo y de la sociedad, para ganarse la vida en la calle, Paca, gravemente enferma de tuberculosis pulmonar, va matándose ante la máquina de coser, en su lucha para sostener a la familia, que ha entrado en una miseria cada día más abyecta a consecuencia de la cesantía de don Francisco. La moribunda, sin embargo, se da cuenta de que nunca la han dejado vivir, lo mismo que a su hermana, y no deja de levantar, aunque tarde, una fuerte voz de protesta y de rebeldía. Sus quejas, justificadas por cierto, alcanzan su punto culminante en estos fragmentos:

Mi vida en Avila. ¿Cuántas palabras necesitaría yo para expresar ese martirio? No he tenido juguetes, ni risas, ni saltos. Mi padre lo prohibía todo, y mamá le dejaba hacer y lo secundaba como una autómata. Y ya de joven, ¿qué? Ni el balcón, ni el paseo, ni ninguna de las diversiones que son propias de la mujer en todas las edades de la vida; la devoción y la casa; un estropajo, una aguja o un libro de oraciones en la mano; ni por casualidad una novela... Madrid es para nosotros una cárcel mortal, tan estrecha como lo era Avila. Ni Lola ni yo somos otra cosa que dos presos, a los que se da larga los domingos para que se confiesen y oigan misa... (p. 221).

Así, en boca de ella, protesta Sawa contra las costumbres estrechas que imperaban en ciertas familias burguesas de la época. Y la pobre mártir, sacrificada en aras del egoísmo paterno, morirá en una lenta agonía por no haber en la casa dinero para comprar las medicinas recetadas por el doctor. Ni aun los hermanos contribuirán a hacer más llevaderos con su ayuda los últimos días de la abnegada hermana.

No nos hemos ocupado hasta ahora de los tres hijos varones de la familia González. Dos de ellos (Nazario y Evaristo) nacieron sanos y robustos. El mayor, Paco, de escasa virilidad, salió a la madre; por su debilidad de carácter le dominan los demás. Destinado por su modo de ser a la carrera eclesiástica, al llegar a Madrid ingresa en el seminario, y casi no volveremos a saber de él hasta las páginas finales de la novela, al negarse despiadadamente a escuchar al padre cuando le pide dinero para comprar las medicinas que necesita su hermana.

Muy distinto es el caso de Nazario, terco y bruto, muy parecido al padre. Es un claro ejemplo de bestia humana, grosero y sanguíneo, amoral y egoísta, que logra por fin trabajo en una sastrería de la calle de Toledo. Después de enamorar muy pronto a Venancia, la mujer del dueño de la tienda, su problema más inmediato es deshacerse del marido de la que ya lleva en sus entrañas el hijo de su amante. Con un cinismo increíble planean entre los dos el crimen, y ella mata al esposo con láudano. A los pocos meses de nacido el hijo se casan. Sobre Nazario pesa fatalmente la maléfica herencia del padre («de aquella espesa y caliente sangre heredada, igualmente susceptible de impulsar a la beatitud que a la furia», p. 184), y aparece así descrito en la novela:

> Ni romántico, ni exigente, ni delicado, ni sensible siquiera era Nazario. Glotón y grosero como su padre, no se paraba a considerar la composición de las cosas que se llevaba a la boca. Tenía hambre, comida al alcance de su hocico, y eso le bastaba (p. 190).

Tampoco este hijo vicioso ayudará al padre, aunque no careciera de recursos. De la misma madera es Evaristo, el hijo menor, holgazán y libertino, que termina su vida en presidio por haber matado al amante de su querida, Julia la Gallega, una codiciada prostituta de provincias y de Madrid. Evaristo lleva una vida de degradación y progresivo embrutecimiento, sin apenas salir de las tabernas y los burdeles. Baste decir que el padre, después de cometido el asesinato, lo entrega a los guardias, renegando de él como antes había hecho con su hermana Lola. Según dije ya, *Noche* es la historia del hundimiento de una familia; el título puede considerarse acertado, en el sentido de que el conjunto de aquellas vidas lúgubres se destinan a la oscuridad perpetua. Las notas de luz o de luminosidad destacan precisamente por su ausencia en el mundo sombrío e inmoral creado por el novelista.

Una novela última: *La sima de Igúzquiza (1888)*

Por ser una obra tan radicalmente distinta de las otras novelas de Alejandro Sawa estudiadas hasta ahora, he guardado para el final de este capítulo mi comentario sobre *La sima de Igúzquiza*. En 1888 publica Sawa en Madrid dos novelas cortas, hoy de una extraordinaria rareza bibliográfica, en la colección titulada «Novelas de *El Motín*»; la primera de ellas es la que aquí nos concierne, cuya aparición se anuncia en *El Motín* en el número correspondiente al 19 de febrero de 1888. La otra novela breve, publicada en la misma biblioteca con el título *Criadero de curas*, se pone a la venta en abril de aquel mismo año (*El Motín*, 29 de abril de 1888); pero, como antes dije, todos mis esfuerzos para localizar algún ejemplar de ella han resultado infructuosos hasta la fecha (50).

---

(50) El único comentario que he visto acerca de *Criadero de curas*, libro dedicado, como ya he advertido, a Silverio Lanza («En desagravio de la estupidez de casi todos y como homenaje de admiración»), es el de Luis París, recogido en el capítulo sobre Sawa en su libro *Gente nueva*. Puesta más atención a la segunda novela breve de 1888, poco dice de *La sima*. Veamos los juicios de París (pp. 113-116). Comienza diciendo que la dedicatoria es una muestra a la vez que un motivo de su simpatía por el resto del libro, ya que él tuvo, según dice, el honor de haber dado a conocer a muchos literatos, incluso a Sawa, la persona de Silverio Lanza. El crítico se siente orgulloso de su propaganda, debido a la admiración que tiene por el extraño per-

La sima de Igúzquiza lleva una dedicatoria al militar Horacio Sawa, y está fechada en Madrid a fines del año 1887 (15-12-87); indudable importancia tiene la «Nota al lector» (pp. V-XI), porque en ella el autor habla de su propia novela. Ante todo, se trata de una novela histórica («un pedazo de historia contemporánea», p. V), cuya acción tiene lugar durante la segunda guerra carlista («Lo que refiero pasa en el período de la interinidad revolucionaria de 1868, allá en los primeros días del año 1871. Como una epidemia, la guerra civil infesta y crece por toda la Península», p. 18). Sawa proclama la absoluta veracidad de su relato, rigurosamente histórico, y su trabajo de escritor, dice, ha consistido solamente en fundir en un todo coherente una serie de fragmentos sueltos, cuya unidad se asegura por la presencia de un solo protagonis-

---

sonaje de Getafe. Y de la novela de Sawa, concretamente, afirma: «Además, el plan de *Criadero de curas* es muy bello; merecía más desarrollo del que tiene; es solamente un boceto de muy reducido tamaño, y debería ser un cuadro acabado, de las dimensiones del *Spoliarium* de Luna. Hay allí verdaderas preciosidades, pero justamente al lado de las delicadezas de observación irreprochable, de párrafos y páginas enteras llenas de solemne encanto y de una realidad que conmueve, como el capítulo final, resaltan esas otras faltas de lógica que ya en las anteriores producciones del autor he anotado» (p. 114). Pasa el comentarista a destacar, con una larga cita textual, el caso inverosímil de un niño destinado a ser cura, en cuyo razonamiento se invoca «... el testimonio de leyes biológicas y sociales que no suelen apuntarse ni en la mente de muchos hombres de relativa cultura, cuando menos de un modo espontáneo en la razón de un niño educado, criado y enderezado precisamente en sentido tan opuesto» (p. 116).

Ahora bien: como veremos en el próximo capítulo, al ocuparnos de su periodismo, Sawa solía aprovechar a menudo textos ya escritos para publicarlos nuevamente, y cobrar por ellos, se supone, la cantidad exigua que entonces se le pagaba por sus colaboraciones en las revistas y diarios de la capital.

En la revista *Don Quijote*, dirigida por Miguel Sawa, se inserta un curioso texto de Alejandro, de tipo cuentístico, con el título «Banderín de enganche» (III, núm. 30, 27 de julio de 1894, p. 1), que es además una de las primeras colaboraciones que conozco de él en las publicaciones periodísticas de Madrid. Creo que se trata aquí de un fragmento, quizá rehecho para que se ajuste al propósito de la revista, de la novela breve *Criadero de curas* (1888), cuyo texto no he podido conocer. En las abreviadas páginas publicadas en *Don Quijote*, de tono violentamente anticlerical típico de las novelas de *El Motín*, se describe un odioso *criadero de curas*, en donde entraban «las pobres criaturas sonrosadas, alegres, andando a saltitos con la elegante movilidad del pájaro», y del mismo lugar sombrío salían «pálidas, encanijadas, mirando cobardemente de reojo como seres independientes de la vida, andando con desconfianza y vestidas generalmente de negro...».

ta, el feroz cabecilla carlista Félix Domingo Rosa Samaniego. En la misma «Nota al lector» se reproduce el extracto de ciertos documentos oficiales referidos al proceso del cabecilla, en los cuales se habla de los crímenes cometidos por él y por los de su partida. Al final de la nota figura este pequeño párrafo:

> No creo preciso apuntar más datos. Este libro tiene la pretensión de reasumir casi todos los que forman la historia maldita de Félix Rosa Samaniego y consortes. Creo que realizo obra moral publicándolos. Allá van, pues, con todas mis maldiciones... (p. XI).

Para defenderse, además de la posible acusación de haber exagerado las infamias y horrores llevados a cabo por el

---

Según el aludido texto, una hermosa mañana de septiembre entró en aquel triste seminario Félix, el joven protagonista de la historia:

> Le había caído en suerte la miseria; ésta fue su iniciación en la vida. Acababa de perder a sus padres, y ésta fue la primera intimación de su destino. Como esas plantas pálidas que crecen en los sitios obscuros y que apenas tienen infancia, hoy semilla, grano o plan, y mañana arbusto, Félix tenía la dolorosa precocidad de todos los niños nacidos en la miseria. Por eso, a pesar de sus ocho años, ¡cosa verdaderamente horrible!, estaba sombrío el día en que ingresó en el seminario, con el paso incierto, los ojos chispeando efluvios de vida, y la cerviz inclinada esperando el golpe en la nuca, el golpe decisivo...

Sin embargo, resulta que Félix por su naturaleza no pertenecía a aquel criadero de curas:

> No, no tenía aquel desventurado niño cabeza de cura. Era un hermoso cráneo abovedado, ancho, bien sólido, que se presentía relleno de masa encefálica, sostenido por un cuello poderoso y adornado de abundantes cabellos negros que bien pronto habían de ser degradados con la tonsura del sacerdote, fría, antiestética, impotente para atraer a la inspiración y para sujetar los arrebatos de la carne cuando reivindica sus derechos.

Comienzan pronto las rebeldías del joven martirizado. Se habla de la guerra carlista en el Norte del país:

> La guerra civil ardía en el Norte erizando de bayonetas las crestas de los montes, y cubriendo con boinas los cráneos de los súbditos del clero. De noche, en las horas crepusculares, en los días sombríos, podía distinguirse al resplandor de los fogonazos, hombres de sotana que aullaban como fieras ¡viva la religión! al mismo tiempo que disparaban su fusil contra el adversario que le ofrecía más blanco. La guerra del confesonario completaba la guerra de trabuco y cuchillo. Nunca, en ninguna época de la humanidad, habían salido de la boca del sacerdote alientos tan cálidos como en aquellos años trágicos...

226

cabecilla, Sawa afirma que «...nadie puede llamar exageración lo que es pura y simplemente relación de hechos» (página V), copiada *textualmente* de los documentos oportunos.

No sólo es *La sima* una novela de índole histórica, basada en la guerra civil, sino que es también, necesariamente, una novela del campo. La acción transcurre en tierras de Navarra, y la obra se abre con una larga descripción de cierto anochecer, tétrico y sombrío, en que los campesinos tornaban a sus hogares. Cito con cierta extensión el fragmento, porque, como ya sabemos, no abundan en las novelas de Sawa descripciones de este tipo:

> Era el anochecer: el anochecer de un día lluvioso, gris, sin horizontes. Se había echado encima la hora del crepúsculo, casi por sorpresa, y los manojos de sombras de la noche hacían su irrupción, no con el reposo de los días ordinarios, sino atropelladamente, por especie de legiones furiosas que, habiendo ya conquistado las concavidades de los valles, principiaban a dar el asalto a las cimas de las montañas, batiendo a la claridad

---

Era necesario, pues, organizar una última y decisiva batida, reclutando hombres para la buena causa carlista. Los seminarios solían convertirse en *Banderín de enganche*, y, poco después, el pobre protagonista de la historia muere en la primera escaramuza en que le toca combatir. Una bala le saltó el cráneo «... destinado quizá a acometer las más audaces empresas del progreso, y convertido en cabeza de bruto al principio, en cabeza de mártir después, por la dañina influencia del cura, del espantoso y maldito pretoriano del cielo».

No es del todo inverosímil que se reproduzca un fragmento tal vez tomado de aquella novela anterior. En efecto, lo mismo ha hecho Sawa en el caso de otro texto aparecido en el *Almanaque Don Quijote* para 1894 (pp. 46-49) con el título «Cartas a un ideal», páginas que pertenecen a su primera novela, *La mujer de todo el mundo* (páginas 100-104). Aquí, en forma de carta, se describen los atributos de la mujer ideal con que sueña el autor, «... que no es rubia ni morena, sino la combinación artística de estos dos colores; las notas pálidas del Norte, invadiendo y confundiéndose graciosamente con las entonaciones calientes del Mediodía...» (p. 47). Más adelante se enumeran otras cualidades ideales de esa mujer: «Como una sensitiva es igualmente amorosa para todos los rayos de sol que le acarician, yo quiero que esta mujer sea igualmente afectuosa para todos los aproximamientos de sublimidad que perciba. Ni atea ni devota, ni siquiera filósofa: creyente. Enamorada del porvenir, pero respetuosa con el pasado que merezca respeto. Prefiriendo la música a la teología, y la historia al catecismo.»

Por último, un breve esbozo titulado «Rápida», publicado en *Alma española* (II, núm. 17, 6 de marzo de 1904, pp. 9-10), con el tiempo se convertirá en una narración mucho más larga, «Historia de una reina», aparecida en *El Cuento Semanal* (núm. 18, mayo de 1907).

diurna hasta los últimos flancos en que se replegara. El combate de la luz, renovado en la Tierra cada veinticuatro horas... (página 13).

Tornaban los campesinos a sus hogares, derrengados, hartos, enamorados de la vida sin embargo, cantando bajo la magnífica amplitud del cielo endechas populares, que, aladas y ardientes de pasión, eran la única nota viva del paisaje. Endechas melancólicas, que por salir de semejantes bocas resultaban fúnebres completamente. ¡La música de la esclavitud y de la ignominia!... (p. 14).

El farol rojo que anunciaba al caminante la venta del *Palomero* parecía en aquellos lugares desolados un ojo sangriento, inmóvil de terror, sin parpadeo posible ante las visiones, tétricas, con que las sombras lo descomponían todo, la proporción y las líneas generales de las cosas. Dentro de la venta, la tristeza era también infinita, medio alumbrada la sala del consumo por un farolillo de luz agonizante que, más bien que destruir, aumentaba la intensidad de las tinieblas (pp 15-16).

El autor ha logrado crear, dentro y fuera, en la naturaleza y en los seres humanos, la tristeza fría y desolada del páramo sombrío. En medio de aquel paisaje gris y lluvioso, oscuro y miserable, hacia el final de la novela la partida de Samaniego llega a las cercanías de Estella, y, como contraposición a las brutalidades que pronto se cometerán, el autor describe así una hermosa naturaleza, alegre y riente:

¡Qué bien verdean las copas de los robles en las hermosas mañanas del mes de junio! Diríase como si las esmeraldas pudieran cristalizar en formas arborescentes, y las leyes de la vida regularse por un solo diapasón de belleza, común a todas las formas y a todas las especies.

El sol pule y abrillanta cuantos objetos toca, y, dorada por él, la Tierra es un verdadero Paraíso en el que la ausencia de un Adán salvaje y de una Eva impúdica añaden una mayor poesía a las magnificencias del paisaje. Dan ganas de vivir, se siente la criatura acariciada por el grande espíritu vital del Universo hasta el tuétano de los huesos... (p. 55).

La partida de Rosa Samaniego, con los prisioneros que conduce, ha llegado a la sima de Igúzquiza, situada a unos cinco kilómetros de Estella y escenario de algunos de los más espantosos crímenes del cabecilla. Se describe el lugar de la siguiente manera:

*   ... Tiene la sima doscientos cuarenta metros de profundidad antes de que se llegue al agua que llena el fondo; pero irregular, dentellada, abrupta, como formada por complicadísimas superposiciones de peñascos salientes, esos doscientos cuarenta metros de profundidad pueden muy bien duplicarse hasta constituir

228

cuatrocientos ochenta, y, aun así y todo, el cálculo no peca, ni con mucho, de excesivo; modesto, por lo contrario, si se le pone en parangón con la realidad medrosa de la sima, cuyas salientes, atacadas a la continua por la humedad del agua que llena el fondo del precipicio, aparecen a los ojos del espectador verdosas, húmedas y escurridizas. Imposible que ningún hombre, por ágil y fuerte que se le considere, pueda, ni aun a gatas, mantenerse sobre cualquiera de los dientes de piedra que erizan aquel interior maldito, sin caer, rodando de unos en otros, hasta el fondo de la sima. La salvación allí es un absurdo. Se trata de una muerte sin remisión (pp. 73-74).

No obstante las grandes diferencias que separan esta novela de 1888 de las anteriores de Alejandro Sawa, en algunos aspectos fundamentales, ciertos temas y motivos se reconocen en ella como característicos de sus ficciones. De nuevo, con ligeras excepciones, los personajes son, en el fondo, malos y perversos. De todos ellos ninguno más monstruoso, como veremos, que el cura llamado el Padre *Contento*. Bárbaro y cruel se le describe al comienzo de la novela:

... Y no se le notaría su condición sacerdotal si no fuera por el cuello de abalorios azules y blancos... su fisonomía, y su aspecto general, en conjunto y en detalle, es el de un perfecto miserable. Casi cónica la cabeza, abultados los temporales y la frente, chicos y de mirar atravesado los ojos, glotona la nariz, sensual la boca —sensual, con tendencias marcadas al hocico—, y los maxilares ensanchados por su base hasta determinar las quijadas de un verdadero bruto, aquél es el ser dañino que mata y roba y estrupra y viola y calumnia y babea y muerde, sin otra lógica que la del cuerpo que cae porque pierde su centro de gravedad, o la del líquido desparramado que se extiende porque busca su ley de nivel. Es el ser dañino. Hay que abrirle paso, hay que matarlo donde se le encuentre (p. 17).

Hombre-bestia también es el cabecilla, digno compañero del anterior; en ambos es ostensible su naturaleza brutal:

Pero Félix manifestó sus instintos bestiales desde la más tierna infancia. Era arisco, glotón y pendenciero.
Tuvo la educación descuidada de todos los niños nacidos en la miseria. Ni el profesor, ni la vigilancia de los padres. En vez de eso, el vagar a todas horas por los campos, y las inspiraciones acres del arroyo. Y brutal, antojadizo, terco y rencoroso, su infancia fue tan puramente animal, que más bien que un niño, aquello fue un cachorro, pero el cachorro-león, el cachorro-tigre, no el cachorro de un animal doméstico: se le desarrollaron los dientes para hacer presa y las garras para hacer trizas; pero no la inteligencia, el cerebro, para hacer y retener ideas: quedó el cráneo estacionado en el crecimiento de los ocho primeros años

229

de la vida, resultando de ahí el prodigio de haber llegado a tener a los dieciséis años corpulencia de un gigante, y luego el desarrollo cerebral de un pájaro (pp. 36-37).

La sima de Igúzquiza es, pues, una novela de crímenes y horrores de toda clase, lo cual no sorprende si se tiene en cuenta que en los personajes principales hay una carencia absoluta de moralidad cristiana. Dentro de la maldad casi total que infesta el libro hay un momento excepcional de ternura, emoción que por cierto no suele abundar en la novelística de Sawa, referida a las relaciones de la madre con su hijo infame. Liberado éste ya del presidio, ella se resiste a permitirle marchar a la guerra, dejándola indefensa, vieja y enferma. Necesita y ansía el amparo y la protección que pueda darle el hijo. Desde luego, el bruto no la hace caso; estalla violenta su iracundia; y sólo un milagro evita que no mate a su propia madre (pp. 49-51). También el sexo y la lujuria son temas fundamentales en la obra. Todos los personajes, materialistas y sensuales, se dejan llevar por sus instintos de pura animalidad. La novela termina con la horrible profanación del cuerpo de Francisca, antigua novia de Rosa Samaniego, primero por el propio cabecilla y luego por el clérigo, así como por otros veinte individuos. Es una escena, pues, del más fuerte y extremado realismo. De nuevo las notas bárbaras de horror y bestialidad ocupan un primer plano en la obra de Sawa.

Cuando comienza *La sima* se encuentran bebiendo con el dueño en la taberna del tío Palomero dos amigos suyos: *Jergón* y el clérigo, a quien llamaban el Padre *Contento*. Esperan la llegada de Félix, recién salido de la cárcel, donde había estado algo más de cuatro años por un delito de robo. Inmediatamente de obtener la libertad y movido por dos rencores principales (el casamiento de su novia con otro y los años de encarcelamiento) se propone organizar una partida de cuarenta hombre que fuera el terror de los liberales. Por su parte, en el cura el vino y el fanatismo religioso se dan la mano. Por eso predica y desea también la guerra santa y la causa de la religión tradicional:

La causa de la Religión, puesta a prueba en estos días malditos que atravesamos, necesita para su más rápida victoria del concurso de todos los buenos, de todos los leales... El Gobierno de Madrid es un Gobierno de herejes y ladrones, que nos van a dejar sin Dios y sin presupuesto eclesiástico... Dios clama venganza: el Dios de los Cielos que ha de juzgarnos después de muertos, clama venganza, porque le dejamos abandonado al escarnio con que los Gobiernos liberales lo están afrentando todos los días... (p. 24).

Asimismo, el sentimiento que domina de modo total el ánimo de Félix es el de la venganza, y el Padre *Contento*, que lo sabe, le atiza y le excita en su pasión vengadora, encendiéndole una hoguera interior. No tiene siquiera reparo en decirle que ha sido poco hombre al dejar que Francisca se case con otro, lo que es más bien cosa propia de maricas. Ante tales incitaciones el bruto de Félix afirma sus deseos homicidas:

—He de matarlos: he de matarlos a los dos, a ella y a él. Voy a matar a todo el mundo...

Digo que daba horror la escena: daba horror, porque aquel salvaje de la boina y de la bufanda, aquel licenciado del presidio, hablaba con el acento de convicción de un sabio que explana su teoría. Amenazaba con la muerte y era como si matara. No habían de faltarle —bastaba verlo, bastaba oírlo— músculos y voluntad y perversión para convertirse en uno de esos insurrectos de la vida, que matan por naturaleza, con ponderación irresistible de otro agente de destrucción cualquiera, el terremoto o el rayo...

Esa era la situación de ánimo a que quiso llevarlo el cura. Y de modo que la hoguera recién encendida no se agotara en un buen rato, le arrojó una nueva brazada de leña seca (pp. 31-32).

En el segundo capítulo se relatan con un cierto detenimiento los antecedentes bestiales de Félix, así como todos los crueles instintos que manifiesta desde muy joven. Su novia Francisca, que es una mujer honrada, rompe con él en cuanto pretende forzarla con toda su violencia de hombre-bestia. Según he dicho, Félix luego pasa algún tiempo en la penitenciaria por haber cometido un robo; mientras tanto, ella se casa con Sebastián. Después del regreso de Félix al pueblo, cuando está lista la partida, su pobre madre hace todo lo posible para impedir la marcha del hijo, quien se niega violentamente a atender sus razones. La oportuna intervención del tío Palomero, que apenas pudo contenerle, impidió que matara Félix a su madre. Enterado del caso, el clérigo, con el más frío de los cinismos, le ofrece algunos consejos:

...Eso no se hace así. Se mata sin hablar, con el mayor sigilo posible. Ahora es la vez primera que sale de mis labios la declaración de que yo he matado a una mujer que se me resistía, y que me mordió en el cuello porque yo quise darle un beso. ¿Y sabes lo que hice? Nada de actitudes trágicas ni de palabrotas amenazadoras. Nada de eso; todo lo contrario. Suavidad, mansedumbre, tacto sobre todo. Pues me la llevé por engaño al río y la tiré al fondo, después de convenientemente estrangulada; para que no saliera a flor de agua le puse, con mucho tacto también, una piedra en la cabeza. ¿Y quién iba a sospechar de mí, con lo manso que soy?... (p. 53).

Los dos últimos capítulos del libro (III y IV) son los más fuertes; en ellos se relatan los crímenes de Félix y de sus partidarios. En el primero de ellos se describe la llegada de la partida con varios prisioneros a las cercanías de la temida sima. Fiel a su leyenda de cruel ferocidad, el monstruoso cabecilla se burla de la manera más despiadada de los prisioneros, prometiéndoles una engañosa libertad para matarlos luego en la sima. Todavía más bárbaro se muestra el fanático y rencoroso cura, totalmente embrutecido por el vino y por sus instintos sangrientos:

... el aspecto del Padre *Contento* era más siniestro que de costumbre. Su naturaleza de cuervo aspiraba ya en la atmósfera el hedor de la carne muerta, y esa sensación puramente física de la absorción del miasma corompido le estremecía de placer, rudamente, con deleites de bestia carnicera, las fibras más íntimas de sus entrañas. Pero los prisioneros, en su alegría viva de seres renacidos, no son capaces de advertir eso, ni de reparar tampoco en la facha repulsiva del representante del Cielo... (páginas 63-64).

Prosigue el horrible tormento de los indefensos, y vuelve a ponerse de relieve la maldad del Padre, así como su perversa influencia sobre el propio cabecilla:

Era el fondo de su carácter; una extrema violencia que se desvanecía al momento de iniciarse, dando lugar a una extrema perversidad tranquila... Un tanto felino, tenía el momento peligroso del gato que se abalanza a los ojos de su enemigo... Aquel demonio de cura, dejaba de ser perverso para ser monstruoso y nada más que eso... Una gran fuerza arrolladora...
... y ejercía además acción hipnótica extraordinaria sobre la voluntad de Rosa, y eso hasta el punto de que considerable número de los crímenes que horrorizaban la atención de España y aun de todo el mundo culto, aunque ejecutados por Rosa y por su teniente, tenían su génesis en el espíritu sacudido de perturbaciones, profundamente perverso, del capellán de la partida. Era aquello una demostración palmaria del predominio de la fuerza espiritual sobre la fuerza bruta, de los nervios sensatorios sobre los nervios motores, del cerebro sobre el organismo muscular. El Padre *Contento* era el alma de la cuadrilla (páginas 71-72).

Uno de los prisioneros, calificado luego de héroe, reta con valentía a sus atormentadores, y de un modo especial al clérigo; pero esto le deparó una suerte aún más terrible que la de sus compañeros, a quienes se arrojó al fondo del abismo. Llega su turno al héroe; es decir, la muerte precedida de un cruel tormento:

> ... Era preciso atarle al reo las manos y sujetarlo con una gran cuerda por las corvas y por debajo de los brazos. Después de eso, suspenderlo en el abismo, bajar y subir alternativamente el cuerpo desplomado y sin defensa, y no darle por inútil hasta haberle hecho ver prácticamente, repetidas veces, el género de muerte que le aguardaba. Después de eso, arrancarle la lengua, y por último... ¡ah, entonces al abismo, como todos!
>
> Para atarlo, para pasarle la cuerda por debajo de las corvas y de los sobacos, hubo una lucha repugnante de ocho hombres contra uno solo. El héroe se hizo un desesperado, y se defendió como sólo se defienden los locos, a bocados, a patadas, a trompazos, siendo aquello verdaderamente un alzamiento de guerra en el que todo su cuerpo se batía, desde las uñas de los pies hasta la coronilla de la cabeza (pp. 80-81).

Así dieron de comer a la sima carne humana aquella hermosa tarde de junio (p. 83), después de lo cual prosigue la partida su camino hacia Estella, donde el matón tiene algunas cuentas pendientes: «...Parece que deberíamos estar ya hartos de sangre, y a mí no me ha llegado al paladar todavía; pero es por esas cuentas pendientes que tengo en Estella... porque necesito cobrarlas» (p. 84).

Quizá más tremendo aún es el último capítulo. La partida prende a Francisca y la encierra en una venta. Cuando se encuentra ante ella Félix, siempre deseoso de poseerla, pide que se quede con él. En este momento interviene el autor para deslizar el siguiente comentario:

> ¡Bah, la continencia! Eso es propio de los seres racionales. Los brutos, enteramente esclavos de su organismo, no son capaces de acatar voluntariamente otras leyes que las dimanadas de sus apetitos o sus caprichos: suelen también ceder ante la violencia de otro animal más fuerte. Aquí se trata del combate de un milano con una paloma (p. 91).

Francisca se niega a abandonar a su esposo y a su hijo, y el bárbaro la posee brutalmente:

> ¡Qué espanto! ¡El furor genésico, la locura! Cayó Félix sobre la mujer, aquel pesado bloque humano sobre la mujer, como una estatua a la que se retirara su pedestal de pronto... ¿Qué especie de dique agujereado es la mujer aquella para re-

sistir el ímpetu de aquel Océano bravío? Allí mismo, sobre el suelo fue. Violación y aplastamiento. Media hora, una hora, sin hartarse nunca, voraz, insaciable... La mujer quedó en el suelo desvanecida. El hombre o la bestia, el sátiro... pudo llegar, aunque tambaleándose, por sus propios pasos, hasta un viejo sillón de baqueta que ornaba la estancia, y caer en él desplomado, completamente abatido. Flácido y sin energías musculares el cuello, dejó que la cabeza cayera rendida sobre el pecho, como la de un agonizante o un muerto... Y muerte y agonía fue aquello. El placer acababa de extinguirse... (p. 94).

La profanación del cuerpo de la mujer se completa con la entrega que de él se hace a los facinerosos de la partida, en primer lugar al Padre *Contento* y luego al teniente apodado el *Jergón*:

> ... La dejaron allí, tendida sobre el mismo suelo; le ataron las manos, le sostuvieron con fuerza la cabeza, sujetándola por la frente, de modo que la boca de la víctima, abierta en una prolongadísima maldición y en una entera blasfemia, no pudiera morder, no pudiera hacer presa. Y abierta de piernas por las energías musculares de *Jergón* y de dos gañanes más que se encargaron voluntariamente de la vergonzosa tarea... ¡Ah, sobre su pecho, puesto al descubierto, profanado también como todo el cuerpo, mordido, manchado por la baba de todas aquellas lujurias, sobre su pecho cayeron uno a uno los de aquellos miserables!... ¡Ay, desvanecida por el dolor la víctima! (p. 97).

De esta forma acaba el libro (51).

Interrumpida así la acción en ese momento, lo que hace Sawa es concentrar toda la brutalidad de la novela en dos episodios, relacionados entre sí, que son fundamentales en la vida de aquel miserable cabecilla dominado por la idea de una oscura venganza e impulsado siempre por el clérigo malévolo: el sacrificio de los prisioneros y el de la mujer. Hartazgo de carne y de sangre. Satisfacción de los instintos animales. En *La sima* jamás ofrece Sawa la visión de un pueblo en guerra, sino más bien la de una lucha fragmentaria, de partidas, que apenas tiene nada de epopeya gloriosa, lo mismo que ocurre en las novelas de la Guerra Carlista de Valle-Inclán (52).

---

(51) Al final del volumen se reproduce una carta de Pablo Luis Courier (pp. 101-119), fechada el 6 de febrero de 1823, porque en ella el autor se refiere a los crímenes igualmente monstruosos del cura Mingrat, protagonista del libro *Tigre tonsurado*, aparentemente otro título en la misma biblioteca de *El Motín*.

(52) Dentro de este contexto de lo no épico de la guerra civil, leamos un breve fragmento en el que se describe la partida de Rosa: «... Ha levantado el campo momentos antes del amanecer, y apenas

Ni siquiera hay un solo encuentro entre los dos bandos. Todo viene a centrarse en los episodios señalados, muy congruentes con el carácter de los personajes. La narración, sin embargo, resulta muy eficaz; incluso tal vez se lea hoy esta novela, a pesar de todos los desagradables acontecimientos, con un interés mayor que muchas otras novelas más frondosas de la misma época.

---

lleva dos horas de marcha. Caminan a la desbandada, por pelotones sueltos o irregulares, sin otra uniformidad que la del común aspecto de bandidos que caracteriza a todos. No de la guerra, sino del merodeo por los campos, parece que vienen. Están harapientos, sucios, derrengados. Al verlos más bien que andar sobre los dos pies, arrastrarse por el polvo de la carretera, cualquiera se preguntaría qué inmenso botín pesadísimo les embarazaba la libertad de los movimientos. Pero a cada cual lo suyo. El botín que conduce a Estella la partida de Rosa es un botín de carne humana [se trata aquí de los prisioneros]» (página 56).

235

CAPÍTULO VII

EL PERIODISTA

*La prosa periodística de Sawa:
consideraciones previas*

Me propongo estudiar en este capítulo con cierto detenimiento un aspecto último de la obra literaria de Alejandro Sawa: su actividad periodística. Durante la etapa final de su vida, desde el regreso de París, alrededor de 1896, hasta su muerte, en 1909, el desdichado escritor se dedica casi exclusivamente al periodismo, sin duda mal retribuido, pero que constituía uno de los pocos medios de que disponía en aquellos años para mantenerse a sí mismo y a su pequeña familia. Los textos que ahora se examinarán son, primero, los que fueron seleccionados por el propio Sawa para formar su libro póstumo *Iluminaciones en la sombra* (1910); además de algunos otros que quedaron dispersos en la prensa madrileña a la muerte del escritor. Me permito aquí una salvedad inicial: a algunas de esas mismas páginas periodísticas me he referido ya anteriormente, sobre todo en el capítulo cuarto («El hombre en sus textos»), puesto que contribuyen a un mayor conocimiento directo de la personalidad de Sawa, a la vez que ayudan a establecer predilecciones artísticas o contactos con ciertas figuras de la época. Otras delimitan significativas afinidades o aportan materiales que iluminan la biografía del escritor. Aun cuando sean por ello poco menos que inevitables algunas repeticiones, haré un consciente esfuerzo para que éstas sean mínimas.

Antes de pasar al estudio directo de la labor periodística de Sawa quisiera referirme brevemente a una nota suya publicada en *Nuevo Mundo* (núm. 711, 22 de agosto de 1907) con el título «El cuarto poder». En ella habla de la prensa y de las arduas tareas del periodista. La prensa, dice, marca el estado de cultura de los pueblos, y luego añade: «Aquel país donde la Prensa es clamorosa y ardiente y suelta, es un país de redención. Donde no, el cielo está cuajado de tinieblas.» Prosigue Sawa:

> El periodismo tiene los fueros y la grandeza de la Historia: no es el más insigne periodista el que escribe mejor, sino el que comprende y maneja mayor número de postulados intelectuales. Por eso Flaubert, el puro asceta de la frase, que en su locura por la letra impresa llegó a decir que el mundo no tenía otra razón de ser que la de dar lugar a la producción de un buen libro, no comprendió nunca el periodismo, del que censuraba la rapidez de su prosa y la ligereza forzada de sus juicios.

Según nuestro autor, frente a la repugnancia que sentía Flaubert por lo efímero y lo pasajero del periodismo, la prensa de hoy «ha podido dar la batalla al libro y resultar vencedora en todos los episodios de la acción». Afirma Sawa luego que hasta los mayores escritores modernos se han acercado más íntimamente a nosotros por medio del periódico. Sin embargo, la prensa puede ser también peligrosa y con frecuencia ostentar un lado negativo:

> ... Como espada de dos filos puede herir también al que la maneja. Apta para el bien, no lo es menos para el mal. Aconseja, y asesora y dirige, pero también corrompe. Es como un viejo profesor glorioso, atacado a veces por crepúsculos de vesania. Yerra y sus equivocaciones pueden convertirse en las letras iniciales de un desastre histórico.

Tras alusión breve a lo que él considera los tres graves pecados del día (la expedición militar a Melilla, la guerra contra la independencia de Cuba y contra los Estados Unidos), Sawa finaliza su nota sobre el periodismo y sus responsabilidades con las siguientes palabras admonitorias:

> Pero estos días son más de acción que de penitencia. Un velo para tantas torpezas, un bálsamo para tantas heridas, y voluntad, Señor, para marchar verticalmente a la conquista de la vida, de nuestra parte del sol, de aire respirable, de agua potable, de dignidad y de dicha.

Indudablemente hay bastantes escritos de Sawa que no me ha sido posible conocer, y que continúan sepultados en los diarios y revistas de la época, algunos de acceso bastante difícil hoy. Mis investigaciones parciales en las fuentes periodísticas de entonces me permiten, sin embargo, identificar al menos el lugar de publicación, la fecha y el título original de la mayoría de las páginas que forman *Iluminaciones en la sombra*. Seguramente algunas eran inéditas al prepararse la obra. Hay que recordar que a menudo Sawa tenía la costumbre, tal vez por razones de apuro económico, de publicar hasta tres veces el mismo texto, apenas cambiado, pero con título diferente. Por ejemplo, al final del capítulo quinto me referí a un escrito importante que, en forma de parábola o alegoría, aborda el tema del idealismo. El texto apareció originalmente en 1904 con el título «El que no nació jamás»; cuatro años más tarde, en 1908, vuelve a publicarse como «Los desertores del ideal»; finalmente, sin mayores cambios textuales, se incorpora a *Iluminaciones* (pp. 222-226).

Estas duplicaciones comienzan a ser más frecuentes, como es natural, hacia finales de su vida, en 1908, cuando vuelven a reaparecer con marcada regularidad colaboraciones que fueron escritas para otros periódicos en los primeros años del siglo. Entre los muchos casos de tales reincidencias, quisiera señalar aquí un ejemplo más. En *Iluminaciones* (pp. 88-92) se lee un texto dedicado a rememorar a Amílcar Cipriani, a quien Sawa dice haber conocido en una fiesta a beneficio de los revolucionarios rusos, celebrada en París en la época en que «...[París] seguía siendo para los nautas del ideal lo que esos luceros que desde el firmamento sostienen la orientación del caminante: luz y amparo al mismo tiempo» (p. 89). Cipriani, prolijamente descrito en lo físico y en lo espiritual, se encuentra en la aludida fiesta; en el momento de ponerse a hablar se le recuerda de la siguiente manera:

> ... Como si llevara una hoguera en las entrañas, sus palabras eran ígneas, y al salir a borbotones como chorros de vapor, de sus labios, me producían una impresión candente. Yo busco siempre para mi vida moral temperaturas de amor y de concordia.
> Y huí de aquel hombre, del incendio de su palabra, hacia fuera, hacia la vida... Una estrella, que ardía más alta que las otras, me dijo mi pequeñez y la inanidad de nuestros medios cuando tratamos de rectificar las invisibles cifras del destino (página 92).

Originalmente, ese escrito, que aparece en *Iluminaciones*, fue uno de los varios *bocetos* que publicó Sawa en el periódico *España* (11 de febrero de 1904). Un par de años después, en *El Liberal* (7 de octubre de 1906), se encuentra una colaboración suya, titulada «Adam Gliska. Un recuerdo»; con la excepción de un breve párrafo inicial en el que se da la noticia del fallecimiento del político húngaro en Nueva York, se reproduce, en forma casi idéntica, todo lo que se había escrito dos años antes acerca de Amílcar Cipriani, hasta la descripción final, así como lo que hemos transcrito arriba sobre sus modos candentes de hablar (1):

> ... Yo le veía, a pesar de su indumentaria moderna, tan semejante a la nuestra, vestido con un sayal y ciñendo sus ijares con un cilicio, pero con un casco guerrero en la cabeza...
> Muchas veces he pensado que esa clase de hombres son frailes invertidos. La Revolución tiene sus cenobitas, y no es raro encontrar entre ellos esa variedad de las antiguas Ordenes monásticas, que se llama el anacoreta soldado, el fraile bélico. Digo que podría vislumbrarse el sayal del anacoreta envolviendo la levita mundana del viejo luchador húngaro. Sólo que con el verbo en la boca y la espada en la mano, la figura de Adam Gliska no invitaba a pensar en las placideces del claustro para nada.

Si se tienen en cuenta las frecuentes duplicaciones y repeticiones de textos, el número de páginas que escribió realmente Sawa para los periódicos no es tan grande como parece a primera vista. No era, pues, como algunos periodistas de entonces, por ejemplo, Gómez Carrillo, Azorín, Maeztu o Bonafoux, que escribían una crónica diaria para la prensa. Pienso, además, quizá con poco fundamento, que lo mejor y más característico de Sawa pudo quedar en la mesa de los cafés de la Puerta del Sol, sin llegar nunca a las letras de molde. Lo que sí cabe afirmar con mayor seguridad es que escribió la mitad de lo que hubiera podido escribir, de no haber desperdiciado su talento a impulsos de su bien conocida pereza y de sus irregulares hábitos de vida.

La prosa periodística de Alejandro Sawa, bastante variada en lo que respecta a sus temas, fluctúa especialmente entre dos formas, que a su vez se caracterizan sobre

---

(1) Quiero señalar aquí otro caso muy parecido, aunque menos exagerado. En 1903, aparece en *A B C* una breve nota necrológica sobre Sarafoff con el título «Un héroe muerto» (23 de octubre de 1903). En gran parte, ese mismo texto se copia cuando Sawa escribe para *España* (27 de enero de 1904) el retrato mucho más extenso de «Nicomedes Nikoff», artículo que luego pasará a *Iluminaciones* (pp. 34-40).

todo por su flexibilidad, lo cual hace más difícil un deslinde preciso: la crónica y el ensayo breve. La sustancia intelectual del ensayo y su brillo expresivo se combinan con el arte del ingenioso comentario, que abarca hechos de la actualidad implícitos en la crónica. Como luego se verá, no sólo es Sawa intérprete de los problemas de su tiempo, sino que también cultiva otras formas de prosa, entre ellas, con acierto, la semblanza literaria·y el cuento.

A partir de Martí y Gutiérrez Nájera, en América, uno de los géneros literarios cultivados en la época modernista con mayor éxito fue la crónica. Casi todos los prosistas del período, tanto los hispanoamericanos como los españoles, pasaron por la dura escuela de las redacciones periodísticas. La crónica modernista, esencialmente lírica e impresionista, estaba llena de efusiones verbales. Los escritores jóvenes intentaban dar tanto brillo a la prosa artística como al verso, manteniendo en ella una alta tensión poética. ¿Cuáles eran algunos de los ideales conceptuales y expresivos del cronista, cuyo fin primordial era, desde luego, informar y deleitar a sus lectores mediante su movido comentario sobre la actualidad? Por su propia naturaleza, el género no admite una definición exacta; pero veamos lo que dice Gómez Carrillo, sin disputa en aquella época el príncipe de los cronistas americanos, cuya prosa ágil se dedicaba con extraordinaria destreza al comentario brillante de los temas más ocasionales (2):

> ¿Qué es la crónica?
> Este dice:
> —Es una sonrisa en la prosa diaria del periodismo.
> Aquel asegura que es la conciencia de la actualidad social.
> El otro murmura:
> —Es el libro de memorias sentimentales de nuestra época.
> En realidad, es esto y es más, puesto que es todo. Abeja, liba con ática voluptuosidad la miel dorada de las ideas; ave, atraviesa sin fatiga inmensos espacios ideológicos; libélula, vive gozosa entre flores de retórica.
> Como el poeta, la crónica sabe hacer «pequeñas canciones» con las «grandes penas». Como el geólogo, reconstruye, contemplando un hueso, la vida de toda una época.
> Es, además, un resumen de la literatura de cada país, de cada generación.
> Los noveladores, los poetas, los filósofos, los publicistas, se especializan cada día más. Los cronistas no, porque son de consuno noveladores y poetas, filósofos y publicistas, psicólogos y

---

(2) Enrique Gómez Carrillo, «La crónica parisiense», *El Liberal*, 3 de febrero de 1902.

artistas. El universo entero les pertenece. Les pertenece con sus almas y sus paisajes, con sus crímenes, con sus felonías, con sus lágrimas, con sus dolores, con sus goces, con sus heroísmos, con sus noblezas, con lo que se ve y con lo que no se ve; con el mundo y los mundos, en fin.

La prosa periodística de Sawa no era esencialmente lírica, sino que constituía, sobre todo, un vehículo para la expresión de sus ideas, lo cual no quiere decir que en algún momento no alcance cierta tensión poética. Su estilo, sin embargo, no es preciosista, ni se entrega, a expensas del contenido, a meras efusiones expresivas y a frivolidades exquisitas. Aunque en su última época de convencido idealista quede muy atrás el llamado naturalismo de la década de los ochenta, su prosa no es una prosa que posea los brillantes procedimientos imaginativos que suelen caracterizar la nueva prosa modernista. La hermosa página impresionista, elaborada con todos los juegos de luz y de color, o a base de un derroche de metáforas sensoriales, se encuentra pocas veces en la obra de Alejandro Sawa. La suya es, por el contrario, una prosa afirmativa y enfática; en casi nada se parece, por ejemplo, a aquella modalidad leve y alada, entre fantástica y humorista, que era tan típica del mexicano Gutiérrez Nájera, digno antecesor en ese aspecto de la prosa de Darío. Sawa era más serio y, si se quiere, más comprometido; no poseía la deliciosa espontaneidad y la agilidad expresiva del mexicano. Sus crónicas eran siempre algo más que un golpe de espuma retórica; siempre se muestra en ellas ajeno a la frivolidad del esteticista, que se inspiraba más en el arte que en la vida. Empleando los términos de Gómez Carrillo, en el pasaje antes citado, Sawa era *abeja, ave* y *libélula* debido a las amplias perspectivas ideológicas de su prosa y a su bello estilo, enderezado hacia la eficaz expresión de su pensamiento. Aunque le servía la prosa especialmente para la formulación de sus ideas, como a José Martí, no tiene nunca Sawa la riqueza verbal ni rítmica que hace del cubano un periodista único. Tan sólo en muy contados momentos alcanza la dimensión épica de aquél.

A mi juicio, Alejandro Sawa, tal vez sin tener plena conciencia de ello, al comentar en 1908 un asunto banal (el viaje del rey a Barcelona), da la pauta de su propio concepto de periodista (3):

---

(3) «Vaguedades», *Los Lunes de El Imparcial*, 9 de mayo de 1908.

241

Quisiera yo algunas veces poder aplicar a las artes de la palabra los procedimientos mecánicos de que dispone la pintura, por ejemplo, para ser absolutamente gráfico lo que cuento; pero ya que tal empeño no sea posible, habré de resignarme, mero cronista, a narrar, sin más glosa que la indispensable, a dar articulaciones de vida a la pobre y fría palabra escrita, lo que he oído acerca del actual viaje regio a Barcelona, jurando de antemano que en esta labor de evocación mi modestia es tan sentida, que no quisiera ser considerado, momentáneamente, sino como un buen fonógrafo en ejercicio. Y se mostrará mi alma, cuando llegue la sazón del comentario, erguida como una llama.

Parece darse cuenta aquí nuestro autor de la humildad del oficio de cronista y de la ley narrativa del género, cuya eficacia en gran parte depende necesariamente de lo que él llama la expresión *gráfica*. Sawa quiere dar una vitalidad especial a la palabra escrita o, como dice en otro texto («Cuentos irónicos», *Los Lunes de El Imparcial*, 14 de septiembre de 1908), contar «sin geometrías de estilo», recogiendo los testimonios *objetivos* de su íntimo contacto con la realidad social. Sólo se le verá el alma en el comentario *subjetivo* destinado a enjuiciar, intelectual o sentimentalmente, los hechos de que se trate.

Quisiera llamar también la atención sobre dos casos concretos tomados de los artículos de Sawa, porque pueden considerarse en cierto sentido típicos de su arte de cronista. Acerca del tema abstracto del amor, aparece en *El Liberal* (23 de abril de 1907) una página suya titulada «Crónica. El misterio de los siglos». El mismo texto aparece recogido en *Iluminaciones* (pp. 29-33). El punto de partida es la historia vulgar de una mujer abandonada por su marido. Para subrayar de una vez el aparente contraste que puede percibirse con facilidad entre el estilo elaborado del cronista y la vulgaridad del asunto que va a narrar, leamos el párrafo inicial del texto:

Voy a contar someramente una historia vulgar, tanto como la de una flor que se mustia y se deshoja. Recientemente los tribunales llamados de Justicia han entendido en un asunto cuyos puntos cardinales pueden estar limitados por las siguientes líneas: Fulana de Tal amaba a su esposo, que la abandonó a otras influencias femeninas más poderosas que las conyugales. Inútiles fueron cuantos esfuerzos hizo para soldar de nuevo a la suya la voluntad refractaria de su marido. Es indudable que encendió velas al pie de los altares, que ofreció exvotos, que se ensangrentó las rodillas arrastrándolas sobre las losas de los

templos, que invocó a esas fuerzas tutelares de la vida que con
tanta esplendidez regalan promesas a los desesperados y a los
candorosos; pero inútilmente.

La anécdota debe de ser muy familiar a sus lectores, prosigue Sawa, por haber sido muy comentada durante aquellos días en la prensa madrileña. De repente salta el autor
del hecho cotidiano a otro plano mucho más abstracto:

... Pero pocos advirtieron que esa vulgar gacetilla es un drama
cuyo personaje principal es la inmutable alma humana, y que
esa mujer cualquiera se llama la mujer, y que los polizontes
y curiales que intervinieron en el prosaico suceso judicial, re-
volvieron, sin notarlo, más pedrería que si hubieran hundido los
brazos en los tesoros mágicos de un gnomo.
Es una malaventurada historia de amor la que contienen esas
hojas de papel de oficio, y al estampar el potentísimo vocablo
se levantan en mi memoria, con arrogancias conquistadoras, toda
una legión de frases, más vivas todavía que la mano ardiente
que ahora mismo escribe estas líneas; desde la convulsión rit-
mada de la carmelita de Avila hasta el decir, sombrío como un
epitafio, de esa alma de ermitaño que fue Proudhon: «la mujer
es la desolación del justo».

De ahí arrancan toda una serie de prolijas variaciones,
eminentemente literarias (Nietzsche, Flaubert, Heine, Renan, Lamartine y otros), sobre el tema del amor, cuyas
letras nunca llegan a formar un alfabeto racional, porque
el amor no admite definiciones ni dogmas. Por tal motivo
escribe Sawa:

Por eso danza eternamente al compás del mismo ritmo, sagrado muchas veces, profano las más, en todas las latitudes de
la tierra.
El amor es el eterno contemporáneo. Tiene recuerdos del
Paraíso, y de ayer, de hoy mismo. Su cronos se llama Siempre,
y donde quiera que haya vida estad seguros de que existe. Ni
rústico ni ciudadano, es como el aire, que tampoco conoce ninguna suerte de demarcaciones civiles ni religiosas.
Como toda religión, tiene sus incrédulos, y como todos los
soles, impertinentes, más preocupados de las manchas que de
los resplandores. ¡Y caso montruoso! Cuando veáis que alguien
calla al comentarse el «tema eterno», decid de él, inapelable-
mente, que ese silencioso es un enamorado. Ningún poeta escribió un verso y ningún escultor levantó el martillo sobre el cin-
cel, irritados por la fiebre del amor. No tiene acción sino para
sí mismo. Es el gran ocioso que no acepta más trabajo que el
de la contemplación.

Después de haber afirmado que el amor va unido a la
muerte y que está lleno de contrastes («mancebo, es adus-

to como el ademán de un fraile; senil, es tan jovial como la pirueta de una bailarina»), Sawa termina su crónica con una breve alusión a dos enamorados anónimos, que prefirieron morir unidos a separarse por un solo momento, y también a que el mismo caso se había repetido hacía poco, cuando Berthelot no quiso sobrevivir a su compañera:

> ...Fue, más que pío, justiciero el gobierno francés, ordenando la traslación de aquellos altos amantes al Panteón, que así resultaría un templo absoluto, porque habrá en él, de hoy en adelante, el Amor al lado de la Sabiduría y la Virtud, trinidad santa, sin la cual no hay nada de inviolablemente excelso sobre la tierra.

Partiendo de una historia cualquiera, el cronista la elabora, dándole una inesperada proyección hacia un plano superior, y sobre esa base objetiva traza su breve texto, no exento de felicidades de pensamiento y de ejecución verbal. Ha logrado su forma gráfica, si se quiere, y diserta con ingenio y agilidad sobre aquel tema eterno del amor (4).

---

(4) Sawa publica en *El Liberal* (29 de marzo de 1907) otro texto significativo, con el título «Un viejo tema», en el que habla de nuevo del amor. En el bello y terrible juego del amor, el hombre puede ser feliz o maldito, siempre o por un lapso de tiempo, según los casos. Idéntica ley preside el amor humano y el de los animales. El amor de Romeo y Julieta es igual a las nupcias del lobo y la loba. También a veces perece el amor, tragado fatalmente por el mar: «¿acaso hay modo de suprimir la tempestad, el terremoto y el rayo, ni tampoco las potentes marejadas de las almas?». El autor pasa a hablar ahora de los crímenes de pasión, más extendidos a su juicio en los países de mayor cultura, y reconoce que la civilización no ha podido nunca cambiar las entrañas del hombre («La misma cantidad de bilis segrega el hígado moderno que el hígado ancestral»). De los crímenes en Francia e Inglaterra dice Sawa: «...Leed, sin embargo, la prensa francesa. Da horror. Penden de sus columnas, como de los garfios [de] una carnicería, diariamente, constantemente, los restos descuartizados, formando legión de víctimas y victimarios inmolados, ante la gran efigie invisible y ubicua del siniestro Molloch, que parece presidir los destinos de la vida. Los crímenes ingleses superan en horror a todo lo que Hoffmann pudiera ver en el fondo de su gran jarro de cerveza negra.» Insiste Sawa también en la inmutabilidad de las pasiones humanas: «El vicio y la virtud son inmortales. La pasión también. Por eso, de toda la eternidad, el hombre ama y odia; tiene igualmente apercibidos la dentellada y el beso. ¿Os vais a maravillar de que los océanos tengan mareas y los hombres pleamares de angustias y deseos impotentes que se resuelven en sangre?» Según dice, siente compasión por el matador y la víctima. Hacia finales del texto que glosamos, se leen las siguientes palabras que merecen citarse: «A medida que avanzo por la ruta

En *Iluminaciones* (pp. 123-128) se hallan unas sentidas páginas, en las cuales se reconstruye la triste vida de un pobre obrero que, tirado en medio del arroyo, murió de hambre en la moderna ciudad de Madrid. Según dice Sawa, no cuesta trabajo contar su miserable vida, porque es la historia de tantos otros. El mismo texto, con unas cuantas variantes estilísticas de poca importancia, se había publicado dos veces antes: primero en *Nuevo Mundo* (XI, núm. 551, 28 de julio de 1904) y en *El Liberal* (25 de septiembre de 1907), con el título «Crónica. Siempre así». A Sawa le hubiera gustado escribir sobre temas joviales; según él mismo dice, cree que la risa debería ser más propia en el hombre que el llanto:

> ... Pero Dios no lo quiere, los hombres no lo consienten, y allá vamos peregrinos de lo Desconocido durante todo el tiempo que empleamos en reconocer la carretera de la vida, huérfanos de la Ilusión, al salir de los rosados limbos de la adolescencia, viudos de todos los amores, apenas llegados a la sazón de amor; allá vamos acariciados o azotados por brisas o ciclones hacia el tremendo misterio de la muerte, con la inconsciencia y la desaprensión con que los átomos se desprenden, se ayuntan, se combinan y se disgregan en las alquimias vertiginosas de la Naturaleza. Por eso, quizás, en la última página de los libros eternos, hay una lágrima perennemente viva, bien visible para los que saben leer, y el legado de los siglos puede expresarse con algunos bostezos, muchas imprecaciones e innumerables sollozos (*Iluminaciones*, pp. 123-124).

Para comprobar que la vida es dolor hay tan sólo que leer los periódicos, y así documentarse sobre la cotidiana historia de los hechos. Sawa arranca de esta aseveración sobre la prensa para relatar la dolorosa biografía de aquel desdichado obrero muerto en Madrid («capital de nuestra sociedad democrática y cristiana», pp. 124-125):

> Nació en un tugurio y podría jurarse que tuvo por nodriza un pecho seco, y por padres el diente de una rueda o la manivela de un motor en uno cualquiera de nuestros infiernos industriales. O bien en medio de los campos, en plena Naturaleza, hosca y cruel para los que colaboran en la obra de hacerla producir lo que de otro modo nos negaría inexorablemente; amable para los ociosos... (p. 125).

---

mortal, siento cómo se funden todos mis rencores en una gran misericordia. Y a pesar de las bellas puestas de sol, de las euritmias femeninas y de estos dulces días primaverales, vivir es tan amargo, que a las veces se me antoja como una extraña condena sin redención posible. Largas caravanas de forzados son las generaciones, y de entre ellas, los díscolos y los anormales no son, ciertamente, los menos dignos de compasión.»

En esa historia lúgubre hubo un solo momento de luz y de aparente tregua en la lucha diaria por la existencia. Duró poco tiempo:

> Había habido, pues, una aurora en su existencia: el día en que conoció a la que desde entonces fue la compañera de su vida. Fusión de dos miserias, conjugación de dos destinos maldecidos. Tisis y anemia. ¡Y ellos se creían sanos, los albos desposados! Un poeta los hubiera dicho augustos.
> El amor no dura mucho en los hogares sin pan y sin lumbre... Quiero decir, en los hogares donde no hay bastante pan para ignorar el hambre, bastante lumbre para ignorar el frío. Ya se desvaneció todo: Aquella aurora —y el ambiente de poesía que determinara— y la alegría de vivir que había encendido en el alma de aquellos grandes enamorados plebeyos.
> Fue como una de esas estrellas errantes: tan pronto oro como sombra eterna. Concluyó todo para siempre, para siempre, para no volver jamás. *Nihil...* (*Ibídem*, p. 127).

Una temprana y distinta versión del mismo texto apareció en *Don Quijote* (VI, núm. 31, 30 de julio de 1897) titulado «Lo de siempre». Quisiera referirme brevemente a ella, porque revela aún con más claridad otro aspecto del modo de trabajar de nuestro autor, y cómo solía partir de lo que parece ser una realidad objetiva para luego llevarla, según hemos visto, a un plano más abstracto o intelectualizado. Ahora el punto de partida es muy concreto. Se trata de un epígrafe —«La miseria en Madrid»—, tomado aparentemente de una desoladora nota de periódico, en la que se alude a un mendigo, Florentino García, que fue recogido, en compañía de su mujer y de su hijo, en uno de los arcos del puente de Toledo. Fueron conducidos a la Casa de Socorro; el pordiosero, que había perdido el uso de la palabra, fue allí curado (¡!) de una afección pulmonar y conducido en grave estado al Hospital Provincial. Así dice el recorte. Y nuestro autor exclama ¡la vieja infamia!

En términos más o menos idénticos se reconstruye de nuevo la vida del desafortunado Florentino García; Sawa dice conocerlo tan bien como la madre que lo engendró, porque el proceso de la miseria es monocromo. En el texto primitivo falta la larga digresión acerca de vida-dolor que aparece en el de 1907; pero se agrega un párrafo final que será suprimido en las otras versiones:

> Ya veis en lo que han venido a parar esas dos existencias ayuntadas para el trabajo. El hombre lo ha dado todo, la mujer no puede más. Y no teniendo nada más que dar, porque la so-

ciedad les ha exprimido todo, fenecen, sucumben bajo un puente, porque como las bestias, esa malhadada trinidad de parias
tiene el pudor sublime de esconderse para morir.

Eficaz es el detalle patético; el ataque directo a la sociedad como culpable está también patente en el párrafo inicial del texto de 1897:

> ... La fiera tiene su cubil, lo permite la Naturaleza; pero hay
> en estas sociedades que se llaman a sí propias civilizadas, hom-
> bres que carecen de un boquete bajo techado en que cobijarse,
> y que faltos de todo, ¡Dios mío, de todo!, se acuestan donde los
> perros vagabundos repugnarían hacerlo, y viven de lo que sería
> un detritus hasta para los gusanos que surgen y se regodean
> en los cuerpos muertos. ¡Pobres transeúntes de la vida, con-
> sagran los reyes de la Creación por decreto de la Historia Natu-
> ral que enseñan en las escuelas, y destituidos de todos cuantos
> derechos alcanzan a los micos!

Tanto la crónica como el ensayo breve generalmente
exigen un mínimo compromiso con la realidad, aunque
uno de los rasgos principales de ambas formas sea el ingenio o la fantasía. En los dos casos se trata de un arte
de miniatura que, paradójicamente, se atreve a abarcarlo
todo en un libre juego de ideas o comentario de acontecimientos; esas formas mixtas e híbridas, de confines fluc-
tuantes, requieren una gracia y una agilidad, tanto mental como verbal, que permite la rápida y eficaz presentación de las más variadas ideas, las cuales deben ir vestidas
de cierto ropaje imaginativo, sin que se comprometa en la
crónica la narración de los hechos.

No es mi intención procurar clasificar las prosas misceláneas de Alejandro Sawa en una serie de rígidas categorías formales. En el esquema ordenador que ahora propongo, los límites fluctúan necesariamente entre una y otra
forma. Por sus cualidades tan distintas no es fácil reducir
los textos en cuestión a un denominador común: el criterio que utilizo en mi intento de delimitación está pensado
para mantener en todo lo posible la flexibilidad. Sin embargo, en la obra periodística de Sawa pueden diferenciar-
se, a mi parecer, cinco tipos básicos de prosa. Son los siguientes:

Primer grupo: las prosas que tratan de escritores y
artistas, extranjeros y nacionales, o de figuras eminentes
de la política y la sociedad. Sawa no es crítico literario,
en el sentido estricto de la palabra, ni aspira a serlo; los
numerosos textos que integran este grupo inicial son fun-

damentalmente semblanzas y bocetos literarios o políticos. A mi juicio, tenía Sawa un talento especial para el arte del retrato; sabe captar detalles pertinentes, que siempre contribuyen de alguna manera a la acertada presentación de los personajes de su galería. De hecho, pienso que no pocas de las páginas más intensas de nuestro autor corresponden a esta primera agrupación. En *Iluminaciones*, por ejemplo, Sawa suele agrupar los textos dedicados a semblanzas bajo el rótulo genérico «De mi iconografía». Si un individuo no le agrada, lo excluye de su museo interior o iconografía. Y así escribe de Rousseau que «es uno de los santos de mi iconografía» («Las casas hablan», *Nuevo Mundo* (XIV, núm. 708, 1 de agosto de 1907); pero en otro lugar dice que «Núñez de Arce no forma parte de mi iconografía personal» (*Iluminaciones*, página 128) o que Castelar «...no figura en la iconografía de los hombres de mi generación; no tiene altares en nuestras creencias» (*Ibídem*, p. 109). *Ejemplos:* entre los extranjeros a quienes dedica Sawa páginas significativas podemos mencionar a los siguientes: Verlaine, Musset, Baudelaire, Zola, Hugo, Rousseau, Maeterlinck, Vicaire, Morice, Gauguin, Napoleón, Waldeck-Rousseau, Nikoff, Luisa Michel, De Quincey, Poe, Bark, etc. Acerca de algunos hispánicos también escribe textos sutanciosos: Canalejas, Sagasta, Castelar, Salvochea, Nieto, Burell, Baroja, Pereda, Campoamor, Santos Chocano, Cavia, Sofía Casanova, Castillo y Soriano, Matheu, Frollo (Ernesto López), Gómez Carrillo, etc. Conviene señalar aquí un criterio que parece haber guiado a Sawa en sus bocetos críticos:

> Notad que todos los críticos son miopes y usan antiparras. Acercándose demasiado a la nariz, por deficiencia del órgano visual, las páginas del libro que tienen entre las manos, ven los defectos tipográficos, las cualidades de la estampación, los poros y los granos del papel, no el alma del escritor, que ha necesidad, siempre, de los grandes horizontes para· ser vista en su justa perspectiva (*Iluminaciones*, pp. 113-114).

En otras palabras, es partidario de una crítica esencial, que pasa por alto los meros defectos superficiales o mecánicos, para calar más hondo en el espíritu del artista desde unos postulados universales y no mezquinos.

Grupo segundo: las muchas prosas de tipo ideológico, en las cuales Sawa expone un concepto de la vida o adopta una actitud ante el mundo. Esos textos son los que mayor variedad formal ofrecen, oscilando, como ya se dijo, entre la crónica y el ensayo breve, a veces de tema social o político. *Ejemplos:* citemos al azar algunos títulos heterogéneos: «Ungibus et rostro», «La ola negra» (ambos tratan de la política del Desastre), «Fiestas de Mayo», «Feminismo», «Fariseísmo», «El que no nació jamás» o «Los desertores del ideal», «Fisonomía de los meses», «Los superhombres de la política», «El patriotismo español», «Los profesores de energía», «El hombre superior», etc.

Grupo tercero: un número más reducido de páginas que tienen factura de cuento. A veces son parábolas o alegorías con andadura narrativa. *Ejemplos:* «Banderín de enganche», «Seres dobles», «El desfile», «Fantasías», «Los ocasos del amor», «Ante el misterio» o «La mujer enigma», «Historia de una reina», etc.

Grupo cuarto: las prosas que parecen inspirarse directamente en los acontecimientos del día y que relatan, por lo visto, anécdotas de la vida del autor. Tienen, sobre todo, entonces interés biográfico estas páginas. *Ejemplos:* «Autobiografía», «La fiesta de la juventud» y otros textos que figuran en *Iluminaciones,* en los cuales Sawa habla de sus experiencias en París, en Bélgica, etc.

Grupo quinto: entre los escritos que forman *Iluminaciones* (algunos de ellos publicados también en la revista *Helios*) hay una serie de fragmentos breves, de alto valor personal y subjetivo, en los que Sawa suele expresar su propia intimidad, concretando un estado de ánimo o un simple sentimiento. Esos textos cortos se asemejan al apunte propio de un diario; a veces tienen también calidad de aforismo. Debe recordarse aquí que Sawa habla en una carta de 1908 a Darío de sus «gacetillas tremendas, que siempre serán inéditas» (5). Los pequeños fragmentos que clasificamos en este último grupo son precisamente *gacetillas,* que el autor decide publicar al ordenar los textos de su libro. En la parte final del capítulo V («El hombre en sus textos») se citaron una serie de esos aforismos o breves parábolas, referidos sobre todo al desaliento y al dolor de vivir que expresaba Sawa. Leamos ahora otros ejemplos tomados de *Iluminaciones:*

(a) La lepra atrae; la salud rechaza.
Un leproso encontrará siempre otro que se le una. Lo propio del hombre sano es la soledad (p. 24).

---

(5) Dictino Alvarez, *Cartas de Rubén Darío,* p. 64.

(b) Pero cuidaos de no alzar las hojas del almanaque. Otra vez el tedio acecha a la humanidad detrás del Miércoles de Ceniza (p. 113).

(c) Cuando un hombre esquiva la mirada esconde el alma (página 218).

(d) Sólo en el cielo son bellos los crepúsculos, porque la muerte es siempre hermosa cuando sirve de pregón a una nueva vida (p. 241).

(e) Muchos hombres son revolucionarios porque se hallan incómodos en la vida; dadles el triunfo de sus ideas y se mostrarán conservadores de las ideas contrarias (*Ibídem*).

Pueden también incorporarse a este mismo grupo de prosas los breves pasajes en que Sawa se refiere a la enfermedad y la muerte de su padre, así como en otros a su hija Elena y a su *santa* mujer (6). En otros lugares habla también de su ceguera; en el siguiente ejemplo se combina la alusión circunstancial con un hecho mucho más espiritualizado:

> Dos días seguidos con un fuerte ataque de reuma en ambas piernas y obligado a salir a la calle, sin embargo. ¿Que cómo? Arrastrándome. ¡Yo que a menudo siento dolores en los costados, como si me quisieran brotar alas! (*Iluminaciones*, p. 218).

No quiero dejar de insistir, por último, en que la clasificación que acabo de hacer de las prosas periodísticas de Alejandro Sawa corresponde a un método convencional, que aspira fundamentalmente a conservar un criterio elástico, de acuerdo con lo que requiere la naturaleza heterogénea de ese cuerpo de textos breves.

Antes de pasar al estudio directo de los escritos de Sawa convendría que volviésemos un momento sobre *Iluminaciones en la sombra*, aquel libro misceláneo aparecido en 1910, un año después de la muerte de su autor. Se ha hablado ya de las circunstancias de su publicación y del prólogo que para él escribió Rubén Darío. Como atestiguan sus cartas, Sawa se obsesionaba por este último libro suyo; en 1908 lo tenía ya listo para la imprenta.

---

(6) Quisiera citar aquí una tierna entrada publicada en *Iluminaciones* (p. 93), que dice así: «Mi nota del día es que hoy tengo a Elena enferma y en la cama. Anoche tuve fiebre porque creí notar en la niña un poco de destemplanza, y ahora estoy totalmente enfermo de emoción porque hace un instante la he oído cantar desde su camita no sé qué vaga y tímida melopea, que por venir de tales labios, en estas circunstancias, me sonó en las entrañas mejor que todos los acontecimientos musicales de Wagner.»

Quiero advertir de nuevo que la ordenación de los textos fue realizada por el propio escritor; en su arreglo, Sawa no sigue un plan cronológico, sino que alterna ciertos fragmentos de contenido muy variado con aquel numeroso grupo de prosas encabezadas por el epígrafe «De mi iconografía». Bajo este rótulo, como ya dije, se recogen páginas sobre escritores o figuras públicas de su estima. Que sepamos, los pasajes más antiguos del libro se remontan al año 1897; los más recientes corresponden a los últimos meses de 1908. Muchos de los textos sufren también, en su versión definitiva, cambios y supresiones.

Otra cosa notable apenas advertida hasta ahora: el libro adopta a veces la forma de un diario íntimo. Se indican, por ejemplo, las fechas, y hasta la hora, en algunas anotaciones. Al comienzo de su obra, Sawa dice que va a escribir todos los días estas hojas de su dietario (el título de las cuatro entregas publicadas en la revista *Helios*, entre 1903 y 1904, era «Dietario de un alma»), y continúa:

> ... luego repartiré mis jornadas en zonas de acción paralelas aunque heterogéneas; y digo paralelas, porque todas han de estar influidas por el mismo pensamiento que me llena por completo: la formación de mi personalidad (p. 22).

Por tanto, el eje estructural del libro es la personalidad misma del autor, con todos los altibajos, contradicciones y flaquezas del ser humano. Leamos, por ejemplo, la entrada, que corresponde aparentemente al «Día 3, a hora indeterminada de la mañana»:

> He dormido mal: sin haberme pasado la noche odiando como el ogro teutón, no he amado tampoco. He leído y he tosido mucho, hasta llegar al abotargamiento del cerebro y a sentir como desencajadas las tablas del pecho.
>
> El día ha amanecido espléndido. ¿Qué me reservará? (p. 29).

O esta otra en la que se transparenta el desaliento del escritor:

> ¡Este pobre dietario! ¡Cuántos días sin manchar de negro una sola página! Durante ellos, ¡qué sé yo! Ha llovido fuego del cielo sobre mi cabeza; he empeñado mis muebles para que no me expulsen de la casa; he sufrido hambre de pan y sed de justicia; me he sentido positivamente morir, sin acabar de fenecer nunca...
>
> Ya no pido sino sueño. Quiero dormir. Dormir (pp. 148-149).

Un mismo tono, entre íntimo e informativo, caracteriza el último fragmento que citaré, un texto en que el autor describe sus hábitos de vivir y su doloroso estado de alma:

> No salí ayer de casa por miedo a que la gente echara de ver mi inopia cerebral. Me pasé todo el día ante el balcón cerrado mirando allá a lo lejos, y me acosté a las seis de la tarde. Las once de la mañana son y estoy escribiendo estas líneas en la cama.
>
> No es pereza, sino postración. Estoy rendido de andar y de ver caras nuevas, como un caminante. Agorafobia llaman los médicos a la sensación de miedo que ataca a los atáxicos en la calle, haciéndolos ver zanjas y pozos abiertos por todas partes. Así, y de un modo más propio, debería calificarse la enfermedad moral que me consume. Agorafobia: horror de la ciudad, horror de la plaza pública, horror de la gente (p. 183).

Yo no creo que el dolor de estas líneas sea una mera figura retórica, sino que su expresión corresponde a una realidad sentida verdaderamente por el escritor. Como ya se ha dicho, todos o casi todos los textos principales de *Iluminaciones* habían sido publicados anteriormente; pero, con una sola excepción («Carnestolendas», pp. 110-113, cuyo título original era sencillamente «Crónica» al publicarse en *España* con fecha de 7 de marzo de 1905), al pasar al libro en 1910 fueron despojados de sus títulos, lo cual permite dar la ilusión de un texto más unitario y menos fragmentado.

Para completar mi estudio sobre el escritor Alejandro Sawa, en las páginas que siguen me ocuparé de su prosa periodística, concentrándome de modo especial en las tres primeras modalidades diferenciadas en mi clasificación previa. Las otras dos (grupos cuarto y quinto) han sido liberalmente aprovechadas hasta ahora y no exigen por tanto más comentario. Me propongo estudiar primero las semblanzas y bocetos que hace Sawa de algunas figuras extranjeras y nacionales; intentaré luego abarcar algunos de los aspectos más sobresalientes de sus crónicas y ensayos; y, por último, procuraré examinar sus cuentos y los breves textos narrativos.

*Sobre las semblanzas y bocetos:
figuras extranjeras y nacionales*

(a) *Algunos extranjeros*

Creo que entre las muchas personas que ocupan un puesto de honor en la iconografía interior de Alejandro Sawa predominan los extranjeros; de ellos, la mayoría son, naturalmente, escritores franceses. De no pocos artistas conserva recuerdos personales por su convivencia en el Barrio Latino durante los últimos años del XIX, donde se celebraban aquellas espléndidas veladas literarias «en las que el arte era el absoluto tema y el verso el único lenguaje, el lenguaje sacerdotal de los congregados» (*Iluminaciones*, p. 74). Basta que se recuerden aquí algunos personajes máximos del museo del propio Sawa, así como algunos textos que confirman sus afinidades artísticas y espirituales.

En páginas anteriores me he referido con cierta extensión a los diversos textos en que aparece en primer término Paul Verlaine, el amigo y compañero predilecto de aquellos días y de aquellas noches parisienses. Es, pues, «una de las evidentes estrellas del zodíaco» (*Ibídem*, página 191). Con indudable acierto y conocimiento profundo, Sawa escribe además las siguientes líneas, que hasta ahora no he citado sino en parte:

... Sólo Verlaine es plural de tonos, porque su alma irreductible estaba formada sólo de matices.

En mi nebulosa de arte, Verlaine luce como un arco iris de ensueño mejor aún que como una estrella.

Ese prodigioso manipulador de matices fue, sin embargo, en la vida como un gran espesor de sombra capaz del pensamiento y del sentimiento, de la idea y del sollozo.

Cuando le evoco, se me aparece negro siempre, como la visión demoníaca de un fraile embrujado por la pesadilla del infierno, o pardo, como un santo de Ribera, acribillado de parásitos (*Ibídem*, pp. 191-192).

Desde un principio habría que volver a decir que al trazar las semblanzas de los amigos, o de sus autores sagrados, Sawa no se contenta con el mero dato exterior y mecánico de tipo biográfico. Más le interesa captar imaginativamente el rasgo único que diferencia de los demás al elegido. Para él todos los hombres son prácticamente idénticos en sus atributos más generales (*Ibídem*, p. 76).

253

El anterior fragmento sobre Verlaine revela con exactitud ese deseo de penetración psicológica, junto con el uso de ciertos colores simbólicos, relacionados, a su vez, con la pintura barroca.

Entre sus predilectos no podían faltar otros escritores de la misma familia de los satánicos y los malditos: por ejemplo, el sagrado tríptico, según dice Sawa, de Poe, Baudelaire y Musset. Parece identificarse de modo muy estrecho con Alfredo de Musset, concediendo siempre una atención especial al tema de sus amores y las mujeres que llenaron la breve vida del poeta («un gran pedazo de la vida de Musset transcurrió en el amor de María Malibrán-García. Jorge Sand fue para el poeta la alta mar, con sus injurias y peligros; la Malibrán, un puerto. Pero un puerto en una de esas islas azules de los mares lejanos, que son como la realización del ensueño», *Ibídem*, página 103); asimismo se detiene en la consideración de los últimos años, durante los cuales vivía casi olvidado y dominado enteramente por el alcohol. Tras evocarle en los heroicos tiempos de su adolescencia, dice luego Sawa:

> Yo lo veo moralmente con dos caras, bicéfalo, como un monstruo asiático: la cara plácida e iluminada por un sol de Atenas, de los días buenos, y luego, en los días malos, en los días de niebla y de alcohol, la cara fatal de un maldecido que purgara en la tierra crímenes que, por lo horrendos, no pudieran decirse (*Ibídem*, p. 43).

Y, en efecto, le parece mucho más interesante el Musset de la decadencia, «...porque siempre he creído a Lucifer más propio de la oda que al ángel bueno que guarda la entrada del Paraíso» (*Ibídem*, p. 44) (7).

El texto sobre Poe que se recoge en *Iluminaciones* (páginas 54-56) aparece separado en el libro del dedicado a Baudelaire (pp. 25-29). De ambos poetas se había ocupado Sawa en una misma crónica de *ABC* (25 de agosto de 1903); más tarde, con el título «Dos recuerdos del rayo y de la gloria», vuelve a publicarla, en una forma algo más extensa, en *Los Lunes de El Imparcial* (10 de febrero de

---

(7) De Sawa y de sus afinidades con Musset me he ocupado ya en forma extensa en el capítulo IV. Sobre Jorge Sand y Alfredo de Musset véanse otros textos de Sawa: «El sagrado de las cartas» [*Nuevo Mundo*, XIV, núm. 718, 10 de octubre de 1907]; «Aires de fuera» [*El Gráfico*, 6 de julio de 1904], y «Una nonagenaria» [*Nuevo Mundo*, XIV, núm. 697, 25 de abril de 1907].

1908). El autor insiste en la actualidad de los dos escritores: «Altos y fuertes ambos, como montañas que fueron concreciones de gloria, son, pues, de una actualidad permanente. Como tema literario, Homero es más contemporáneo nuestro que tal noticiero periódico de enfrente.» Y más adelante afirma de Baudelaire: «Era de ayer y de hoy. De ayer, por su parentesco moral con la Esfinge; de hoy, por su percepción taladrante de la vida.» Poe y Baudelaire, fatalmente unidos por tantas razones, fueron además tema de comentario periodístico en aquellos días por las siguientes circunstancias: en América se había hablado de conmemorar en forma debida el primer centenario del nacimiento de Poe; en el caso de Baudelaire, la Municipalidad había tomado el acuerdo de dar su nombre a la calle de Hauteville, donde nació. Para Sawa, Poe era un genio vilipendiado y no comprendido por una sociedad filistea; su temperamento no era americano, como los de Whitman o Longfellow. Nacido en París, dice, hubiera sido naturalmente del grupo de los poetas malditos. De estas breves páginas dedicadas al escritor norteamericano copiaré un solo fragmento:

A su muerte, ocurrida en una noche maldita, formada, ¡como tantas otras noches suyas!, por horas homicidas de aburrimiento q ⁀de aguardiente, la Prensa americana, todo el *caut* [*sic*] sajón, echó a vuelo las campanas para aventar a los cuatro puntos cardinales de la tierra las más estrictas intimidades del poeta, los episodios rojos de su vida errabunda salpicada de sangre propia, su pasión triste por el alcohol, su agonía solitaria sobre un banco público de un *square* en Baltimore, la muerte, su muerte luego, horrenda de vulgaridad, entre las sábanas anónimas de un establecimiento hospitalario... (*Iluminaciones*. pp. 55-56).

A las páginas escritas sobre Baudelaire pertenecen las siguientes palabras, igualmente significativas para entender las simpatías espirituales y artísticas de Sawa (8):

(8) Debo citar en nota los párrafos finales del artículo publicado en *El Imparcial*, puesto que no figuran en la versión dada en el libro: «... muchas veces se tapó su rostro apolíneo con la máscara de Momo, y algunas veces también se le corrió la máscara hasta las entrañas. Ese era el Baudelaire malo, el Baudelaire de los días lúgubres. Amó a una negra epiléptica, fue ateo de los sagrados mármoles, dijo «no» al sol venante, se tornó de espaldas a la vida, aspiró con voluptuosidad la ponzoña de las flores pateadas entre el tráfago de los bulevares, y quiso, loco, oponer su triste Venus de ébano apolillado a la gloriosa Maga pentélica. Purificado por los óleos del tiempo, el Baudelaire íntimo, el hombre triste que creyó en la morfina más que en la salud y

Fueron ésos sus días luminosos. Dios quiere que, hasta los más miserables, los tengan. Luego, el augusto ideal, todo alas, se tornó para Baudelaire en algo tan irónico, pero tan miserablemente irónico, como un león devorado de miseria... La desmemoranza de los otros comenzó a apoderarse del nombre de Baudelaire con la tozuda seguridad de un acrecer canceroso. Y a su muerte, una veintena de amigos siguieron al cadáver, y un centenar de líneas repartidas entre todos los periódicos bastaron para anunciar a los navegantes la extinción de uno de los faros más refulgentes de la tierra (*Ibídem*, p. 27).

Realmente Baudelaire fue un desdichado superior que trató de ocultar muchas veces el rictus facial de sus dolores con la máscara de Momo. Y al honrar la memoria del hombre que, según Victor Hugo, había creado un estremecimiento nuevo en el arte, París habrá dejado perennemente dibujado en el horizonte nordial de los pueblos un rasgo luminoso de justicia, y el alma triste de Baudelaire habrá, por fin, después de los breves días de sol del hotel Pimedan, después de los lívidos crepúsculos de París y de Bruselas, conocido las poderosamente balsámicas caricia de la gloria (*Ibídem*, p. 29).

Para nadie puede ser motivo de sorpresa, desde luego, ese estrecho parentesco entre Sawa y los llamados poetas malditos de la época, ni tampoco la afinidad espiritual que le unía con Musset. No debiera de olvidarse que otro poeta francés que siempre merece la mención más elogiosa en la prosa de Sawa es el mago o el divino Teófilo Gautier, como solía llamarlo, aunque no creo que le dedicara ninguna página extensa. Para terminar mi breve recorrido por algunos textos reveladores de las preferencias estéticas del escritor español, tan sólo quisiera llamar la atención sobre lo que dice de otros tres franceses, que, por lo visto, eran dioses mayores en la constelación de valores apreciados por Sawa: Jean-Jacques Rousseau, Víctor Hugo y Emilio Zola (9).

en los soles polares mejor que en nuestros soles latinos, sólo puede interesar al biógrafo. Los artistas, arrobados al penetrar en *Las flores del mal*, se signan, como en una soberbia catedral de Arte.»

(9) En *Iluminaciones* (pp. 248-249) figura una brevísima nota simpática sobre el ahora olvidado Catulle Mendès, que tanta influencia tuvo en la época. Mucho lo admiraba Sawa, quien se pregunta qué tiene de más o menos ese escritor para no ser una de las cumbres del arte moderno; en todo ha triunfado y, a pesar de ello, continúa siendo un desgraciado dios menor. Dice con acierto de Mendès lo siguiente: «... Cruzado del Arte, Bayardo de la Estética, caballero del Drama, comendador del Cuento, último condestable quizás de los Poemas cuya acción ocurre en lo alto, homérida póstumo de los bellos gestos y decires rítmicos, Catulle Mendès no es, sin embargo, sino un segundón brillante de la literatura contemporánea... Ha perfeccionado, hasta la

En uno de los bocetos que Sawa publicó en el periódico *España* (6 de agosto de 1904), con el título «Los Charmettes», se ocupa de los días apacibles y plácidos que pasó Rousseau al lado de Madame Warens en aquel poético retiro campestre (10). El pretexto del artículo fue el haber leído en algún diario francés que el Gobierno iba a adquirir la casa donde se vivió aquella égloga para declararla monumento nacional. *Les Charmettes* eran para el escritor un refugio necesario, en el que «...halló Rousseau los solos bálsamos que cohonestan el suplicio de vivir: la amistad amorosa, la despensa bien provista, los bellos paisajes y el trabajo sin precipitación y a sus horas. Fue un puerto, digo...». Al final de esta página, de tono evidentemente nostálgico por un bienestar que nunca conoció Sawa y que siempre anhelaba, vuelve a afirmar que sólo allí era posible que escapara del dolor de la vida que antes se le había revelado «bajo la forma exclusiva de una garra o de un puño cerrado que amenaza». El escritor que encontró en *Les Charmettes* refugio en los brazos de su amiga renace: «...no es el filósofo agriado y desengañado de Montmorency, sino un Rousseau joven, vibrante, enamorado, poeta... soñador que decoraba su amor con el nombre de virtud. Sólo allí se llega a comprenderle en sus contemplaciones y en sus deliquios. A través de las brumas del pasado, toda su felicidad desvanecida resurge y toma cuerpo ante la visión, todavía perenne, de *Les Charmettes*».

Es indudable que el gran poeta Víctor Hugo ejerció una poderosísima influencia en la obra y en la persona de Alejandro Sawa. Dejando aparte la célebre anécdota inventada por Bonafoux, representa un lugar común referirse a esa influencia desde el temprano momento en que el propio Bonafoux le reprocha su desorbitada devoción por el autor de *La leyenda de los siglos*, hasta las repetidas alusiones a Hugo en *Luces de bohemia* (1920), cuyo protagonista, el hiperbólico poeta andaluz Max Estrella, aún logra ver en su alucinación los funerales del gran escritor en París. Quizá no haya ningún autor más

---

delicuescencia algunas veces, el arte mágico de Gautier; ha sobrepasado en la técnica poética a Banville; nos ha sorprendido más en la fábula novelesca que Feval, y no ha sido consagrado por nadie hombre grande, a pesar de todo eso» (p. 248).
(10) También con el título «Las casas hablan» aparece el mismo texto en *Nuevo Mundo*, XIV, 708, 1 de agosto de 1907.

citado en la obra del español que Víctor Hugo, pero no conozco sino una sola página dilatada de Sawa sobre el poeta francés, escrita con motivo del primer centenario de su nacimiento y que se publicó en el *Heraldo de Madrid* (1 de noviembre de 1901) dirigida «A la juventud».

Este texto olvidado tiene un interés especial, porque al margen de la próxima conmemoración del centenario, habla Sawa de una visita que él hizo al patriarca de las letras francesas, muerto en 1885, año de la publicación de la primera novela de Sawa, que tenía a la sazón solamente veintitrés años. Aunque es bastante largo el fragmento, lo copio aquí por su evidente novedad biográfico-literaria:

> Bonanzas harto breves de mi vida, trocadas poco después en rabiosos equinoccios, me pusieron a presencia, apenas adolescente, del poeta que, como Carlomagno, mereció ser llamado
>
> Emperador de la barba florida
>
> Su casa era como una catedral, la catedral del Arte, y su calle como una vía sagrada, y París, por radicar en su seno tal templo y por alentar en él tal hombre, como una Meca, adonde, en largas y piadosas caravanas, iban los creyentes mundiales: pálidos, unos, y maltratados por la vida; áureos, otros, y prepotentes, los menos —Víctor Hugo, como Béranguer, paladín del infortunio, sólo pudo acusarse, en la hora que antecede a la posesión de todas las claridades, de una sola debilidad, de una sola, haber sido el adulador de la desgracia—; iban, digo, en apretadas teorías, portadores de ámbares y mirra, como en una gloriosa resurrección de la vieja Hélada, a ofrendar al poeta que, en plena edad moderna, vivió nimbado por los esplendorosos atributos paganos de la divinidad y la gracia.
>
> Cuando llamé a su puerta —¿no es verdad que puede afirmarse sin perisologías que aquella puerta daba acceso a todo un mundo?—, el busto famoso de David se me ocurrió a la vista, y pensé en Apolo; luego, a presencia del morador, violentamente risueño —hosco—, acompasadamente cortés —huraño—, vi a Pan, el formidable e hirsuto... Tuve miedo, porque, simple mortal, había osado a los dioses, porque siempre vidente, me había atrevido a mirar el sol sin helioscopio, y callé largo rato. Ni aun ahora podría decir cuánto tiempo tardaría en sentirme otra vez humano y vivo.

Leamos también las enfáticas palabras escritas luego por Sawa para ensalzar la memoria de tan insigne escritor:

> ... Pero en lo que no haya menguada significación es en el simple decir de este hombre, que expresa la más absoluta ingencia literaria del siglo ido: Víctor Hugo. Y en lo que no puede haber oquedades ni equívocos es en el hecho de acoger como pretexto

esa fecha de cien años para, como ante un enorme acontecimiento material de gloria, lucir apoteosis y tallar y hacinar piedras de consagración que cuenten y recuerden a los hombres de
todas las regiones, por los siglos de los siglos, las hazañas sin
sangre de aquel enorme conquistador poeta...
    Víctor Hugo compendia en su nombre la historia entera del
siglo que se acaba de extinguir. A través de ese nombre, como
en una construcción panóptica, se ve la totalidad del vasto amontonamiento de hechos que, como una pirámide imponente, mar-
cará a las generaciones venideras el jalón de un gran trozo de
nuestro destino realizado...

En el mismo lugar pasa también revista al programa oficial destinado a rendir el debido tributo al escritor gi-
gantesco. Se ha hecho un llamamiento para que la juventud literaria de todas las naciones se asocie al homenaje
internacional. No sin cierta comprensible agresividad,
agrega por último Sawa:

    ... Vergüenza sería que España, a la que Hugo ha consagrado
muchos de sus mejores decires, se mostrara sorda en esta ocasión. Vergüenza también que la desmedrada España oficial hipo-
tecara este proyecto para enviar a esa gran apoteosis la des-
garbada Comisión de mediócratas y de inválidos a que, por una
suerte de juro de heredad, corresponden entre nosotros gran
parte de las misiones intelectuales.
    Haría eso el efecto en París, quiero decir en el mundo, de
un pelotón de lisiados sin gloria invadiendo los jardines de Academos, o mejor aún, la que un grupo de cojos y tullidos apo-
yados en sus muletas produciría en un público artista al verles
asaltar el campo y entorpecer la libre expansión de los juegos
píticos en la gloriosa Delfos.

Un año después, si bien con menos vehemencia y retórica excesiva, inserta Sawa en *Don Quijote* (XI, número 39, 3 de octubre de 1902) una nota necrológica sobre
Emilio Zola, cuya muerte en aquel año agrega otro cres-
pón a los que señalaban el duelo por la desaparición de
Zorrilla y Campoamor, entre los españoles, o de los franceses a Renan, Verlaine y Daudet. Sawa describe el efecto
que le causó la noticia de la muerte del novelista: «Yo
supe que Zola había muerto al sentirme de pronto y con
nocturnidad herido. Esa noticia penetró en mi carne, alma
adentro, como una bala, desangrando y rompiendo...»
Después de afirmar que Zola dejó su obra concluida, se
añaden las siguientes palabras reveladoras de la estima
en que Sawa tenía al escritor francés (11):

(11) Ya que me he referido a las figuras señeras pero tan distintas
de Rousseau y de Zola, veamos ahora cómo las equipara Sawa en

Cuando murió Hugo el apocalíptico, quedaba Renan, quedaba nuestro gran muerto de hoy, de pie, y nimbado de esplendor. Muerto Zola, ¡Dios mío!, ¿qué alta figura vertical nos queda sobre la tierra?

Quisiera agregar aquí una nota final para completar esta visión panorámica de los gustos estéticos y preferencias literarias de Sawa, expresados por medio de las semblanzas hechas de algunos de los mayores escritores del país vecino, señalando una prosa perdida, en la que se ocupa del pintor Gauguin, recién fallecido entonces, publicada primero en *España* (20 de marzo de 1904) y luego en *Nuevo Mundo* (XIV, núm. 715, 19 de septiembre de 1907). Creo que el caso es único en la obra de Sawa; apenas se refiere a los artistas contemporáneos en sus colaboraciones periodísticas, aunque no se me olvidan las breves líneas escritas sobre Daniel Urrabieta Vierge. Sin embargo, la vida pintoresca de Gauguin se presta admirablemente a una nota biográfica. Siempre tentado por el arte, que con el tiempo le exigía sacrificios cada vez más cruentos, poseía ciertas cualidades que mucho admiraba Alejandro Sawa: la independencia y la devoción artística. Así dice que el nombre del pintor francés

> ...pronunciado con voz fuerte por los revolucionarios del color y de la línea, fue durante muchos años como un grito de guerra contra la Escuela de Bellas Artes de París y la enseñanza, por oficial, rectilínea, que allí se recibe...

Y con directa alusión al fracaso de su exposición en la galería Durand-Ruel, de París, escribe (12):

---

otro texto suyo: «Somos, o pretendemos ser, hombres útiles. Sabemos —¡donoso descubrimiento!— que vamos a morir y nos apresuramos a dejar dicho todo lo que la vida nos ha enseñado. Hay más amor, positivamente, a la vida, en cualquiera de las páginas de Zola que en todos los himnos con que Rousseau, por ejemplo, hacía la afirmación de su sistema filosófico paradisíaco y retrógrado, ese sistema que inducía a Voltaire a tirarse al suelo para andar a cuatro patas. No es quien más ama el que mejor declama, sino el que con más intensidad siente. El arte moderno es un gran enamorado, un gran corrompido también...» («Los nuevos. G. Núñez de Prado», *Nuevo Mundo*, XI, número 538, 1904).

(12) A mi juicio, vale la pena citar aquí el breve fragmento en que se habla de la fusión de razas que caracteriza la doble herencia que le une con dos mundos: «Hijo de una dama peruana y de un padre bretón y nacido en París, toda su vida se resintió de la extravagante fusión de razas, que en él se había realizado, debiendo a ello atribuirse, según el decir de un iluminado crítico suyo, los gustos aparente-

... Cierto que el autodidactismo que expresaba en su obra llega a límites de insumisión y altanería, incompatibles, en absoluto, con el espíritu de una sociedad que tiene la pretensión de someter a cánones la Belleza; pero el pobre artista, ¿qué iba a hacer si tal era su temperamento? ¿Acaso se rehacen las entrañas y la modalidad de vida de un hombre por petición propia? Y, aunque así fuese, ¿es que Gauguin hubiera consentido en ser de otro modo que era?

No es difícil imaginarse los lazos visibles e invisibles que unían a Sawa con algunos de los artistas cuya obra y persona ensalza en sus retratos, desde Musset, Poe, Baudelaire y Verlaine, hasta llegar al ejemplo novelesco del pintor Gauguin, prototipo del artista sublevado que, como Sawa, vivió al margen de las convenciones sociales del día.

(b) *Algunos españoles e hispanoamericanos*

Con el propósito de ofrecer mayores precisiones sobre la familia literaria a que pertenecía Sawa, conviene destacar, aunque sea brevemente, las páginas en que se refiere a algunas figuras eminentes de las letras nacionales. No se ocupaba tanto de los escritores españoles como de los extranjeros; en efecto, era relativamente parco en sus juicios, favorables o desfavorables, sobre sus compatriotas vivos, con la posible excepción, entre los más conocidos, de Gómez Carrillo y Manuel Machado (13). Es verdad que Baroja aparece incluido también en su iconografía, pero con ciertos elogios muy ambiguos, al mismo tiempo que es el blanco de ciertos duros reproches que no le gustaron nada al escritor vasco.

Recordemos que Núñez de Arce no es aparentemente un poeta consagrado en su museo (*Iluminacione͡s*, pp. 128-

mente contradictorios que desde la infancia tiranizaron a ese hijo de ambos mundos, su deseo de poseer la tierra en el espacio y de gozar alternativamente las bellezas alegres o sombrías que la vida brinda, su temperamento de conquistador afanoso de apoderarse de las cosas con las manos, mezclado con su espíritu poético, que no alcanzó la suprema voluptuosidad, sino por las potencias imaginativas y creadoras, cuanto, en fin, por su espíritu contradictorio, lo determinaba como un ser de excepción.»

(13) Se recordará que Sawa tiene palabras severas para su propia generación (*Iluminaciones*, pp. 235-237); pero no deja de expresarse favorablemente de cuando en cuando sobre algunos escritores españoles de la época: Sofía Casanova, José del Castillo y Soriano, José M. Matheu, Claudio Frollo, Mariano de Cavia y algunos otros.

129). Entre otros adjetivos despectivos para caracterizarle, Sawa emplea los siguientes: *huero, sonoro, rectilíneo, palabrero* y *seco.* Sospecho, además, que lo que realmente molestaba a Sawa era que el poeta no se volcara emocionalmente en su obra («...su emotividad suena a falso, como de un hombre que sólo sintiera lágrimas ante las cuartillas», *Ibídem,* p. 129), y que le faltara precisamente la vitalidad sentida con toda la fuerza impulsiva de una gran alma, cualidad que siempre exigía Sawa al escritor completo. Ese «simple mecánico de las letras» es un poderoso versificador, pero no basta ese talento para lograr buena poesía. Me permito transcribir de las mismas páginas acerca del autor de *Gritos de combate* dos breves fragmentos más:

> No figura su imagen en mis altares, allí donde entre los evocadores de bellas imágenes modernas, mi Heine, mi Hugo, mi Campoamor y mi Verlaine yacen bajo bóvedas, altas como catedrales...
> ... batía el verso como un herrero los candentes bloques de metal, y eso hasta el punto de notarse la armazón de hierro en muchos de sus decires rítmicos. Tales estrofas suyas se cuelan por la oreja y suenan bajo el cráneo del lector con el estrépito de ruedas, de martillos y de válvulas de un colosal mecanismo —hierro, sudor y hulla— en marcha (*Ibídem,* p. 129).

Esta apreciación sobre Núñez de Arce coincide plenamente con los gustos modernos; pero Sawa estima, en cambio, a Campoamor «nuestra última gran figura literaria» (*Ibídem,* p. 130), cuyo tercer aniversario había pasado prácticamente inadvertido en los diarios de Madrid. Le admiraba, y hasta he oído decir que en una época Campoamor le había favorecido con un modesto empleo. Popularísimo en su tiempo entre un público heterogéneo, Sawa ve en Campoamor (llega a llamarle el mago de las *Doloras*) al artista y al pensador: «...Artista, labró alguna vez palabras, como un lapidario gemas, y, pensador, tuvo huracanados coloquios con la Esfinge» (*Ibídem*).

Quisiera mencionar también que entre esos textos dedicados a los escritores peninsulares hay uno breve sobre Julio Burell («el gran Condestable de la Prensa española», *Ibídem,* p. 133 (13 bis) y otro mucho más extenso so-

---

(13 bis) Quiero reproducir aquí una carta inédita, en papel con membrete de «El Diputado a Cortes por Baeza», que dirige Julio Burell a Alejandro Sawa con fecha de 8 de febrero de 1908. La carta dice así: «Querido Sawa: Me conmueve profundamente la carta de V. y ella

bre Ernesto Bark (pp. 237-239). Por otra parte, ambos son personajes que figuran en el reparto de *Luces de bohemia*, de Valle-Inclán. Hermosas y generosas son las páginas sobre su amigo Ernesto Bark, tantas veces citado en este libro. Parece que le envió una novela en que el propio Sawa era protagonista (14); éste es el pretexto para hablar de él. Sawa relaciona el pelo rojo de Bark con su palabra ardiente y la fantasía característica del Sur de España, aunque anote en seguida que había nacido en las vecindades del Polo Norte. Deslumbrado, insiste el autor, por la llama de su pelo, no duda de su sinceridad estética y filosófica. Le denomina también «un gran exagerado del pensamiento en acción» (*Ibídem*, p. 239). Por último, Sawa escribe algunas sinceras líneas finales acerca de aquella interesante figura de extranjero resi-

me da ocasión no sólo de recordar nuestra amistad larga y cariñosa, sino de reiterársela con la emoción y la sinceridad de los viejos y gloriosos tiempos. Me causa gran dolor la noticia de su ceguera, mas advierto por lo que escribe en los periódicos que la luz de su inteligencia es siempre calurosa y viva. Esté V. seguro de que en eso que llama mi consagración no faltaría para el amigo queridísimo, el compañero insigne, algo que de corazón compartiría con V. su fraternal admirador. Julio Burell».

Veo ahora también en el trabajo ya citado de Ildefonso-Manuel Gil (p. 22) que el Ministro de la escena octava de *Luces de bohemia*, siempre identificado como Julio Burell, pudo haber sido recreado de otro personaje real (Augusto González Besada). En el mismo lugar (páginas 14-15) el fino crítico señala otra ecuación equivocada entre los *epígonos del modernismo*: Dorio de Gádex-Eduardo de Ory. En realidad, se trata de un tipo llamado Antonio Rey Moliné identificado por Baroja en sus *Memorias*.

(14) No me ha sido posible conocer el texto a que se refiere Sawa. Creo, sin embargo, que se trata de un libro raro titulado *La invisible*, novela políticosocial (Biblioteca Germinal, Madrid, 1907).

El amigo Pablo Beltrán de Heredia me ha llamado la atención sobre una breve nota [*El cuento semanal*, I (núm. 43, 25 de octubre de 1907)], en que la redacción se ocupa de la obra de Bark:

«Antes de volver a su patria rusa, quiere el autor resumir su actividad de veinte años en España, publicando los doce tomos de sus obras completas en castellano, y de las cuales ya hemos hablado a propósito de su libro *Filosofía del placer*.

La invisible es una novela politicofilosófica de gran interés romántico. Da una cabal idea del interesante movimiento internacionalista, extrañamente entretejido con el movimiento republicano en España.

Merecen citarse los capítulos donde el autor describe la fiesta del primer 1.º de mayo de 1890; la redacción de *Germinal*, con su director Dicenta; los nihilistas Padlievsky, Abrancof y la *Venus rubia*, Llubia y el libertario español Teobaldo Nieva.»

dente en España, muy conocido en la bohemia literaria de fines del siglo pasado y principios del actual, pero hoy casi por completo olvidado. Merece la pena reproducirlas aquí:

> Hombre de llamas, consume mucho y purifica mucho. De mí dice cosas bellas y generosas también, y algunas que son como la expresión de una cólera malsana: las llamas son así. Yo no le guardo rencor a nadie que siga la ley de su organismo; pero en estas líneas, quizás testamentarias, yo quiero dejar dicha mi amistad por un hombre al que mi rostro social no fue antipático y que es inmensamente hombre de corazón y de cerebro, el peregrino apasionado de la Verdad y de la Justicia (*Ibídem*).

Después de este acertado retrato en miniatura, quisiera transcribir unas palabras, igualmente simpáticas, que Sawa dedica a Mariano de Cavia. El pretexto de este fragmento es una carta en que Rubén Darío anuncia que el cronista está muriéndose. Los dos amigos irían a verle. La noticia era falsa. Sawa describe así al cronista:

> ... Dice [Cavia] en sus decires cosas aparentemente alegres; tiene popularidad, cosa que para muchos, para casi todos, es el ideal y el fin de una vida; gana, dadas las sórdidas costumbres literarias del día, ampliamente la vida... en los cafés y en los corrillos de la Puerta del Sol, que son los únicos centros intelectuales de la Corte, se cita elogiosamente su nombre y se comentan sus gestos... (*Ibídem*, p. 57).

Y luego afirma Sawa que le produce lástima la triste vida irregular de Cavia, tan inferior a la que pudo haber tenido entre las bondades naturales del campo y de la naturaleza:

> ... que hace... de su casa una Trapa, permaneciendo en ella largas temporadas sin salir, que prefiere la luz del gas a la gloria del sol, y el cinc de los mostradores venenosos al ancho panorama de los campos, brindando amores y salud y vida! Muy triste visión la de un hombre que pudo ser amado del amor y de la gloria —y que por poco se nos va de entre las manos expulsado por el empujón de un tabernero (*Ibídem*, pp. 57-58).

Palabras algo extrañas en los labios de Alejandro Sawa, el más impenitente de los bohemios, aunque más de una vez revele una clara nostalgia por el campo y sus apacibles delicias.

Nadie duda de las raíces románticas de Sawa; en su genealogía española no podía faltar como lejano antecedente la figura apasionada y elocuente de Espronceda. No debe sorprendernos que Sawa proteste con vehemencia de la poca atención concedida, en 1908, al centenario del brioso poeta («Después del centenario», *Los Lunes de El Imparcial*, 20 de abril de 1908):

> ¿Acaso los poetas, conquistadores de más vastos territorios que los guerreros, y sobre todo este poeta tan español que fue Espronceda, no son, de toda eternidad, la encarnación más vívida que se conoce del alma de los pueblos? Siguen los ejércitos valerosos como un solo hombre a un trapo de color, más o menos glorioso, que se llama la bandera, ¿y habrán luego de abandonar en el olvido a los que más briosamente las tremolaron bajo el sol de todos los continentes? Sigo preguntándome, vejado como por una humillación personal: ¿Por qué? ¿O es que el viejo radicalismo de mil ochocientos treinta de Espronceda choca a nuestros andróginos radicales de mil novecientos ocho?

Sawa no desperdicia la ocasión para prorrumpir en denuestos sumamente fuertes contra el Gobierno y el Estado diciendo:

> ... como el maldito, tiene el gobierno, tienen todos los gobiernos manos que, en las cosas nobles y altas de la vida, secan cuanto tocan. El Estado, como entidad y como representación, es un pulpo que cuando besa absorbe, y estrangula cuando abraza. Amorfo y carente de cerebro, es un aparato formado sólo de vientre para digerir y de tentáculos para hacer presa: oculta su gula con eufemismos burocráticos. Y cuando las tenazas de sus patas reposan, es porque sus intestinos funcionan. ¿Qué tiene, pues, que hacer el Estado en materias de Arte y Belleza?

Y termina su artículo, escrito con pasión y amor, hablando del fracaso de Espronceda político; después de haber leído sus balbuceos parlamentarios se da cuenta

> ... de lo que rebaja, de lo que desintegra a un hombre de Arte su contacto con los escribas de la Ley... sentí íntimamente la percepción de cosas metafísicas y absurdas, de un Orfeo sordo, de un Apolo jiboso, de un Dionisio sobrio. Espronceda no estaba allí sino en su representación gástrica, tal que una de las ventosas de la Administración del Estado. Ninguno de sus colegas parlamentarios sabía del hombre, hijo de Luzbel y de las Musas, que forjó «El Diablo Mundo» sino que era representante en Cortes de la provincia de Almería...

Aparte del caso de Gómez Carrillo, la prosa periodística de Sawa es notablemente parca en referencias a escritores y figuras públicas de Hispanoamérica. Una vez menciona a [González] Prada (15), y solamente se encuentra

_____

(15)   La breve referencia se halla en el texto «Fariseísmo», *Los Lunes de El Imparcial*, 27 de enero de 1908.

el nombre de su amigo Rubén Darío dos veces en *Iluminaciones en la sombra*. La primera mención es enteramente casual; la segunda merece recordarse ahora. En una prosa de entonación poética, originalmente publicada con el título «Fisonomía de los meses», Sawa escribe una serie de variaciones sobre el mes de diciembre representado «...siempre, bajo el aspecto de un viejo nivoso y crepuscular, que se desmorona como un edificio vetusto, señalado coléricamente por el índice destructor del Tiempo» (*Iluminaciones*, p. 161). Sin embargo, él no le considera tan viejo, sino que le ve en la actitud de un mocetón erguido, que desafía a la posterioridad y que distribuye las golosinas de Nochebuena. Calificado el mes de diciembre de encantador, escribe Sawa:

> Dos poetas, uno florentino del siglo xvi, que Dios hizo nacer cabe el jardín de las Galias en la pasada centuria, para alegría eterna de los hombres, y otro que, a pesar de los convencionalismos del tiempo, es un ateniense contemporáneo de Pericles, aunque nacido en la Pampa americana. Teófilo Gautier y Rubén Darío, para llamarlos por sus nombres alados y áureos, han cantado la magnificencia del nardo, de la nieve, del mármol y de la nube, lo sagrado del blanco, en estrofas tan ingentes que ya nadie podrá hablar de alburas sin temor de emporcarlas con su pobre aliento humano
>
> Y blanca es la vestidura del mes de Diciembre. Blanca como los nardos, como las nubes y como el mármol. Blanca como la nieve. Pero, ¿dónde está el divino Theo que sepa gloriarla? (*Ibídem*, p. 162).

Acertada es la conjunción de los nombres de Darío y de Gautier, sobre todo dentro de aquel contexto. En otra ocasión Sawa escribe una elogiosa nota sobre José Santos Chocano, el andariego poeta peruano que con su palabra torrencial cantó con énfasis las exterioridades de su patria. La familia de Sawa guarda todavía una fotografía de Chocano con la siguiente dedicatoria: «A Alejandro Sawa, con todo el cariño y con toda la admiración», fechada en El Pardo a 6 de agosto de 1905. Nuestro autor ve el sol legendario como símbolo personal y lírico del elocuente peruano; recuerda ciertas vicisitudes políticas de Santos Chocano que le llevaron a la cárcel y al destierro, y redacta unas líneas sintéticas que logran captar la médula y la medida del poeta americano:

> ... Hijo de América y nieto de España, su espíritu está formado de bellas visiones de los Andes y hondas lecturas del *Roman-*

cero. De esas lecturas, de ese tuétano de leones, ha sacado Chocano la armazón épica en que están contenidas la mayor parte de sus composiciones (*Ibídem*, p. 181).

Al español y al peruano les une un mismo estilo enfático de mayúsculas y tono mayor; ambos eran elocuentes y declamatorios.

El arte del retrato en la prosa de Sawa

En las páginas anteriores mi intención primordial fue ordenar de manera más o menos sistemática los juicios de Sawa acerca de ciertos artistas extranjeros y nacionales que figuraron en su iconografía interna. En parte emprendí el estudio de esas semblanzas y bocetos deseoso de añadir algunos detalles más al retrato literario del propio autor que he querido dibujar en este libro, señalando las relaciones espirituales y estéticas que le unían con determinadas figuras del pasado y del presente. Mi propósito era destacar afinidades y trazar la genealogía artística de Sawa.

Quizás el lector atento se habrá dado cuenta de que en los fragmentos copiados la prosa de Sawa llega a alcanzar de vez en cuando cierta tensión imaginativa; precisamente en los momentos en que desea fijar un rasgo único, llamar la atención sobre un ademán característico o describir sencillamente un modo de ser del individuo retratado. También sabe incluir a veces en la marcha de su prosa una pequeña anécdota, pintoresca o iluminadora, mediante la cual da un toque especial a su boceto. En tales casos, que no son tan infrecuentes en el estilo de Sawa, pienso que éste ha logrado cumplir con el ideal ya aludido de conseguir una prosa *gráfica;* tan gráfica, según dice, como pueda ser la técnica de la pintura (16). No creo, por otra parte, que sea mero recurso

---

(16) Sawa parece tener plena conciencia de la necesidad de intentar aprovecharse en su periodismo de ciertos procedimientos tomados de las otras artes; así lo afirma textualmente de cuando en cuando: (a) «Me parece verla, decía. ¡Ah, si yo poseyera un pincel y garbo para manejarlo...» (*Iluminaciones*, p. 119); (b) «Yo sé de Teobaldo Nieva lo bastante para, siendo pintor, trazar a ojos cerrados su perfil y ganar por eso puesto de honor en una buena pinacoteca de la anarquía» (*Ibídem*, p. 60); y (c) «Su historia es curiosa, fuerte y bella, como una esfinge de pórfido tallada al sol por un escultor de genio...» (*Ibídem*, página 34).

retórico el que diga a menudo que *ve* o *está viendo* al retratado en tal o cual postura, sino que en su imaginación realmente percibe así al personaje.

A mi parecer, varios de los textos transcritos ya, en los que Sawa ofrece una estampa rápida y breve de Musset, Verlaine, Bark, entre otros, apoyan mi firme creencia de que algunos de los momentos más logrados en su arte de prosista corresponden justamente al retrato. Quisiera examinar ahora, por tanto, un poco más de cerca cómo consigue destacar en el arte del retrato; al hacerlo, no me limito de modo exclusivo, como antes, a los artistas, sino que me propongo, en mi asedio del tema, incluir también alguna otra figura de la política internacional.

En *Iluminaciones* (pp. 117-122) Sawa recoge unas buenas páginas publicadas originalmente en *España* (9 de abril de 1904), que evocan de modo retrospectivo la figura fascinante de la revolucionaria francesa Luisa Michel con motivo de su agonía. El texto de Sawa adquiere la misma pasión que la prédica de esa mujer; a través de sus propios recuerdos, la retrata con gran acierto. La representa, además, tal como él la vio en la época parisiense. Una definición inicial destaca en un primer plano: «Es una gran llama dentro de un aparente frágil vaso de alabastro» (p. 118). La imagen resulta expresiva. Confiere una sensación de luz, calor y movimiento a la pequeña y quebradiza figura de la combativa y ardiente revolucionaria, iluminada por la justicia de la causa social que defiende. Hacia el final de su crónica Sawa vuelve a la misma imagen central, ahora con nueva intensidad, y alrededor de ella teje toda una serie de equivalencias imaginativas para completar el retrato de tan extraordinaria figura:

> Ya queda dicho más arriba: no es una mujer, es una llama. Yo no sé de qué materiales extraños estarán formadas las entrañas de esa mujer para que hayan podido arder sin consumirse durante más de setenta años de nuestra vida mortal. Tan pequeñita, tan demacrada, casi podría decirse de ella que era como una pavesa humana, si en el término no pudieran algunos ver irreverencia. La cara, toda ojos, aparecía como iluminada; sus manos parecían gozar de familiaridades con el rayo, y en la constante convulsión del cuerpo había algo de los estremecimientos sagrados de las pitonisas... (p. 121).

La observó atentamente Sawa mientras escuchaba su conferencia; pequeño el cuerpo e inmenso el corazón, ofrecía ese corazón a los desventurados «como el templo universal de la misericordia» (p. 121). Terminado el discurso, no tuvo oportunidad de escucharla más, pero una noche de fiebre y exaltación se le apareció de nuevo aquel rostro «iluminado con la placidez de un astro, insuflándome, con palabras de revuelta, un buen cordial para mi corazón herido...». En ese momento, bajo el sortilegio del verbo cálido de aquella mujer, llega Sawa a juzgar «hacedera la empresa de unir en comunión de amor a todos los hombres» (p. 122).

El retrato de Luisa Michel se hace sobre la base de una concreta realidad visual y audible, si se quiere, a pesar de que los *ácidos* del tiempo hayan hecho esfumar un tanto los recuerdos, como confirma el propio autor. Sin embargo, aquella memoria se transforma emocional e imaginativamente en su pensamiento, logrando así una nueva tensión afectiva que antes no tenía. La representación se completa, además, con algunos otros detalles que benefician al conjunto: Luisa Michel, virgen, no ha amado a hombre alguno y ha ignorado «las fiebres de los sexos, la amistad hecha brasa» (p. 118). Le duele a Sawa este hecho, y haciéndose solidario con ella en sus últimos momentos, llega a imaginarse sus posibles pensamientos de mujer: «... En estos días primaverales, alrededor del lecho infecundo de la moribunda, las brisas afrodisíacas de Abril quizá le hayan hecho sentir la maldición de su vida de mujer, árida como una estepa...» (*Ibídem*). En el mismo lugar se traza a grandes rasgos la biografía de Luisa Michel («Líneas más sencillas no conoce la arquitectura de los niños cuando levantan fábricas inestables con la arena y los guijos de la playa», *Ibídem*), que alcanza un punto culminante cuando se habla de lo que ha llegado a significar en el mundo actual: un consuelo para los desdichados y una luz que anuncia para el bien de todos un futuro mejor y más digno. El texto explícito es el siguiente:

> ... que predicó contra el Mal, según su concepto del Bien. Y que, al mismo tiempo que un denodado portavoz de los sin ventura, fue el heraldo de días mejores y como una estrella de la mañana que prometiera el amanecer a los que no hallan medio humano de vivir en las lobregueces de la edad presente... (página 119).

Pocas veces, a mi juicio, alcanza una tensión tan lírica la prosa de Alejandro Sawa como en este retrato de Luisa

Michel, siempre llama y vaso frágil, toda ardor y toda luz.

También quisiera llamar la atención sobre otro texto que contiene un logrado retrato del político español Fermín Salvochea, por quien Sawa sentía gran admiración (17). Esta semblanza se inscribe en dos tiempos: durante la juventud de Sawa, con una brevísima alusión a la primera llegada de Salvochea a Madrid, en 1869, y luego cuando, en su madurez, el autor llegó a tratar al célebre político.

Comienza Sawa su semblanza refiriendo que del año 1873 no conserva realmente sino dos recuerdos: el del saqueo de Málaga y el de su gran colección de cajas de cerillas, «en que toda la vasta iconografía revolucionaria de por entonces dejó trazada sus rasgos fisionómicos para la posterioridad» (p. 226). Sigue viendo aquellos rostros, nobles o innobles, y en esa pinacoteca, a pesar de los juicios severos de su padre, ocupaba un lugar de preferencia el retrato de Salvochea («el menos arrogante de todos, pero el más personal», p. 227). Con el transcurso de los años se confirma su admiración, porque el pensamiento del político había evolucionado frente a la inmovilidad de los demás personajes de su mueo de antaño.

Y un buen día le ve en Madrid; se hace amigo de él. Este encuentro posterior con el hombre singular da origen a la siguiente semblanza (18):

---

(17) Se publicó una versión en *Los Lunes de El Imparcial* (11 de noviembre de 1907), con motivo de la muerte de Salvochea, acaecida precisamente en 1907; luego se incorpora después a *Iluminaciones* (páginas 226-231).

Como mera curiosidad bibliográfica, quisiera señalar aquí que en un temprano texto (1892) Valle-Inclán se ocupa brevemente de Salvochea: «El anarquismo español», en *Publicaciones periódicas de don Ramón del Valle-Inclán anteriores a 1895*, ed. de Fichter (México, 1952), pp. 136-137.

(18) La misma imagen del fraile bélico aparece también en el texto dedicado a Cipriani, donde puede leerse: «... Es un guerrero que parece un asceta... Yo lo veía, a pesar de su indumentaria, tan semejante a la nuestra, vestido con un sayal, ciñendo sus riñones con un cilicio, pero con un casco guerrero en la cabeza... Muchas veces he pensado que esa clase de hombres son frailes invertidos. La revolución tiene sus cenobitas, y no es raro encontrar entre ellos la variedad anacoreta-soldado, el fraile-bélico... Digo que podría vislumbrarse un sayal bajo la levita de Cipriani, sólo que, con el verbo en la boca y la espada en la mano, la figura de Cipriani no invita a evocar las placideces del claustro para nada» (*Iluminaciones*, pp. 91-92).

Era un hombre alto, flaco, quizás musculoso, seguramente neurótico y sanguíneo.

Y ese hombre extraordinario, por un esfuerzo colosal y constante del ánimo, llegó a dominar motines de sus nervios y borrascas de su sangre, al extremo de aparecer siempre en la vida social con el aspecto sereno y tal vez antipático de un absoluto estoico. Era la suya una cabeza vulgar —me refiero a la configuración del cráneo— de fraile o de guerrero, construcciones fisiológicas que se tocan hasta confundirse—, siempre cuidadosamente rapada, y siempre frente a la vida, heroicamente erguida, salvo cuando, cortesana del infortunio, se inclinaba ante los desgraciados. Pero la impersonalidad de aquella cabeza, casi neutra, estaba magníficamente rectificada por la expresión de los labios y de los ojos, velados por antiparras, en que todo era una sublevación. Yo debo, sin embargo, declarar que no vi alrededor de su frente el nimbo rojo que tantas veces he creído entrever, como un halo sangriento, circundando las sienes de los trágicos profetas de ahora (pp. 228-229).

Cuando llegó a Madrid, hacia 1869, para representar a Cádiz en las Cortes, se vestía con elegancia y representaba, según dice Sawa, el tipo más acabado del *gentleman*. Refiriéndose en cambio a una época muy posterior comentaría: «...usaba trajes inferiores; camisas baratas, aunque de blancura inequívoca; botas con frecuencia asaz descuidadas. No fumaba ya, no bebía, no requebraba a las mozas, no tenía dinero, lo había dado. Era el esposo austero del Ideal» (p. 230). Concluye esta nota necrológica con un par de anécdotas sobre Salvochea, características de la generosidad y de la sencillez del hombre, que no creo necesario transcribir (19).

En otra ocasión, sentado en el café de *La Montaña,* uno de los lugares más frecuentados por Sawa, un amigo le señala al novelista Pereda, que parecía ser uno de los descendientes más directos de Cervantes («Don José María de Pereda», *España,* 1 de marzo de 1904). Ante todo, considera a Pereda como un escritor anacrónico, que debería ser juzgado desde otra época, lo cual resultaría más

---

(19) Según se ha dicho, a Sawa no le era simpático Gargantúa-Oteiza, como en algún momento le llamada; veamos ahora el breve retrato grotesco que hace de su persona: «... Fue el acaparador pantagruélico de cuantos bienes da de sí la lisonja de los apetitos de la muchedumbre. Y se atracó a dos carrillos, y redondeó su vientre hasta el prodigio lineal de la esfera matemática. Fue el cortesano de la multitud, el gran chamberlán de la oclocracia. En su periódico cebaba a las más bestiales multitudes de lisonjas, y en su mesa engullían trufas y capones hasta llegar a la ahitez, precursora del cólico. Y de eso murió, de un cólico miserere, arrojando excrementos por la boca...» (*Iluminaciones,* p. 64).

justo que exigirle que reflejara las ansias y los rencores contemporáneos:

> ... Hay que juzgarlo como a un ingenio de otra época; como a un fraile domínico, novelador y miembro del Santo Oficio; como a un caballero de la corte de Felipe IV, enemigo de Olivares por amistad e inteligencia con don Francisco de Quevedo; como a un muerto que fue admirable; pero que vive y es sencillamente anacrónico...

Sawa puntualiza con acierto la actitud tradicional del novelista santanderino y al mismo tiempo explica las razones por las cuales se hace antipático a la joven generación, a que pertenece nuestro autor:

> ... Pereda, absolutista en política, ortodoxo en religión, apologista de ideas que aborrezco y conservador de chirimbolos simbólicos que yo desearía ver convertidos en polvo y lanzados al gran vierto de las carreteras; Pereda, mezclando el comercio con el arte, las cuentas de la fábrica de jabón «La Rosario» con las poéticas inspiraciones que orean ciertas páginas de sus libros como las auras frescas de su querida Montaña; Pereda, con la cabeza vuelta hacia atrás, hacia las barbaries doradas del siglo XVII, y los puños crispados, tendidos hacia nosotros, amenazándonos airados; Pereda, a pesar de la majestad de su vida retirada y de la entonación de sus novelas, a trechos clásica, en las que canta con toda la gracia del Ática el mar, y las montañas, y las rudas humanidades que los pueblan, y además el cielo...

La dureza de la crítica, sin embargo, parece mitigarse algo cuando describe físicamente a Pereda:

> La arquitectura del hombre podría valerle, por sí sola, lugar de alta distinción entre los mortales. Es apuesto, gallardo, elegantísimo de maneras, noble, con una nobleza natural que seduce como un conjuro. La frente es vasta, fina y brillante, como si el frontal fuera de marfil y no de hueso, con esas protuberancias características en las que Gall y Lavater localizaban las grandezas de la creación intelectual; la color, atezada y biliosa; los ojos, negros y opulentos de juventud; la nariz, patricia, a tal punto cervantesca...; el pelo, espeso y su *coup de vent*, de tonos sombríos, ligeramente rectificados por algunos hilos de ancianidad, forman contraste con el bigote y la perilla, nevados ya completamente por la acción de muchos inviernos, implacables algunos de ellos, como aquel de 1893, en que un hado adverso le arrancó una de sus entrañas, aquel hijo tan amado, Juan Manuel...

Así, desde la aparente realidad de un encuentro casual en el café, enjuicia Sawa a uno de los valores preteridos del siglo XIX, caracterizando en forma sintética sus novelas desde el punto de vista más avanzado de su propia generación literaria. A las opiniones adversas acerca de la obra novelística de Pereda se añade un perfecto retrato físico, en el que se calcula el detalle preciso para revelar simultáneamente el espíritu y el aspecto externo de la figura. Sería instructivo, a mi juicio, comparar aquella semblanza de un escritor contemporáneo español con lo que dice Sawa, por ejemplo, de Tomás De Quincey, el singular artista inglés que pertenecía, desde luego, a una época muy anterior a la de nuestro autor. En primer lugar, Sawa se refiere a la irresistible fuerza que tiene para algunos lo Desconocido y al escaso número de los que vuelven del viaje a las tierras del más allá del Misterio:

... el cerebro humano no puede resistir las presiones que son propias del mundo metafísico y Dios enloquece a los hombres que quieren hacerse ciudadanos de lo Desconocido y establecer sus tiendas en la tiniebla. Generaciones de seres han partido para allí, que no han vuelto sino con el cerebro lisiado o que no han regresado jamás (*Iluminaciones*, p. 210).

Ahora bien, De Quincey, a quien se compara con el Dante, que viajó al Infierno, fue a lo Desconocido, y regresó también indemne de su expedición. Decidido para la aventura imposible, se preparó para hacer el viaje

... vestido ya con su escafandra de buceador del Infinito, se hizo amigo del fantasma, del duende, del endriago, del gnomo, del hipógrifo que recorre los aires, de la salamandra que conoce los misterios del fuego, y afrontando en Manchester, en Londres, en Edimburgo, las miserias de la vida, dimitente de todo lo real, forastero de todas las comarcas habitadas por el hombre, ciego, pero con un lucero ardiéndole bajo el cráneo, se lanzó al estudio de lo desconocido; Colón de mundos submundiales, viajó por el éter, y viajó más aún por las venas y las galerías insondables del Misterio... (p. 210-211).

Todo lo había sacrificado De Quincey a ese ideal, prefiriendo ser «...el embajador de lo Ignoto, el traductor de la sombra, el místico peregrino de las nebulosas humanas, el incubador de las larvas predecesoras del mañana» (páginas 211-212). Después de todo no puede sorprendernos la presencia de De Quincey entre las figuras consagradas de la iconografía de Sawa; de esa afinidad por el Misterio arranca el retrato imaginario que nos devuelve el rostro del escritor español reflejado en el espejo.

No siempre son iguales, desde luego, los procedimientos empleados por Sawa en la creación de los diversos retratos de personajes que habitan su museo. Por ejem-

plo, al hacer una excelente biografía rápida de Teobaldo
Nieva, precursor del anarquismo en España e hijo espiritual de Proudhon y de Bakounin, narra toda una serie
de anécdotas y puntualiza datos intencionados que dan
una dimensión dinámica a los aspectos más significativos de la vida del político socialista (*Iluminaciones*, páginas 58-65). Cuando relata la historia de Nicomedes Nikoff
(*Ibídem*, pp. 34-40), hombre superior prendado siempre
del Ideal y dotado de alas capaces de permitirle volar por
lo absoluto, no deja de mencionar las circunstancias bajo
las cuales le conoció, y presenta los recuerdos que guarda
de su conversación nocturna por medio de imágenes de
luz y sombra, tomadas directamente de la naturaleza.
De él nos ha dejado el siguiente retrato:

> Boreal su alma, alternaban en ella los períodos de claridad
> con los de sombra; pero cuando esto último ocurría se nos iba,
> desaparecía, se hundía en el otro lado de la vida para reapa-
> recer después entre nosotros nimbado con los faustos de un
> amanecer divino...
> Yo lo miraba y lo admiraba como un bello espectáculo de la
> Naturaleza, como un hermoso amanecer, como una montaña in-
> gente, como un lago hialino, como un mar montuoso (p. 36).

Por último, quiero examinar someramente dos crónicas más de Alejandro Sawa, inspiradas de modo directo
en el asunto Dreyfus, que tanto comentario apasionado
suscitó en la prensa mundial de la época. Lo hago ahora
porque los dos textos podrían considerarse en cierto sentido un puente de transición formal entre el retrato lírico
y el ensayo breve de tema social o político. Por razones
que ignoro, al formar su libro póstumo, Sawa dejó a un
lado las páginas que ahora nos ocupan, a pesar de su innegable mérito literario, sobre todo en el caso del primer
texto. El artículo inicial, titulado «¿Por qué?», se publicó
en *El Liberal* (24 de febrero de 1898); el segundo vio la
luz pública en *El Nuevo País* (6 de octubre de 1898) con
el título «De vuelta a la vida». Como he dicho, es especialmente importante el primer texto, que cumple de
modo admirable con las leyes de la crónica periodística,
por la tensión que alcanza la prosa y la acertada narración movida de hechos que tienen indudable interés para
el público lector.

En el escrito más antiguo Sawa evoca la imagen ren-
corosa y obsesionante que guarda de aquella tremenda
jornada en que tuvo lugar la degradación del oficial fran-

cés, ceremonia a la que había asistido años atrás invitado por un amigo suyo. De nuevo piensa en los valores plásticos de la escena infame que desea representar en su texto e invoca las virtudes características de la pintura, así como las de la escultura: «...de ser pintor, podría dibujarla [la ceremonia] de memoria y darle relieve sobre el barro si se me alcanzaran prácticamente las magnificencias de la escultura».

El tema de su crónica es la descripción de aquella fecha nefasta. Es un día como todos los días, de acciones rutinarias y normales:

... el sol salió y se puso a la hora y a los minutos mismos señalados por los almanaques, en que la gente se echó a la calle y regresó a sus casas empujada por las mismas fuerzas que de ordinario la mueven..., los hombres, como los astros, como las cosas, continuaron su marcha, situada hacia esa extraña ley de vida, cuyo último capítulo es el agotamiento supremo, mientras que un hombre era arrojado, completamente vivo, y palpitante de horror trágico, y lleno de energías, y con la boca cargada de frases que fijaban perennemente su protesta de inocencia en el espacio eterno, a las bárbaras hegemonías de leyes que condenan sin escuchar y manipulan y juegan con el honor y la muerte, no de otro modo que los enamorados del azar con los datos que el destino les pone entre las manos.

Comienza, pues, el terrible drama de la degradación de Dreyfus:

... Fuera, la multitud, obstinada, implacable, lanzando aullidos, que reducidos al lenguaje humano, pedían más, gritaban ¡más! —más odios, mayores oprobios, más fango, mayores abyecciones que descargar sobre la cabeza del condenado. El día era espléndido. Dentro del recinto de la Escuela Militar, la temperatura era voluptuosa y tibia; fuera, hacia las verjas, caliginosa y tórrida como determinada que estaba por el calor de horno de tantos odios. Yo temblaba de frío, sin embargo.

Por fin, entra el reo al patio de la Escuela Militar de París. Veamos cómo el espectador Sawa calcula con acierto la sensación de los planos espaciales a medida que avanza el condenado:

... el reo apareció vestido con uniforme de gala, recamado de oro, cubierto el cuerpo de bordados y vivos lujosísimos, fue, así visto a distancia, como una gran piedra preciosa que avanzase; luego como un animalito de luz cuyas antenas baten de gozo ante los esplendores del pleno día; después como la figura de un príncipe que se hubiera bruscamente separado del áureo cortejo imperial de que formaba parte; luego, ya más cerca de nosotros, ya más cerca de la realidad, como lo que era, en efecto, un brillante oficial de artillería...

Y en ese instante se inicia en el ojo del observador la metamorfosis, entre real e imaginaria, del oficial francés:

> ...yo no sé, fenómenos de la visión que tienen sus correspondencias con el alma, se me apareció como la figura totalmente negra, negra por el traje y negra por el oprobio del hombre que van a ajusticiar, y el kepis se tornó en bonete, y la guerrera en hopa, y la espada que ceñía al cinto en cirio de penitencia, y las placas que ostentaba el pecho en cruces lívidas de tortura y de infamia, y el hombre todo, desde la coronilla hasta los pies, en reo. En reo. La más ínfima, la más baja de todas las categorías que acepta la miseria humana.

El cronista indignado no quiere verle la cara por piedad, según dice, ni desea arrojar la piedra a que le daba derecho su billete de entrada. Finalmente, el reo es despojado de todas sus insignias militares y de los atributos del mando. Sawa cierra con esta página lograda su relato:

> En lo que a mí respecta, ni creo ni dejo de creer en la inocencia del condenado a la isla del Diablo. Pero al pensar que bajo esas latitudes de fuego vive —¿vive?— un hombre que bien pudiera ser un inocente, mientras que los verdaderos culpables pasean triunfantes su miseria moral por el asfalto de los boulevares, evoco el recuerdo, atenazante como una pesadilla, de aquella horrible jornada en que un hombre fue paseado vivo y roído de infamia, ante cien mil semejantes suyos...

En el segundo texto, de importancia literaria secundaria, aunque continúa el tema anterior, se ocupa de otra jornada en el triste calvario de Dreyfus: su regreso a Francia desde la Isla del Diablo, donde fue encarcelado primeramente. Vuelve para ser juzgado en un nuevo proceso por un tribunal más competente. El discutido capitán de artillería, tan bien caracterizado en el retrato anterior, al ser transportado a la patria llega a adquirir un nuevo valor simbólico, que trasciende y supera al de antes:

> Pero vuelve. Vuelve para ser juzgado de nuevo, por un Tribunal competente, ante un público devoto de justicia, con la Agora dorada por el sol y atestada de espectadores. Vuelve. Y el barco que ha de devolver al sin ventura a la tierra y al hogar de donde fue arrancado, ofrece un espectáculo maravilloso, digno de las espléndidas taumaturgias orientales; porque el hombre que viene en él de pie, en la actitud vertical propia de los triunfadores, resucitado, redivivo, apto para volver al honor como vuelve a la Patria, es un pedazo luminoso de carne humana, de carne intelectual y palpitante que el progreso ha arrancado de las propias fauces de la barbarie, y la nave que lo conduce es un altar flotante, que lleva en su seno, como el tabernáculo encierra el muy Santo Sacramento, toda la justicia humana y a cuanto podemos aspirar de la justicia divina.

Los ensayos sociales y políticos de Sawa

En muchas páginas de índole ensayística Alejandro Sawa evidencia su nada superficial preocupación por las cuestiones sociales y demuestra a la vez una seria posición política. Tanto le duelen los pobres e inválidos de la calle como le preocupa la situación del país en lo interno y lo externo. La progresiva degeneración es para Sawa motivo de alarma. Como tantos otros intelectuales en aquella época de transición, se dio cuenta muy pronto de la decadencia nacional y de la necesidad de reforma en todos los aspectos de la vida española; se aflige por España y por su futuro. Sobre todo, pide una actitud vitalista en la política petrificada, para que la nación resurja verticalmente a la vida:

> ... Vivir no es someterse constantemente, sino muchas veces resistir. Vivir no es mostrarse siempre de humor plácido, sino algunas veces irascible... Vivir no es sólo dormir, sino gritar y rebullirse. Vivir es tener un hígado con bilis, y un cerebro que ritma sus latidos al compás de todas las brisas y todos los huracanes de la vida.

En el mismo lugar («Crónica», *Alma española*, II, núm. 15, 14 de febrero de 1904) se queja de la indiferencia de la gente que iba a los toros el día en que se reveló el desastre de Cavite; y rechaza la noción de tranquilidad que, según él, obsesiona al pueblo español, puesto que un pueblo parado es un pueblo muerto. Tiene fe en el movimiento y en la voluntad puesta al servicio del ideal. Dedica, por ejemplo, su prosa «Los profesores de energía» a Stanley y Urrabieta Vierge, dos ejemplos de hombres que sabían «convertir los versos en acciones y los adjetivos en gestos» (20). Del mismo escrito me permito copiar también las palabras finales, que resumen de modo adecuado ese pensamiento vitalista del autor (21):

---

(20) «Los profesores de energía» se publicó en *España* (12 de junio de 1904); el mismo texto se insertó luego, con ciertas variantes, y con el título «Para ejemplo», en *El Liberal* (22 de septiembre de 1906); una parte de lo que dice sobre el grabador español Urrabieta Vierge se recoge finalmente en *Iluminaciones* (pp. 50-52).

(21) Otra página en que Sawa exalta la voluntad y su culto aparece en *La Correspondencia de España* (23 de agosto de 1903). El tema de la crónica, tomada de la vida, es el de un niño que se suicida; se recoge el texto también en *Iluminaciones* (pp. 52-54) aunque referido a una niña. En el periódico la apología de la voluntad se relaciona con

En el intervalo de pocos días han muerto esos dos grandes maestros de voluntad y fuerza. Como dos faros en el mar, sus nombres deberían lucir perennemente ante los ojos de los pobres navegantes que somos. Morimos de abulia; nos consumimos en la inacción; yacemos postrados por la anemia del no querer. Creo a veces que vivo entre fantasmas. Y por eso es obra de higiene y de moral poner de vez en cuando ante los ojos del hombre estas historias de luz y de esperanza. Bien menguado el que rechace lejos de sí la antorcha por miedo a que se queme la mano.

Cree, pues, en una acción positiva, y considera sobre todo que es preciso no engañarse. Veamos unas palabras de Sawa que confirman esa actitud ante el pasado y el futuro del país (22):

> Yo creo, con ardor, eso sí, que España es digna de mejor suerte, pero no creo que sea el medio más adecuado para que recobre su puesto al sol y a la vida entre las naciones verticales, deformarle a sus hijos, desde la niñez, el sentido óptico, llenarles el cráneo de amasijos de telarañas, darles a chupar con la leche materna una Historia mentirosa, una Moral manida, una Escolástica medioeval, una egolatría bárbara y asegurarles en todos los tonos y desde todas las tribunas de que disponemos (la cátedra, la hoja periódica, el libro) que vivir aquí es alentar en el Paraíso, que esto es la bodega, el vergel, el granero del mundo, y que los nombres de Flandes, Italia, Lepanto, Wad-Ras son cuatro enormes cariátides de gloria que, a modo de Atlante, sostienen poderosamente la balumba moral del mundo...

En otro artículo periodístico («Fiestas de Mayo», *El País*, 26 de abril de 1903), de tono jocoso y sarcástico, Sawa pasa revista a las fiestas que se celebrarán durante el mes de mayo:

> Pero las más esplendorosas fiestas, las más refulgentes, las que han de marcar fecha en la historia de la nacionalidad, son, no hay que decirlo, las consagradas a celebrar el primer aniversario de la exaltación al trono de nuestro invicto (invicto, puesto que no ha sido vencido hasta la fecha), de nuestro invicto soberano su majestad el rey D. Alfonso XIII.

---

la política del día, cuando escribe Sawa al final: «Y lo veo, según el curso de mi fantasía, en una plaza sitiada, al frente de la guarnición, por ejemplo, de Santiago de Cuba, en la hora lúgubre de nuestros últimos desastres, respondiendo al sajón, que intimidaba la entrega de las llaves de la ciudadela, con la frase diamantina del heleno: "Ven a tomarlas..."».

(22) Yo cito del artículo «El patriotismo español», *El Nuevo Mercurio*, núm. 9, septiembre de 1907; pero el mismo texto se había publicado como «La historia que miente» en *La Anarquía literaria* (Madrid), julio de 1905.

¡Quién pudiera hacer de modo que nuestra vida transcurriera en una gala, en una zambra eterna, que tuviéramos a mano todas las semanas del año nuevos reyes y príncipes y princesas, cuyos aniversarios celebrar estruendosamente!

La burla se hace extensiva también a los que de este lado de la Mancha siguen creyendo que España es el pueblo más independiente de la tierra, sin darse cuenta de que «...las tres cuartas partes de su subsuelo valorable pertenecen a entidades exóticas, en que los ferrocarriles son franceses, y belgas las compañías de tranvías y electricidad, ni en que la maquinaria es inglesa, y los productos químicos... ostentan también etiquetas redactadas en lengua extranjera...».

No es mi propósito recoger en las páginas que siguen todas las múltiples alusiones, algunas meramente pasajeras, a los políticos contemporáneos de España y a su actuación generalmente fracasada, según nuestro autor (23). Ya se habrá visto que ninguna de las más destacadas figuras de la política (Castelar, Cánovas, Sagasta) pertenece a la iconografía de Sawa. Lo que sí me interesa es señalar, aun con toda brevedad, una sostenida actitud política y social, y especialmente la postura de Sawa ante el desastre de 1898. Recordemos una vez más que nuestro escritor nada o casi nada tiene de conservador, sino que militaba en las filas avanzadas y progresistas del socialismo de la época, perteneciendo después de su regreso de Francia al grupo germinalista (24). Tenía cultura y lectu-

---

(23) Sobre los homúnculos de la política del XIX, como solía llamarlos Sawa, son especialmente instructivas ciertas páginas de *Iluminaciones* (pp. 135-138). Además, sobre la política desastrosa y vergonzosa a partir de la proclamación de la República en 1873, véanse en el mismo libro las páginas 115-117 y 165. Otro texto —«Los neo-conservadores»— apareció en *Alma española*, I, núm. 8, 27 de diciembre de 1903, pp. 3-4.

(24) En unas breves «Notas» publicadas en *Don Quijote* (VI, número 30, 23 de julio de 1897), se evoca un *meeting* socialista al que había ido la gente a escuchar a Pablo Iglesias. Sawa escribe: «Iglesias habla por fin, y repite el mismo discurso que le estamos oyendo decir hace veinticinco años. Es una larga acusación fiscal, y una muy áspera diatriba contra todos los poderes constituidos. Ese hombre es fuerte porque es terco, y cuando anuncia los irremediables e inminentes cataclismos, hace pensar en los hoscos profetas orientales, que, vestidos de esparto y cubiertos de ceniza, para mejor dejar expresados la desesperación y el duelo, gritaban por las carreteras y las ciudades, gritaban por todas partes, monótonos como el dolor, anunciando la próxima ruina de Jerusalem y de su templo. No lo censuro porque diga

ras revolucionarias, como atestiguan sus páginas sobre Teobaldo Nieva, que figura definitivamente al lado del siempre admirado Salvochea en su iconografía (*Iluminaciones*, pp. 58-65).

Aquí cita a Proudhon y Bakounin; en el mismo lugar ataca a Oteiza, fundador de la *Revista Social*, por el carácter utilitario de sus ideas y su proclividad a la explotación de los hombres. Ya se copió en una nota el retrato grotesco y caricaturesco de Oteiza: frente a él veamos cómo se empeñó Sawa en su posición idealista ante las realidades sociales del día, aun cuando esté destinado al fracaso:

> No puedo seguir ya marcha adelante en mis ansias de rectificación social. Andar a marchas forzadas por los atajos de la Ideología, tan abruptos, me place. Yo he colocado mi tienda de campaña del ideal allí donde quizás ninguna mente humana haya llegado todavía. Pero más allá veo el Polo, veo el Polo, el extremo ártico de las ideas. ¿Para qué seguir engañando a la pobre gente ansiosa del Sol?

En el mismo sentido se desdobla el propio Sawa en aquel joven que figura en la citada crónica «El que no nació jamás» (*España*, 19 de septiembre de 1904). Al extender la vista a su alrededor quedó espantado de lo que veía, y se dio cuenta de que había que rectificar la vida y avanzar la obra social:

> ... Casóse con el Ideal. ¡Qué tristes nupcias! Ese, ése es el camino de pasión que conduce, si a la exaltación de la conciencia, al lento y sangriento holocausto de la personalidad... Furia de cariátides, furor de centauros, inconmovilidad de dioses son precisos para que el amor al Ideal no sufra los atisbadores desmayos que fuerzan a soñar con el descanso. ¡Es tan justo el deseo de, harto de luchar en vano, harto de perder sangre en todos los encuentros, querer vivir como los demás hombres!

La simpatía de Sawa por los pobres y desvalidos no era sólo un tema literario; visceralmente los compadecía, y sabía identificarse de modo afectivo con ellos. Se advierte, por ejemplo, en la carta inserta en *El Liberal* (24 de febrero de 1902), dirigida al director del periódico,

---

siempre la misma oración. Facundia y verba sobradas tiene para pronunciar otras. Pero el pueblo ha necesidad de que se le repitan constantemente las mismas cosas antes de llegar a aprenderlas de memoria, y que circulando entonces por sus venas lo hagan apto para la acción. La monotonía es más fecunda que la variedad...»

ese afecto. El escritor ha ido por casualidad al hospicio de Madrid, e indignado escribe:

> He visto a los niños descalzos.
> No me lo han contado; lo he visto yo, y digo que he visto descalzos a los niños a quienes en aquella casa se había ofrecido protección y asilo.
> Descalzos. Ignoro si tendrán pan; pero sí que no tienen botas, y sé también que hay un presupuesto provincial para atender a esos menesteres. Un altar puede convertirse en una picota, y las columnas de un periódico, en lugar de ejecución. De estas líneas que estampo quisiera yo colgar los nombres de los que incumbe la responsabilidad de esa infancia.

Sin entrar en los detalles del caso, el visitador del hospicio, un tal señor Cuenca, responde con promesas a la nota de Sawa. Según afirma hará todo lo posible para mejorar la situación. Sawa vuelve a la carga en otro texto, «Hay que insistir» (6 de marzo de 1902), si bien aplaude al señor Cuenca por su sinceridad y probidad. Esta segunda carta finaliza con las siguientes palabras enfáticas:

> Señor ministro de la Gobernación: V. E., en quien la bondad es una prenda de abolengo, trace con su pluma directorial un rasgo sobre el papel que devuelva, sin las formalidades de rúbrica, a esos pobres niños su parte de sol, su parte de aire, su parte de juegos al aire libre en la amorosa extensión de los campos, en *fiat* luminoso, señor, que no nos haga abominar por completo de todas las cosas que a nuestro alrededor transcurren sobre la tierra...

Asimismo, en un sentido texto recogido en *Iluminaciones* (pp. 189-191) recrea la tremenda escena de la distribución en Amaniel de un rancho extraordinario a los hambrientos. Percibe la miseria de los humildes, que de todas partes venían a calmar su hambre:

> Y viejos y jóvenes, íntegros y tullidos; los que vienen renegando de la Corte de los Milagros; las viejas, informes como los cantos rodados de la playa, y las jóvenes, inmaculadas como florescencias liliales, o impuras como el polvo de las carreteras, asaltaron en frenéticas caravanas, porque tal era su día y su fiesta...
> Venían unos del barrio de las Injurias, de Vallecas otros, de aquí y de allí, de muy cerca y de muy lejos, de las bohardillas, de la intemperie de los solares y de las cuevas, de todas las hondonadas y de algunas alturas; venían del país letal de la Miseria, ni siquiera tras del vellocino de oro, sino tras del mendrugo de pan y la oferta posible de trabajo; venían atraídos por el lóbrego caserón de Amaniel, que a ciertas horas de la noche social debe brillar ante muchos ojos, cegados por las lágrimas o por la ira, como un faro luminoso (pp. 190-191).

En cuanto a la caridad misma, Sawa afirma no creer en ella como único remedio de las aflicciones sociales. Hay que ir un poco más allá para lograr un verdadero mejoramiento social:

> ... Para curar un caso de lepra se hace uso de tales y cuales medicamentos. Para curar la lepra se necesita el saneamiento total de la ciudad y del ciudadano, por el hierro y por el fuego si es preciso.
> Pero la caridad, si no cura, mitiga, al menos, los dolores. Y no sería completamente inútil fijar en los cuatro puntos cardinales de estas grandes colmenas humanas casas de previsión y saneamiento, con las puertas de par en par abiertas, con los brazos en cruz, como los de Cristo, para estrechar en ellos todas las aflicciones humanas (p. 190).

Otra buena página que en algún momento alcanza tensión lírica, publicada con el título «Un lanzamiento» en *El Liberal* (3 de julio de 1907) y sólo en parte recogida después en *Iluminaciones* (pp. 139-142), revela aquella misma indignación y una sincera piedad por los que viven en la miseria. El motivo de esta excelente crónica es haber visto en una de las calles céntricas de Madrid un confuso amontonamiento de muebles y trapos. Piensa el cronista en ciertos fenómenos naturales, como el rayo o la inundación, que han flagelado siempre a los hombres; pero, vuelto a la realidad, se da cuenta de que aquel amontonamiento («catafalco de miseria») era lo que quedaba de un desahucio de un pobre hogar ido a pique «por insanas codicias de los hombres y reprensibles crueldades de la ley». De ahí que en el título de la página figure un vocablo no comprensible a los ricos: despojo por fuerza judicial.

El escritor vuelve a pasar por el mismo sitio días después; allí habían quedado esparcidos aquellos mismos restos sin que nadie los recogiera de la calle. Tras una patética efusión afectiva sobre el sentido último de los artículos abandonados, finaliza el escrito con las siguientes frases:

> Pues todo eso quedó el otro día deshecho, disuelto, en medio del arroyo por sentencia de un juez y apremios de un amo; el tálamo, el retrato, el libro, como si un maldito principio de destrucción se mezclara, ¡pero con cuánta frecuencia!, al oxígeno y al nitrógeno de nuestro aire cotidiano, enloqueciendo los cerebros y petrificando los corazones; todo eso quedó disuelto y deshecho en mitad de la urbe civilizada y cristiana, mientras que los pajarillos del campo padecen la incertidumbre de no

saber qué sitio elegir para construir sus nidos a fuerza de tantos y tantos como les brinda la ubérrima madre tierra. Y que las fieras reposan amodorradas y satisfechas en sus sendos cubiles.

Así, Alejandro Sawa, condenado él mismo a vivir y a morir en circunstancias dolorosas para la dignidad humana, compadecía con ejemplar ira e indignación la suerte injusta de los que sufrían de modo resignado los duros golpes y flagelaciones que les distribuía una vida cruel. Tenía, pues, una clara conciencia social y un compromiso con la humanidad que le honraba (25).

Al ocuparse de la mujer y de la escasa posibilidad de que se regenerase en la sociedad española, Sawa se refiere a España y a la política en los siguientes términos (26):

> El femenismo no significa en nuestra patria gran cosa. Aquí, en nuestro miserable mundo ideológico, no nos ocupamos de nada que no sea la infecciosa política, en lo que tiene de más infecto, en su aspecto personal. Los grandes hombres reconocidos y aclamados por la opinión no son, en la mayoría de los casos, los inventores ni los artistas, sino los matones del Parlamento, los barateros de la vida pública, los que picados de verborragia y no ayudados de verdadera inspiración, tienen bastante resistencia en los pulmones y suficiente caquexia en los órganos

---

(25) En otro lugar Sawa demuestra la misma piedad que ahora expresa por el triste pueblo andaluz; cito solamente en parte lo que dice de los trabajadores del sur: «La columna vertebral de esa pobre gente tiende a arquearse. Para que el señorío rumboso y fanfarrón de la calle de las Sierpes, en Sevilla, y de los tentaderos de toros pueda hacer flotar al viento, como una bandera, sus insolencias, es preciso, se hace preciso que muchas cabezas temblonas se afanen sistemáticamente inclinadas hacia la tierra; que muchos brazos, precozmente seniles, esgriman, durante toda su vida, herramientas que, aun siendo de creación, son, para los que las manejan, de muerte. Es preciso que la proyección luminosa del Evangelio se haya desvanecido de la tierra y que los días del Apocalipsis se hallen ya prestos e inminentes, portadores del caos, tremendos... (Iluminaciones, p. 123).

Señalada la inherente tristeza andaluza, también Sawa contradice en otra página, destinada principalmente a comentar los libros de Verhaeren y Barrès sobre España, algunos de los tópicos sobre el alma andaluza, acerca de la cual escribe: «Sin embargo, el pueblo andaluz, mejor que ningún otro de la Península, glosa y parafrasea en sus ritmos y decires, insistentemente, monótonamente, la dolorosa exclamación de Lamennais: "Mi alma ha nacido con una llaga", y, si bien es cierto que no se siente fuera de lugar ni de sazón en los tumultos de una zambra, también lo es que, como la heroína del cuento javanés, baila siempre, aun en sus más soleados jolgorios, con un cuchillo clavado en las entrañas...» (Ibídem, p. 186).

(26) «Femenismo», Los Lunes de El Imparcial, 13 de julio de 1908.

reflexivos para hablar cuatro horas seguidas de lo divino y de lo humano, sin solución de continuidad alguna. Apenas si de vez en cuando un espíritu avisado y despierto emite sufragio acerca de los problemas pendientes de resolución más o menos breve en Europa.

Para Sawa, bien alerta ante la retórica política, los hombres públicos españoles, que deberían tener diez dedos en cada mano («Vanidades», *Los Lunes de El Imparcial*, 29 de junio de 1908), son poco dignos de alabanza; van derechamente a la catástrofe, sin saber mitigar los presagios funestos aparentes en la situación nacional («Hampa política», *Germinal*, I, núm. 3, 16 de septiembre de 1903). En el mismo texto figura el siguiente comentario sobre Cánovas: «Un andaluz torvo, esforzado, impulsivo, con instintos de alas en los costados y de ave rapaz en el aparato gástrico» (27). La misma imagen predilecta de la prosa de Sawa se utiliza, en sentido contrario, cuando escribe para *Nuevo Mundo* (XI, núm. 554, 18 de agosto de 1904) una nota necrológica acerca del político francés Waldeck-Rousseau, de quien guardaba en su museo interior un claro recuerdo. Leamos los renglones que siguen: «...Un ala de Francia ha quedado roto a menos que surjan hombres nuevos que sepan cosas del éter y de la luz, pero que se resignen a marchar a pie entre nosotros. Waldeck-Rousseau era un caminante alado.» En la política del país, pues, Sawa pide altas miradas y gente alada capaz de llevar a cabo un programa social justiciero e independiente.

En el mundo contemporáneo, sin embargo, valen todas las apariencias. Un genio desharrapado tendría, dice Sawa, poca posibilidad de ser reconocido como hombre superior. Dadas las circunstancias de la vida española, que exalta todo lo fastuoso y brillante, la gente atribuye grandeza intelectual a cuantos están cerca de la gobernación del Estado. Más directamente, dice de los políticos (28):

---

(27) Véase también «Los neo-conservadores», *Alma española* (I, número 8, 27 de diciembre de 1903), pp. 3-4.

(28) No puedo menos de recordar aquí otra prosa, «De mi galería» (*Nuevo Mundo*, XI, número 564, 27 de octubre de 1904), en la que habla irónicamente de un paisano suyo de Sevilla, que llega a Madrid dispuesto a triunfar: «Topéme con él por una de las endiabladas carreteras que a diario recorro, y pude apreciar que en su extranjería por las cosas perennemente bellas de la vida, confundía la guitarra con la

Hablárase con un filólogo de matemáticas y se abstendría de emitir sufragio, o con un astrónomo de política, o con un poeta de Derecho canónico, y ocurriría lo propio. Pero que no se pretenda tamaña manifestación de sinceridad en un hombre político. Los hombres políticos son todos —es sabido— ambidextros, y ya lo prueban ellos usando con sus posaderas, «a tour de rôle», las poltronas de todos los ministerios. Y como el Arte es la cima más luminosa —y la más solitaria también, como todas las cumbres— del Continente moral humano, allí es donde ellos, los hombres de la planicie y del aparato pulmonar mezquino, aspiran y se jactan de poder vivir, si a bien lo tuvieran, ciudadanos de todos los mundos, coetáneos de todos los hombres y colegas de todas las majestades del Olimpo («Los superhombres de la política», *Los Lunes de El Imparcial*, 28 de febrero de 1908).

Tema ocasional de la prosa de Sawa es también la oratoria política; con ese pretexto comenta la división de los oradores, antiguos y modernos, en los dos bandos de románticos y clásicos. Nuestro autor, que nunca reniega de su herencia romántica, no se opone a la elocuencia, que «está formada de pasión, de ardimiento y de fe», ni tampoco rechaza el sentimiento a la inspiración a nombre de la razón, que califica de *sombría* y *esterilizante*. En efecto, es partidario de todo lo grande y sublime. Lamenta también en la juventud la tendencia a mostrarse indiferente ante los más bellos espectáculos de la tierra. De ahí que diga de esos mismos jóvenes (29):

lira, la zampoña con el salterio, la gracia —¡oh, divino sentido griego de la palabra!— con la chacota y los jardines de Academos donde la alba verdad surgía viva de entre los mirtos y los macizos de laurelrosa, con los meretricios de la corte, cavernas mejor que ginecoes, sentinas mejor que cavernas... Resuelto a tomar parte en la absurda contienda madrileña por la celebridad, que tantos confunden con la gloria, sabía lo justo y matemáticamente preciso para triunfar, muchas palabras y pocos conceptos, múltiples adjetivos y escasos sustantivos y verbos. Veréis. En hecho de erudición histórica conocía los nombres de César, de Viriato, guerrero, etc.; de Espartero, el buen duque de la Victoria; del inmortal Cervantes y del *Chiclanero*: sabía esos nombres —¡Dios mío, con uno solo bien sabido, hubiera bastado!— y con ellos, bien pergeñados con su armonioso ceceo meridional, se arreglaba para hablar de todo... Sabía bastante bien aprendidas de memoria, frases enteras de nuestro gran vivero nacional del siglo XVII, frases de *caló* también con que comentar aquéllas, que en fundir lo noble con lo soez, como en manchar de fango las estatuas de los jardines públicos, hay un placer para los degenerados y un ademán para los ineptos. Y por esas y otras razones, está a punto nuestro hombre de ser reconocido como una de las voluntades directivas de la nación...»

(29) Cito según la versión de 1908: «Mediocracia», *Nuevo Mundo*, XV, núm. 735, 6 de febrero de 1908. En el texto original de 1905 [*Rena-*

Son los tasadores y los comentaristas jurados de lo trivial y
lo mezquino. No abomino de ellos, como no llegaré a negar la
utilidad de sus microscopios: pero me interesan más las águilas
que los ratones. ¡Ah, la visión del cielo azul, con un ala a cada
costado y sentir cómo el éter vibra alrededor de nuestra cabeza...!

En otro lugar alude también Sawa en las letras nacionales a un grupo que él llamaría «cofradía de los profesionales de la juventud» (*Iluminaciones*, p. 188), cuyo mérito
mayor es su juventud. Recuerda además la frase ingeniosa de Lamartine, quien dijo: «¡Viva la juventud!, pero a
condición de que no dure toda la vida.» Parece estar en
principio de acuerdo con el juicio del poeta francés aun
cuando dure la juventud toda la vida:

> ... pero no esta juventud española de ahora, que huele a cera
> de las sacristías, que ronda los hogares de los ricos en busca
> de una provechosa heredera, que se extasía ante Mercurio y ha
> hecho de él su Dios de la mano izquierda, que sigue la moral
> de Loyola y que es capciosa hasta en el amor, que es capaz de
> recitar de memoria el Catecismo del P. Astete, pero que ignora
> el cantar de los poetas humanos y viriles, y que, en una palabra,
> vestida de negro, y oliendo a moho, es la negación de todos los
> sentimientos primaverales y fuertes (pp. 188-189).

Un texto fundamental incorporado a *Iluminaciones*
(páginas 212-218) relaciona también directamente la juventud española contemporánea con la política y el Estado. Sawa percibe en esa juventud una indiferencia ante
la problemática nacional. Afirma que la política les inspira tedio, y rencor sus representantes (30). El Estado no ha

---

cimiento latino, I, núm. 1, abril de 1905], el punto de partida era diferente: «Las dos hermosas oraciones (oración: arenga compuesta para
persuadir a mover a alguna cosa: rezo), pronunciadas recientemente
por Canalejas en el Congreso, han dado motivo a un escritor, cuya
visión microscópica de la vida le induce a no ver en los mármoles ta-
llados por la inspiración del artista sino las máculas con que el tiemop
muestra su enemistad a todas las alburas, le han dado motivo para,
oponiendo la oratoria de Maura a la de Canalejas, como podría oponerse una decoración de bambalinas a un paisaje natural, proclamar
la muerte del Romanticismo (¡la donosa ocurrencia!) y el triunfo del
compás y de la regla sobre la vehemencia de la inspiración y los anacronismos del pulso...»

(30) En las mismas páginas, Sawa niega además la importancia de
Nietzsche para la juventud española. Leamos sus palabras: «No creo
yo tampoco que la juventud española transcurra su vida interna iluminada por ese sol de medianoche que en nuestra constelación se
llama Federico Nietzsche... No; la juventud intelectual contemporánea

hecho nada por los escritores y artistas, según dice, y funciona así en España:

... parcela nuestra actividad, codifica nuestro corazón, legisla nuestros placeres, rotura nuestra conciencia y, absorbente como un pólipo de mil patas, llega hasta encerrar en moldes curialescos las fórmulas que acompañan a los tremendos imperativos del nacer y del morir... (p. 213).

Más adelante afirma categóricamente que la juventud se muestra desdeñosa con sus mayores, y en la explicación de este hecho evoca de modo concreto la crisis de 1898:

... Los Estados Unidos alargaban sus tentáculos hacia nuestras antiguas colonias, y de allí volvían en lúgubres caravanas flotantes, como coágulos de nuestra hemorragia, por centenares, por miles, los mismos soldados que al son de las charangas emborrachadas por el himno de *Cádiz* habían partido poco antes · acompañadas hasta los muelles por vocinglera multitud que los vitoreaba. Los periódicos continuaban, no obstante, ocupándose de cuestiones personales de nuestra baja, misérrima política... (pp. 215-216).

El gran tema del día era la enfermedad y muerte de Frascuelo («Un símbolo jacarandoso y vivo de la idiosincrasia encarnada y amarilla que nos sofoca y nos mata», página 217). De aquel conjunto de tópicos, junto con la inmovilidad de los viejos que quedan en sus puestos, arranca, según nuestro autor, el sedimento rencoroso de la juventud (31).

Merecen igualmente citarse dos textos de Sawa, contemporáneos de aquellos hechos políticos: «Unguibus et rostro» (*El Liberal*, 25 de abril de 1898) y «La ola negra» (*Ibídem*, 17 de junio de 1898). En el primero, el más importante de los dos dentro del contexto, se respira, como refleja el propio título, un aire de franco optimismo ante la amenaza de la guerra con los Estados Unidos. El propósito del autor es atacar a los pesimistas, que se dejan amilanar prematuramente por la situación política:

---

no vive influida por el evocador del superhombre. Con toda su innegable grandeza Nietzsche producía al agitarse un vago ruido de cascabeles que hacían esperar, temer la pirueta. No fue un portaluz. Ni iluminó ni abnegó...» (*Iluminaciones*, pp. 214-215).

(31) También Sawa recuerda, como testigo, la indiferencia general y la caravana de gente jubilosa que iba a la corrida de toros el mismo día 2 de mayo en que se conoció el desastre de Cavite («Crónica», *Alma española*, II, núm. 15, 14 de febrero de 1904).

Andan por ahí, desmadejados y maltrechos antes de haber luchado, copiosas teorías de jóvenes elegíacos, pálidos de estériles insomnios, pálidos también de anemia moral (adenamia sería mejor), que nos aturden los oídos con sus desgarbadas lamentaciones de siniestros agoreros, andróginos sin faltas que en los tiempos heroicos Esparta y Roma hubieran arrojado de su seno, que en la época presente, y en nuestra cruentísima crisis actual, España debe confinar a una isla de San Balandrán cualquiera donde sirvan a lo menos para sostener el estribo de las amazonas que parten para los épicos combates.

Aquellos espíritus, lúgubres y seniles, no saben —prosigue Sawa— que es en los propios combates cuando se inician las aptitudes y se superan los hombres. Con una retórica huera pero bien intencionada admite que los Estados Unidos poseían una ventaja material: el dinero. Y así continúa diciendo:

... con dinero sólo se compran cañones, no virilidades capaces de dispararlos... La guerra pide máquinas, es cierto, pero exige principalmente hombres capaces del valor, del tesón y del donaire de manejarlas.

La guerra se convierte en una presencia, y de ella escribe Sawa (32):

Pero ya está ahí la guerra, erguida ante nosotros como una esfinge en mitad del desierto, misteriosa y turbadora como un gran signo negro de interrogación que cubriera todo el horizonte. Ya está ahí la guerra con su desolada comitiva de imprecaciones y de ayes, de lágrimas y de sangre, fatal como un fenómeno meteorológico, tremenda como uno de esos terremotos que sirven para rectificar la estructura del planeta. ¡España entera la vitorea como a una gran aurora boreal después de las inacabables noches polares! ¿Una Furia? ¡Una hermosa matrona de senos ubérrimos, con las mejillas tostadas por el sol de todos los continentes, disponiendo de la gloria como Júpiter del rayo, y en las próvidas manos el laurel, pronto a ornar la frente del augusto predestinado que deberá triunfar mañana!

El escrito termina todavía con una nota esperanzada: ¡sursum corda!, para luego aconsejar el autor: «...imitemos al Gunnar de las leyendas escandinavas, el héroe que

---

(32) Antes, en el mismo texto, había dicho que la guerra es horrible, sin duda, aunque en algunos extremos útil y hasta necesaria: «...Ya se ha dicho que cada época en la existencia de la tierra está marcada por una carnicería universal; que todas las capas geológicas encierran cementerios de mil y mil especies desaparecidas. Gobernar es prever; prever es tener un ala en cada costado para, desde las purezas de lo inaccesible, contemplar los sinuosos derroteros de las cosas humanas...»

entona un himno valeroso mientras en su cuerpo se enroscan serpientes y en sus entrañas se apacientan víboras». Después de varias semanas Sawa escribió «La ola negra», cuyo tono decaído es muy distinto del texto anterior de abril (33). Tristes y difíciles son los días que viven los españoles; aumentan de modo alarmante las desgracias. He aquí el resumen que se hace de los males nacionales:

No son bastante los Estados Unidos y sus amagos cruentísimos en Cuba y en Puerto Rico y en Filipinas; ni la doble hemorragia de sangre y de oro en que nos agotamos; ni la torpísima gestión de los gobernantes; ni el obstinado espectáculo de tantas melancólicas mujeres con tocas de viudez, de tantas pálidas criaturas con vestiduras de duelo; ni la obsesión de la idea, lacerante como un remordimiento armado de garras, de que quizás estos males que sufrimos no sean sino el principio de una sañuda expiación histórica; no basta, no, tener por cielo una pizarra tenebrosa, y por sólo terreno en que asentar la planta el albañal y la charca, sino que es preciso más, mayor suma de negaciones, y ahí está, a las puertas de nuestras ciudadelas, como los bárbaros ante las puertas de Roma, la espesa y tétrica legión de los hambrientos, con sus largos dientes amarillos que piden pan, y sus fuertes manos huesudas, semejantes a zarpas, que reclaman trabajo.

Como se habrá advertido en las páginas anteriores, apenas tiene Sawa elogios para la política nacional. Señala, sobre todo, sus repetidos fracasos; y no se cansa de insistir en ello:

Todo, dígase lo que se quiera, marca el estigma de nuestra delicuescencia: de seguir de este modo, pulposos e invertebrados, habrá aquí en este viejo hogar, simbolizado por castillos y leones, que arrojar sal, para que la vida no perdure ignominiosamente (*Iluminaciones*, p. 165).

De ciertos hombres de la política, cuya actuación conoce por la prensa madrileña, escribe: «...como si esos hombres existieran positivamente, como si fueran otra cosa que los fantasmas vocingleros y a veces trágicos de este minuto siniestro de la Historia» (*Ibídem*, p. 135). La misma visión decepcionada de la vida nacional y de sus instituciones más sagradas se extiende también al movi-

_____

(33) La parte que aquí se copia de esta crónica no figura en *Iluminaciones*, donde se reproduce solamente la parte última, en la que se habla de la caridad y de la necesidad de un saneamiento total para socorrer a los pobres y cuitados (pp. 189-191).

miento artístico de su tiempo (34). Reniega de su propia generación literaria, pobre en extremo, y, sintiéndose *extemporáneo*, afirma rotundamente:

> ... No veo, digan lo que quieran los periódicos y por mucho que afano la mirada, nada que se levante espiritualmente una cuarta de medida sobre el haz burgués de nuestra vida intelectual. Este pueblo, que tuvo a Garcilaso en la lírica y a Quevedo en la sátira, que se vistió de resplandores con Cervantes, que tuvo a Tirso en la Comedia y al Cid en los campos, tiene ahora a Galdós como bengala de apoteosis y al general Martínez Campos como motivo de eflorescencias de piedra, de monumentos públicos (*Ibídem*, p. 236).

Casi en forma de parábola, Sawa rememora también el caso histórico de don Rodrigo Calderón, antiguo favorito del rey, decapitado en Madrid en 1621 (*Iluminaciones*, páginas 203-208). Tan duros como los del autor eran aquellos tiempos del siglo XVII, época de hambre y de ruina,

---

(34) En lo que respecta a la Academia, veamos qué opinión expresó de ella Sawa: «... alojada en un riente edificio que recuerda a Grecia, vive en perpetuo estado de amancebamiento con la brutal Beocia, y mejor que un vivero de nuevas y fecundantes bellezas, parece un cementerio donde en vastos osarios guardaron todas las excrecencias del gusto que no debieron producirse sobre la haz de la tierra!» En el mismo instituto antipático, según dice Sawa, se reúnen los académicos, que son «... mejor que una asamblea de literatos, un salón de gente vestida que no toma el aperitivo en el café y que se emboza en la capa hasta los ojos antes de penetrar en el cuartito donde los aguardan, bostezantes, sus queridas» («Canalejas y la Academia», *Alma española*, I, núm. 7, 20 de diciembre de 1903, p. 8).
En otro lugar habla Sawa también del Ateneo: «... yo no sé del viejo Ateneo sino lo que me han contado, falso quizás, como cuanto me han contado de todo, a tal extremo que de mis cuarenta años de vida llevo casi medio siglo rectificando los errores primarios de la educación mental impuesta. Pero ese Ateneo, que yo conozco, asilo de inválidos, potrero de jóvenes bien vestidos para doncellas ricas, osario de todas las apolilladas costumbres mentales, sucursal de sacristías, limbo de los neutros, hogar de los epicenos, no es ya otra cosa sino el albergue, asilado como un yermo espiritual, donde hallan posada los poetas de Centro y Sudamérica, que, ateos de Colón y del divino Manrique, vienen aquí a que los jaleadores de oficio exalten mercenariamente, como si fueran cumbres aureadas por el sol, sus vanos nombres repiqueteados a diario, como un monótono tocar de campanas, por todos los periódicos... Es una posada. Ignoro si tiene camas y cantina, ni sarmiento en brasa ardiendo en el hogar de su cocina, pero sé que carece de una tribuna libre con tornavoces a los cuatro vientos de la vida y que los hombres ungidos por la intelectualidad se sienten allí extraños y solos, vagando por la extensión de vastas salas y corredores en los que las vibraciones de la humanidad no se sienten y que exhalan un vago olor a sacristía» (*Iluminaciones*, pp. 236-237).

de onerosos tributos y de pasiones extremadas. En efecto, la tesis de Sawa, perfectamente lúcida, es que poco ha cambiado con el largo transcurso de los años, durante los cuales «centenares de ministros, no menos venales que don Rodrigo Calderón, han hundido sus manos avarientas en las arcas del Tesoro» (p. 208). El episodio de aquel antepasado de hoy sirve para probar la vana ejemplaridad de la Historia. Tan pesimista juicio de la Historia y del progreso de la humanidad se confirma en el fragmento que ahora copio de otro texto de Sawa («Mirando al porvenir», *El Gráfico*, 22 de junio de 1904):

> Decididamente, el destino de la humanidad consiste en subir y bajar sin tregua, y el de la Historia en describir los esfuerzos que hicieron los hombres para trepar a las cimas, y las resistencias que opusieron después a caer precipitadamente hasta el punto de partida, para subir de nuevo y volver a caer, insistentemente, isócronamente, con el automatismo de una función natural de la existencia. ¡Ah! La línea recta aplicada a las trayectorias extrañas del vivir, la filosofía de compás y regla, aquel donoso progreso indefinido que nos prometiera el alma cándida de Pelletan, ¡cuán lejos están y qué poco se acomodan a nuestras realidades cotidianas! Más lógico sería volver a la creencia de los círculos concéntricos de Vico, letales para nuestra ansia de vida dulce y bella, como verdaderos círculos estigios.

Aunque la política no haya ocupado un lugar destacado en la obra periodística de Sawa, es evidente que le preocupaba sinceramente la problemática de España. Liberal y progresista en su orientación ideológica, le duele la miseria y el retraso social que percibía con sus propios ojos. Se opone a los convencionalismos, tanto en su propia vida como en la del país; se adhiere a la causa de las reformas sociales; y aboga por una reorganización de la sociedad moderna sobre las bases de moralidad y responsabilidad cívicas. Este afán para lograr el restablecimiento nacional según unas normas equitativas y armoniosas no es en Sawa un mero tema retórico, sino que revela una insospechada seriedad en su posición ante la vida y sus injusticias. Saluda, sin embargo, al futuro, así como a las nuevas generaciones verticales que surgirán a la vida y tomarán parte en las batallas del porvenir (35).

---

(35) Escribe textualmente: «... desde lo alto de la montaña yo saludo en 1904 al porvenir, a las generaciones verticales y nuevas, a las que todavía postradas luchan en los limbos de lo desconocido por surgir a la vida, a las nuevas ideas, a las futuras batallas, a todo lo que no es y será, a las misteriosas alquimias en que se forjan los troqueles de lo futuro...» (*Iluminaciones*, p. 145).

Los cuentos y otras formas narrativas

Entre las prosas periodísticas de Alejandro Sawa hay un reducido número de páginas que por su calidad narrativa pueden ser clasificadas como cuentos propiamente dichos. En este apartado, pues, examinaremos rápidamente algunas muestras del arte de contar en Sawa. Aunque estas piezas breves no logren gran distinción artística, constituyen otra faceta de su producción literaria y por tanto merecen tenerse en cuenta (36).

Varios relatos son de tema amoroso, y en la mayoría de los casos encierran algún comentario irónico sobre la naturaleza de la mujer. En *Iluminaciones* (pp. 77-82), por ejemplo, se reproducen unas páginas narrativas que antes se habían publicado con el título «Los ocasos del amor» (*Nuevo Mundo*, X, núm. 516, 28 de noviembre de 1903), y después el mismo texto, ahora llamado «Cuando el amor se ha ido» apareció en *Los Lunes de El Imparcial* (17 de agosto de 1908). En este cuento, cierto hombre, que había tenido gran partido entre las mujeres, se niega a unir su destino con varias damas de alta categoría aunque reuniesen las positivas virtudes de juventud, belleza y fortuna. Busca, en efecto, a otro tipo de mujer, de condición social más humilde:

> ... abundando en la idea vulgar de que las muchachas de la calle son de más amable sustancia maleable que las damas empingorotadas y altivas, no consentía en soldar con sellos definitivos su destino, sino al de una mujer que *se lo debiera todo*, que fuera muy pobre, que tuviera candor, que, sin haber dejado en absoluto de ser una niña, hubiera llegado a edad de mujer, que mostrara la salud del cuerpo en los colores de la cara y en las líneas de su fábrica carnal, y la del espíritu, en el mirar sereno y en la palabra reposada y transparente... (pp. 79-80).

Por fin, nuestro protagonista encontró la mujer que buscaba; mejor dicho, encontró solamente las *apariencias* de ella. Se había equivocado de manera rotunda; por dentro era taimada y pétrea, sin corresponder en absoluto a su ideal femenino. Comenzó el infierno en el hogar, aunque el protagonista, en su obstinada lucha contra lo inevita-

---

(36) No pienso ocuparme aquí otra vez de «Banderín de enganche», un texto narrativo que parece ser, como ya he señalado, un fragmento de la novela breve *Criadero de curas*, que no he podido localizar; ni tampoco de *Calvario*, una adaptación de la novela *Jack*, de Alfonso Daudet, publicada después de la muerte de Sawa.

ble, procure aplazar el desenlace funesto de la frustrada unión matrimonial. Condenado a vivir sin amor ni felicidad, el narrador, que resulta ser desde luego el propio personaje del drama, al terminar su historia pregunta a los amigos que han escuchado la relación de sus desgracias: «...¿no tenéis un poco de coñac con que llevar algún calor a mis venas? Parece que en vez de sangre contienen hielo...» (p. 82).

En «Ante el misterio» (Alma española, II, núm. 18, 13 de marzo de 1904) Sawa utiliza el mismo procedimiento de un narrador interior, ahora de nombre Germán, quien conversa con algunos amigos, después de cenar, sobre el tema de su esposa (37). Se había casado con ella por su mirada azul; quiso ser para su mujer «como un hombre de cristal, como un ser hecho todo de transparencias, hialino, igual que la linfa de un lago en una visión de ensueño». Sin embargo, ella le resultó opaca e impenetrable; estaba unido a una esfinge, cuya alma nunca podría conocer, puesto que ignoraba cuanto ocurría dentro de ella. Atormentado por esto, Germán llega a la sombría conclusión de que su mujer no era más que un animal plástico, todo instintos, y que carecía de alma:

... Era... un ofrecimiento, una promesa de hogar y de nido; pero todo baluartes y aspilleras y defensas... ¡cosa más sencilla que una vivienda, que un habitáculo humano! Sólo que, ¿cómo hablar de una casa cuyo interior es impenetrable? Por eso dije al principio que no conozco nada tan complicado como las almas sencillas. Y quiero añadir ahora que ni tan hermético tampoco.

El breve relato, además de enjuiciar a la mujer como en el caso anterior, ilustra la paradoja antes establecida de que no hay nada tan complicado como las almas sencillas. También en la historia a la que nos referimos anteriormente se demuestra otra premisa: muchas veces las cosas más fáciles de la vida son las que se encuentran con mayor dificultad.

---

(37) Véase el mismo texto, que apareció con el título «La mujer-enigma», Los Lunes de El Imparcial, 10 de agosto de 1908, con pocas variantes de importancia. «Ante el misterio» fue reproducido en la revista venezolana El Cojo Ilustrado (XIII, núm. 297, 1 de mayo de 1904, página 290); un año antes, en la misma publicación de Caracas (XII, núm. 284, 15 de octubre de 1903, p. 608), apareció el texto de Sawa «Crónica literaria» (la página sobre Poe y Baudelaire).

Con el título «El desfile» publica Sawa otra breve historia de amor en *La vida galante* (VIII, núm. 360, 29 de septiembre de 1905) de su amigo Zamacois. Trata de una mujer llamada Julia que toma la decisión de cambiar su vida; a partir de ese momento, será egoísta más que pródiga en el amor. Desde el comienzo del relato, en que Julia pasa revista a los amores marchitos con la lectura de cartas guardadas en un pequeño cofre de ébano, que representaban el desfile de sus ilusiones muertas, Sawa afirma que el «tomar una resolución para el porvenir es, muchas veces, ponerse de acuerdo con el destino». La historia misma tiende a establecer aquella verdad. Asimismo, en otro lugar («Las ironías de la vida», *Los Lunes de El Imparcial*, 28 de septiembre de 1908) se relata la historia vulgar de Lucas Montenegro, cuya vida aparece dividida en dos porciones; una primera de amor y luego otra de decepción amorosa. A las manos de su mujer les debe una cédula de felicidad; pero aquéllas se convirtieron en garras, «...le labraron la piel hasta dejarle completamente al descubierto y tembloroso de frío su pobre corazón de hombre». Lucas Montenegro, evangelista del feminismo y dedicado, por tanto, a la empresa emancipadora de la mujer, se había casado por amor con quien atesoraba todas las perfecciones. Viajó el matrimonio predicando la nueva doctrina social, y por fin les nació una hija. Veamos cómo describe Sawa, en una prosa muy elaborada, el nacimiento de aquella niña y luego la muerte de la madre:

> ... Y un día el nardo dio su flor y aquellos dos seres, convertidos en tres por álgebra del amor, ya no pidieron otro don a Eros que la materialización de aquel instante supremo, su cristalización en un segundo que ocupara todas las concavidades de la eternidad.
> La niña, magnífica eclosión de aquel cálido epitalamio, fue medrando a la par que la fulgencia de la aureola que circundaba la frente del gran propagandista, cuando hete aquí que el dios malo de las viejas teogonías orientales hizo irrupción, agitando sus peludas membranas de murciélago, en el santuario del amor aquél, derribando los vasos del ara, desgarrando los linos sagrados, poniendo la impiedad en el sitio de la oración y trocando los místicos sahumerios del templo en las acres humaredas de los aquelarres.

Con el transcurso de los años la niña se convierte en mujer, con un alma gemela de la de su madre desaparecida, y es obra natural de las predicaciones del padre:

... de su siembra de rebeldías no podía esperar óptimas cosechas de mansedumbres, y deslumbrado por la propia antorcha que blandía contra las tinieblas, no reparó en que su palabra emancipadora llevaba ácidos de disolución que tan fuera de lugar lo habían dejado viudo en plena vida de la que fue su esposa y que ahora amenazaban con nuevos crespones de duelo sin que la muerte, una vez más, tuviera, sin embargo, nada que hacer con él ni con los suyos.

Y así fue Lucas Montenegro víctima de sus propias palabras emancipadoras. El autor de tan irónico relato comenta (38):

> Me propuse seguirlo por la vida, pero de pronto aquella lengua de fuego se apagó, como estrangulada por los rencores de una parálisis, y del profeta Lucas sólo llegó a saberse que fue un hombre que había pasado por la tierra para colocar los sillares de un mundo mejor; pero yo sé positivamente que murió tragado por su propia obra, porque si su mujer al abandonarlo lo había dejado hundido en la execrable realidad presente hasta muy cerca del corazón, su hija, al marchar, lo dejó enterrado por completo.

Hay otros tres fragmentos, recogidos todos en *Iluminaciones*, que merecen ser mencionados aquí. Son unos textos estrictamente narrativos, sin la menor pretensión de ilustrar ninguna posible paradoja o de establecer una verdad antes afirmada. En dos de ellos se trata del relato de un crimen; en el otro del caso patético de un acróbata que muere, suicidándose, para ir al encuentro de su amado hijo, ya fallecido.

_____

(38) Como se habrá visto, ese mismo tono irónico suele caracterizar varias historias de Sawa. Por ejemplo, con el título «Cuentos irónicos» (*Los Lunes de El Imparcial*, 14 de septiembre de 1908) publica una narración en la que se cuenta la vida de un tal doctor Morín, el sabio inventor de la alimentación sintética. Al darse cuenta de la esterilidad de su vida de *dandy* elegante, se consagra luego a misteriosos estudios de alquimia; realizado su descubrimiento, parece que aquel sabio murió de hambre. De tono francamente jocoso y de carácter tragicómico es también el texto «Un destino» (*Madrid cómico*, XX, número 38, 23 de junio de 1900, p. 303), que se refiere entre veras y burlas la accidentada existencia de un estrafalario tipo español muerto en Leipzig, profesor de no sé cuántas lenguas exóticas y autor por fin de un libro titulado *Tratado de la cría del cerdo, seguido de un manual completo del perfecto salchichero*. Reproduzco el párrafo último de tan divertida página: «Y al ir el malogrado *virtuoso* a Leipzig para cobrar el importe de su versión castellana, una teja que cayó del cielo —porque del infierno no había de ser, estando el infierno abajo, según las más autorizadas opiniones— señaló el fin —¡ahora que comenzaba nuestro hombre a escribir libros!— de esta singular víctima del destino. ¡EIRONEIA!»

En el primer texto (pp. 153-161) se relata un crimen vulgar, referido al autor por algún amigo anónimo (39). El gallego Pedro Castiñeira, un ser *vertical* (éste es el adjetivo predilecto de Sawa para aludir a una persona recta y honrada), había emigrado a un hermoso pueblo andaluz, donde a costa de grandes esfuerzos lograr reunir con los años una fortuna decente. La víspera misma del día señalado para su anhelado regreso a Galicia fue encontrado muerto, con señales evidentes de haber sido asesinado. Comienzan inmediatamente las averiguaciones; a pesar de todas las diligencias, el crimen permanece en el misterio. El muerto tenía un amigo inseparable, Juan de Dios Alcántara, quien lleva su necrolatría al extremo de hacer construir un monumento en memoria del compañero desaparecido. Después de ausentarse y de vivir unos dos años en lejanías misteriosas, regresa un día al pueblo. Para olvidar la muerte del amigo se entrega a la bebida y a la crápula. Una tarde, en que bebía desaforadamente, le invitan a que se una con un grupo de amigos, uno de los cuales contaba con la guitarra las penas del vivir. Triste y beodo, Juan de Dios comienza a descomponerse visiblemente bajo la influencia de la música; su borrachera se deshace en lágrimas. Y en el momento en que el guitarrista va a iniciar una *muñeira* se oye de sus labios la terrible confesión de haber sido él el asesino de Juan.

El segundo texto que ahora me interesa, cuyo primitivo lugar de publicación desconozco, ocupa las páginas 93-101 de *Iluminaciones*. El patrón narrativo nos resulta ya familiar: una tarde espléndida de primavera conversaban de sobremesa algunos amigos; uno de ellos alude al crimen que parecía haber sido motivado por el robo y que tanto se comentaba entonces en Barcelona. En seguida, con ese mismo punto de partida, uno del grupo contó la historia de la que él era protagonista. Es interesante señalar que Sawa entremezcla algunos recuerdos autobiográficos de Bélgica en el relato que aquí se cuenta.

En el casino de Dineut, en Bélgica, el narrador tuvo la mala suerte de perder el producto total de las conferencias que acababa de dar en Bélgica y Holanda. Encontrándose todavía en Dineut, solo y triste, una inesperada

(39) Se publicó por primera vez con el título «El canto de Orfeo» en la *Ilustración española e hispanoamericana* (octubre de 1902); luego volvió a salir como «La música espectro» en *Los Lunes de El Imparcial* (17 de septiembre de 1906).

casualidad le pone en relación amistosa con un rico Sir***, que decía ser inglés de nacionalidad. Aquel hombre singular gastaba el dinero pródigamente y siempre ganaba al juego. Invita al narrador a que sea su secretario. Aceptado el empleo por aquél, los dos comienzan a recorrer vertiginosamente el mundo. Transcurren los meses, y un día, poco antes de llegar a Ginebra, el misterioso inglés explica a su secretario que necesita su ayuda esa misma noche para poder raptar a una mujer de quien está enamorado. Mientras dé el golpe, el secretario debe guardar la entrada de la casa. Acometido por funestos presentimientos, el narrador no espera para tomar una decisión: abandona el hotel donde se hallaban alojados y huye a todo escape. Al llegar a Lyon pudo ya leer en los periódicos la noticia del crimen: un joven extranjero había asesinado a una señora que vivía en una hermosa finca en las orillas del lago; el móvil del crimen parecía ser el robo. En los periódicos se daba, además, la noticia de la desaparición del compañero con quien había llegado el asesino, dejando en el hotel solamente un baúl con ropa y algunos libros.

Asimismo se incorpora también a la obra póstuma otro tipo de cuento (pp. 196-201), aparecido antes con el título «Seres dobles» en *Blanco y Negro* (XII, núm. 588, 9 de agosto de 1902). La acción transcurre en Londres; Sawa demuestra poseer algunos conocimientos básicos del ambiente inglés. Tampoco falta el usual recurso del narrador interior, un acróbata llamado Jack O'Meara, a quien conoce el autor en el bar de la Cometa, donde solían reunirse quienes actuaban en los circos y los *music halls* de las inmediaciones. El irlandés O'Meara, «poeta de temperamento y. *clown* de oficio» (p. 197), es el protagonista de la triste historia que va a relatarse. Todas las noches se dedicaba en el circo a su tarea de desesperado o suicida («vivir contra la vida es lo que él hacía y de lo que él vivía», p. 197), desafiando las leyes fundamentales del equilibrio; cada vez que el autor le saludaba pensaba en la muerte, porque creía tener entre sus manos las falanges de un esqueleto y no los dedos de un hombre vivo.

Un día O'Meara refiere al narrador la historia de su vida. Hijo de unos padres que vivían normalmente, estudió para marino influido por el amor a la aventura. En su primer viaje a Calcuta se enamoró «de la más mala

297

hembra mortal que han visto los nacidos» (p. 199); volvieron a Londres casados. No relata los tristes detalles de su vida conyugal, pero resulta que pronto murió su esposa, dejándole un hijo que fue todo para el padre. Por ese hijo, muerto no se sabe cómo ni en qué circunstancias, O'Meara expone su propia vida todos los días, comprándole flores y coronas; además, da cada noche el triple salto mortal para lograr el dinero necesario para construir al pequeño un gran mausoleo. Cuando haya reunido la cantidad suficiente dice que dará el salto peligroso sin la red, que sirve para evitar algún accidente fatal:

> ... y el *clown* O'Meara se deja caer verticalmente, en la más gloriosa noche de su vida, ex-profeso, rezando a su niño, invocando la almita blanca de su Peddy [*sic*], desde lo alto del trapecio y ofrecerse entonces —¡oh, por una vez loco de verdad, pero loco de júbilo!— ante la mirada atónita de la muchedumbre (p. 201).

Aunque termine el relato con estas palabras, al hacer la presentación del protagonista había escrito Sawa que sus lectores recordarían con espanto el fin reciente de Jack O'Meara (p. 197).

Sawa es también autor de otra ficción de tipo diferente, que pudiera clasificarse de parábola fantástica; el texto a que me refiero, de vagas resonancias bíblicas o de tiempos prehistóricos, se publica con el título «Fantasías» en *Don Quijote* (VI, núm. 29, 16 de julio de 1897). Parece que una tribu de vagabundos había merodeado durante muchos años por los alrededores de la ciudad santa, cuyos moradores les negaban todo:

> ... ni lumbre ni techo: se les rehusaba todo. Inflexibles los de adentro, y tercos los de afuera, aquella lucha había llegado a los límites posibles de una tensión absurda. Había ahitez en el espacio circunscrito por las murallas; hambre fuera. Y mientras que la hartura de los sitiados clamaba a Dios, la larga dieta de los sitiadores pedía tónicos al diablo. ¡Donoso mesiazgo el del hombre aquel, el jefe de la banda, a quien se le exigía que fuera conquistador y brujo en la misma milésima de segundo!

Establecido así el radical enfrentamiento entre los de dentro y los de afuera, el jefe de la banda de los sitiadores, un anciano imponente, avanza para hablar con sus hombres, todos ellos sórdidos y lisiados. Antes de que comience el ataque se describe así al jefe:

> Una gran sonrisa, entre afectuosa y burlona, terca y siempre igual, lo cubría estrechamente, personificándolo, singularizándo-

lo. Aquel hombre era aquella sonrisa; sólo que, reparándolo detenidamente, se barruntaba —¡mucho cuidado!— que la irradiación de la sonrisa podía desvanecerse hasta las hoscas entonaciones de la cólera y el odio; y que la misma mano que trazaba como en una gran pizarra gestos acariciadores de amante sobre el vasto horizonte azul, era susceptible de desgarrar miembros palpitantes y de ensañarse después en ellos inexorable: mano-zarpa.

El fantástico ser les dirige la palabra. Es escuchado, y ante el asombro de todos

... Ocurrió entonces un acontecimiento, más propio de la Taumaturgia que de la Historia. Veían los ciegos, corrían los tullidos, producían acción los mancos, y hasta los mismos poltrones, espoleados por la pasión, abrasados por la codicia hasta marcar en ellos temperaturas de horno o de fiebre inverosímiles, especie de tizones semovientes —las teas humanas con que se holgara el déspota romano—, se lanzaron también a la pelea, formando, compactos y como fundidos, una suerte de bloque humano delirante, que avanzaba y caía, y se levantaba, y volvía a caer, y rodaba, y chocaba contra los muros de la ciudad dorada —irresistiblemente.

Nada puede detener el avance de las hordas. Se abre una brecha en la muralla de «aquella isla florida de sus sueños», cuando de repente, en el instante mismo del triunfo de los bárbaros, movidos principalmente por sus deseos materialistas e innobles,

... aparecieron en las lejanías borrosas del horizonte, cabalgando hacia ellos en son de guerra, armados de rayos, resplandecientes y magníficos, los albos caballeros del Ideal, anunciados desde mucho tiempo hacía, como Cristo por los profetas que le precedieron, por evangelistas y augures de todas las zonas terrestres, por cuantos tienen el don de prever y la santidad de prevenir... Cesó la horrenda lucha como por encanto. ¿Quién es osado a combatir contra terremotos y ciclones? ¿Ni cómo una generación entera de homúnculos podría habérselas con un puñado de hombres?

Así, con la llegada de los albos caballeros, termina una jornada más importante para la historia de los destinos humanos, según Alejandro Sawa, que la rota de Guadalete o la batalla de Lepanto. Mediante tal hazaña se logró crear un nuevo mundo en el cual pudieran existir las fuerzas del idealismo para oponerse a los deseos de la gente maldita que vivía dentro y fuera de la ciudad santa de nuestro cuento.

Entre la docena de piezas narrativas que escribió Sawa, el cuento «Historia de una reina», de tema amoroso y de ambiente cortesano, ocupa un lugar especial en su obra literaria, no sólo por su extensión, sino también por su forma. Con dedicatoria «Para mi Juana», se publicó en *El Cuento Semanal* (I, núm. 18, 3 de mayo de 1907); un primer esbozo del argumento había aparecido algunos años antes en el texto «Rápidas» (*Alma española*, II, número 17, 6 de marzo de 1904, pp. 9-10) (40).

El subtítulo del cuento da la pauta y con las mismas palabras acaba la narración: «La historia gentil — de una reina de ahora que no quiso reinar — sino en los corazones.» Formalmente, el escrito tiene la novedad de alternar con una prosa dialogada, interrumpida por amplias acotaciones literarias y descriptivas, la narrativa, que a su vez corresponde a un libro de memorias dividido en pequeños fragmentos, según las fechas de las entradas. En la composición del texto hay dos partes dialogadas y otras dos tomadas del mencionado diario de memorias. Otras notas significativas, que destacaremos más adelante, hacen que esta prosa ocupe un lugar especial en la producción de Alejandro Sawa. Es, además, el relato más importante de cuantos escribió nuestro autor.

El argumento de «Historia de una reina» no puede ser más sencillo. Se trata de la triste historia de una soberana casada contra su voluntad, que huye por fin de su palacio regio, abandonándolo todo para volver a la vida y ser como las mujeres que no son reinas:

---

(40) El punto de partida de este antecedente parece ser un telegrama que la Princesa Luisa de Toscana dirige a su marido el Príncipe heredero de Sajonia, pidiéndole permiso para ver a sus hijos. El rey niega a la princesa adúltera el permiso solicitado. Sawa, que toma la parte de la princesa, habla de su vida sin amor con un príncipe marmóreo, recluida en la prisión del palacio y totalmente sujeta a la férrea etiqueta. Lo mismo que en «Historia de una reina», ella hubiera querido vivir como las demás mujeres de la tierra: «... No se sentía nacida para reinar, sino para vivir, ni los salones de un palacio le parecían más soberanos que la ancha extensión de los campos. Le molestaba en las sientes, hasta el dolor, la corona; llamaba al traje de corte su camisa de fuerza, y de buena gana hubiera respondido con una fuerte interjección plebeya a las zalemas exangües de los cortesanos. Hasta llegó a hacerse público que en materias de arte la Princesa prefería Zola al Protocolo. No podía ser. El Príncipe, su esposo, prefería en cambio el Protocolo a los más hermosos catecismos de la tierra.» Como en el texto de 1907, aquí se lee también: «Quizás el dolor humano sea la única indiscutible aristocracia de la tierra».

Ella hubiera deseado vivir como las demás mujeres de la tierra, que no son reinas. Cuando anunciaron, sin tener para nada en cuenta su voluntad, sus próximos desposorios con el rey de Moravia, vio, como en un horror de pesadilla, desgarrarse el porvenir y aparecer en él la cabeza medrosa de un dios de maldiciones y venganzas. No se sentía nacida para reina, sino para vivir, ni los salones de un palacio le parecían más soberanos que la ancha extensión de los campos. Le molestaba en las sienes, hasta el dolor, la corona; llamaba al traje de corte su camisa de fuerza, y de buena gana hubiera respondido con una fuerte interjección plebeya a los cumplidos exangües de los palaciegos. Hasta llegó a hacerse público que en materias de arte la reina prefería a Heine al protocolo.

La acción transcurre parcialmente en Alemania, en tiempos modernos (la reina, por lo visto, nació en 1889), aunque no deje de percibirse en todo el relato un ambiente anacrónico, propio de los cuentos de hadas. En efecto, al concluir la historia, Sawa escribe en una breve acotación: «...Aquella reina cuya vida, como la protagonista de un cuento de hadas, podía comenzar a contarse diciendo: 'Erase que se era'...».

La joven princesa Beatriz, de alma poética, vive en un mundo azul de sueños; poco interés tiene en las lecciones de su *gouvernante*, la fiel señora Solling. Beatriz no es princesa de sangre, sino que su padre, Otto de Sttitburg o el Mariscal de Hierro, como a veces se le llama en la obra, ha recibido del rey el título honorífico de príncipe. La joven, grácil y blonda, en contraste con el padre, siempre calificado de augusto, ha heredado de su madre, ya muerta, fuego en el pecho y humo en la cabeza. De la madre de Beatriz, idealista y soñadora como su hija, se escribe:

> ... he evocado el bello poema de su vida, y he perfumado con sahumerios su sagrada imagen. Ella extendió el misterio de sus alas demasiado pronto para volver al azul, del que procedía... Fue como un ser de alabastro, en el que ardiera una llama, y malas hadas hicieron que uniera su destino al de un marido feudal, todo de hierro...

Dimitrio, secretario del mariscal, está por supuesto perdidamente enamorado de la joven princesa, cuya mano ha sido ya solicitada en matrimonio por el viejo rey de Moravia. Las bodas reales constituyen la culminación de la diplomacia del príncipe; la hija se casará por la voluntad de su augusto padre. Ante las repetidas protestas sentimentales de su hija afirma categóricamente el príncipe:

Princesa, basta de exclamaciones; ya sabéis que son completamente vanas conmigo. Os casaréis, porque tal es mi voluntad. Os casaréis, porque proposición tan espléndida no puede sopesar la mujer más ambiciosa de la tierra. Cierto que el rey ha dejado de ser mozo y que no es precisamente lo que se llama una arrogante figura... ¡Pero es un rey! ¿Ignoráis, pues, lo que es un rey? Un rey es un ser colocado por Dios mismo a un nivel de superioridad tan alto, que es inaccesible a los demás seres de la tierra; un rey, es un hombre que tiene derecho a completar y aun a rectificar la Historia; un rey, es el símbolo vivo de la fuerza reposando sobre el derecho, de la autoridad basándose en la necesidad, de lo sagrado confundiéndose con lo humano. ¿Y ante un ser de tal naturaleza, osáis contraer las líneas de vuestra cara con un mohín de dolor o de desprecio?

A la vez, rechaza el amor y los dictados del corazón como inútiles en la vida. El matrimonio no es más que un contrato:

> PRÍNCIPE: Y a mí me estáis causando profundísima pena...
> ¡Ese terrible temperamento de la madre! También vuestra madre creía en el amor con el fanatismo de una española o de una italiana... ¿Y de qué le ha servido eso?... No se puede vivir en el azul y en la tierra al mismo tiempo. Debéis creerme: el corazón es un estorbo... la más plebeya de nuestras entrañas...
> BEATRIZ: ¿Pero pensáis de veras que se puede vivir sin corazón, que un hombre y una mujer puedan unirse por toda la vida sin ideales, sin ilusiones, sin cariño, sin más vínculo, en fin, que los expresados en las cláusulas de un contrato?

En uno de los primeros fragmentos copiados del libro de memorias escrito en primera persona por la princesa Beatriz, afirma ésta que ha terminado ya la primavera de su vida e irá a Brunn, capital de sus futuros estados de Moravia, en tren («como corresponde a la modernidad de nuestra época»). El nuevo ambiente feudal, sin poesía ni gracia, en que va a vivir la gentil princesa se describe de la siguiente manera:

> Brunn, la capital del Estado en que reina sin reinar, es una vieja población cualquiera, donde Adán quizás ejerciera feudo y donde Faraones y Ramsés acreditaron sendas embajadas; ciudad tan vetusta, que en ella lo gótico aparecía como un atrevimiento de modernidad.
> Vieja la ciudad y senil su alma, Carlomagno continuaba siendo la garantía del pasado y la fianza de lo porvenir.
> El palacio regio, situado sobre una colina extramuros de la capital, negruzco, achatado, irritado también como una violencia de piedra, que se alzaba amenazante mejor que protector, era una de las fábricas más nuevas de la ciudad, porque su construcción sólo databa del siglo XVI. De él los árboles y las flores estaban proscritos, como las blasfemias en los libros de rezo.

Después de transcurrir dos años en aquella corte ruda y lóbrega, «sin otra poesía que la macabra de lo pasado», llega a ella Dimitrio, que tanta falta le hace a Beatriz, pobre reina desdeñada y olvidada por un marido indiferente. De éste dice la señora Solling:

> ... El rey... no diré que no la quiera, pero no se fija gran cosa en ella. Esclavo de sus deberes militares, ¡ah, señor Dimitrio!, no se trata de un rey cualquiera, sino de un rey ecuestre, de un verdadero centauro, que nos produce maravilla el no verlo penetrar al galope en las habitaciones de palacio. Su majestad dedica las mañanas a la equitación y los cuarteles, y sus tardes, para variar, a los cuarteles y la equitación, y sus noches a los circos ecuestres (por no perder la costumbre) y al amor de cuadra o de burdel de las *ecuyères* y las bailarinas. Mientras que la reina, o sola, o mal acompañada de una corte que le es manifiestamente refractaria y hostil, bosteza o se desespera...

A pesar de todo, el destino del fiel enamorado Dimitrio es el de esperar siempre, sin esperanza alguna, así como el anhelo principal de Beatriz es vivir fuera de la gran urna de cristal que para ella es el palacio donde la tienen encerrada. La vida asfixiante en la corte de Moravia vuelve a puntualizarse así:

> REINA: Seguís ironizando, por lo que veo. Aquí, en la corte de Moravia, a París se la llama Sodoma, y cuanto de allí viene, menos las bailarinas y el *Champagne*, queda sometido a largas cuarentenas en los lazaretos de la frontera. El arte es un pecado, el amor lo es también, y vivir según el concepto ortodoxo de los sabios oficiales, es contentarse y resignarse, estrangular todas las libres expansiones en aras de la grandeza nacional y del prestigio de la corona. La *Gaceta* es el más importante periódico del reino; los pedagogos, los maestros de escuela, de buena gana trocarían tambor por amor en sus libros de texto, como aquellas donosas ursulinas del famoso libro de Víctor Hugo.

Nadie tiene tiempo de vivir allí y a nadie se le ocurre abrazar ningún ideal. Tampoco sabe nadie amar. Sólo el espíritu de la reina late a un ritmo distinto:

> ... ¿Pero es que a estos hombres y mujeres que me rodean, no se les ha ocurrido alguna vez asomarse a los balcones para ver la vida como es y no como ellos se la representan, ni suspender momentáneamente una partida de caza para admirar un efecto magnífico de sol, ni leer un buen libro de versos sencillos y candorosos que pongan miel allí donde los otros libros de táctica y de estrategia carniceras sólo pueden dejar hieles y odio?...

Pero la cuitada reina espera el nacimiento de un hijo («pálido príncipe»); las campanas tocan a *réquiem* en su corazón al no sentirse madre. Y define así sus anhelos:

> REINA: ¡Yo, que he soñado siempre, y me he dicho siempre, y mi gran poeta me ha contado siempre que no se debe vivir sino para el amor, ni ser reina, ni ser esposa, ni ser madre sino por el amor! Pero eso es pecado en la corte de Moravia... ¡Ah, el dulce vivir de una lugareña cualquiera! ¡Con cuánta envidia las he contemplado recorrer la vida con un nimbo de pelos rubios o morenos por toda corona, apoyadas en el brazo del hombre que con ellas comparte la sal de la existencia, y acariciada la mano, no por el cetro, que es frío y odioso por antihumano, sino por el dulce contacto de la manecita de su niño, de aquel niño a quien dio el ser en la más hermosa fiesta de las entrañas...

Estas palabras dolorosas dichas a Dimitrio llegan a su punto culminante en los siguientes apóstrofes, que constituyen también la clave de toda la obra:

> REINA: ¿De veras me aman porque me creen buena, porque me ven más mujer que reina? ¡Oh, qué dulce sueño... reinar siempre en los corazones!...
>
> DIMITRIO: Ese es vuestro imperio; el cetro y la corona no tienen nada que hacer en él. Las clámides de las diosas no aceptan el armiño si están teñidas de púrpura.
>
> REINA *(Como en un éxtasis):* ¡Reinar en los corazones!... ¡Ser la Elegida por impulsos del corazón y no por impulsos de la ley!... Reina de los corazones. ¡Reina de un solo corazón de hombre, en vez de serlo mentirosamente, por un simple hecho nupcial, de un pueblo que, según acabáis de asegurarme, apenas me conoce!...

Aumentan las tristezas de la joven. Enferma gravemente su augusto marido, y la reina, más sola que nunca, huye del reino de Moravia para no ser más que mujer. Llega a París, condenando a su hijo a la orfandad. El autor comenta la huida de la princesa:

> ¡Pobre mariposa regia, teñida como un jirón de rebeldía con los más fieros colores de la independencia, cuán triste ha sido tu destino! Volar, volar casi a ras de tierra; porque si las mariposas saben el jugo de las flores, ignoran las grandes extensiones azules; para morir quizá con las alas quebradas y sin color...

El relato termina con unas palabras de piedad para la corte, los príncipes teutónicos, el niño, el rey y sobre todo para la romántica fugitiva y heroína del cuento.

No es arriesgado afirmar que algunos de los fragmentos más convencionalmente líricos de Sawa figuran en su relato «Historia de una reina». De manera singular, en ciertas acotaciones, la prosa es de clara factura modernista. Veamos, por ejemplo, cómo aparecen en la siguiente acotación inicial ciertos motivos que revelan sin la menor duda esa filiación literaria:

> (Es un jardín. Es un hermoso jardín riente. Hay en él bosquecillos de camelias, macizos de flores, brillantes como monstruosas pedrerías, arrayanes de gusto morisco, copudos árboles seculares que elevan sus copas con la majestad de bóvedas. Hay en el centro un estanque, y en él cisnes que bogan con el ritmo de góndolas en una Venecia de ensueño. Rompiendo la monotonía de los verdes del césped y del follaje, emerge la nota policroma de los mármoles tallados que graciosamente se ostentan aquí y allá, como una vistosa vegetación de gracia y de gloria...

No deja de ser significativo que en la misma acotación descriptiva y versallesca se refiera también el autor a una decoración de *teatro de hadas,* y luego se vea en el fondo cortesano la estatua de Heine, poeta varias veces recordado en el cuento y citado a menudo por Sawa. Leamos el breve texto, que acaba con la alusión a un pintor de moda en el modernismo:

> ... Bajo un templete, como en un sagrario, fulgura la estatua de Heine en toda su esplendente belleza de joven dios. La atmósfera de aquellas primeras horas matinales de un luminoso día de mayo, aparece vagamente rosada como en los cuadros de Watteau. Al fondo, la mole espesa del palacio.

Pero ese estilo de época, con todas sus inevitables reminiscencias darianas, no se limita al fondo decorativo; también se proyecta sobre la persona humana:

> (En este momento, la reina aparece. Como en una apoteosis, la luz se produce espléndida en los lustros que decoran las paredes y el techo de la sala. Independientemente de la belleza y la majestad de aquella mujer, su entrada es un triunfo. Un público de artistas hubiera, frenético, aplaudido aquel milagro de la luz hecha mujer, o aquel prodigio de la mujer irradiando luz como un faro maravilloso.)

Merece señalarse todavía otro pasaje aquí; el que describe el movimiento de la princesa:

> (De un movimiento gentil de alas invisibles, la princesa llega ante el sagrario que protege al busto del poeta, y por un ins-

tante el mármol pudiera creerse trocado en carne, y la gran lámina azul del firmamento, en gloria. Un rayo de sol, oblicuo a aquella hora matinal, lo aureola, como en una apoteosis. Eucarística, la princesa salmodia):

En otro momento se lee asimismo:

... (La reina alarga una de sus manos eucarísticas, con un ledo movimiento de paloma que levanta un ala, a Dimitrio, que la besa respetuosamente)... Y quedó deshecha la magia de aquel ensueño.

Característicos del modernismo son, pues, el ambiente de ensueño, la adjetivación y el movimiento lánguido del personaje.

Asoma, sin embargo, de cuando en cuando en el relato un ligero y suave tono burlón, de delicada ironía, que tiende a deshacer una atmósfera que de otro modo resultaría demasiado trágica o sentimentalista. El monarca recibe, por ejemplo, a la princesa en audiencia y le pregunta, esforzándose en ser amable con su futura feudataria, por sus ideas constitucionales y no por la salud de sus muñecas. No es solamente esta leve tonalidad de farsa la que me hace pensar en ciertas obras de Valle - Inclán, quien sabía también elevar a categoría estética la misma mezcolanza de elementos grotescos o anacrónicos con otros de valor más positivo, sino que en su totalidad, «Historia de una reina» tiene mucho en común con el teatro modernista de *Cuento de abril, La cabeza del dragón* y *La marquesa Rosalinda*.

Después de un diálogo poco serio entre el Príncipe y su Secretario, que hablan de la correspondencia oficial llegada aquel día, se llama a Beatriz para informarla sobre su obligado matrimonio con el viejo rey de Moravia. Comienzan las protestas de la joven, y parece evidente un cierto tono burlón en los parlamentos de su padre, decidido resueltamente a los desposorios reales:

BEATRIZ (*Abandonándose a una crisis de lágrimas*): Yo no quiero ser reina, ¡no!...
PRÍNCIPE: ¿Acabó ya? ¿Podemos seguir hablando? Os concedo todavía cinco minutos de protestas sentimentales...
BEATRIZ: No, yo no quiero ser reina...
PRÍNCIPE: Todavía os quedan tres minutos de protestas, según os tengo prevenido.

Como el futuro marido de la joven princesa no es exactamente un mozo, ya hemos visto cómo exalta el padre, con mala retórica, la institución real. Luego, cuando la princesa, todavía renuente a la voluntad de su padre, pregunta si el amor y la inclinación no intervienen ya en un matrimonio, recibe la siguiente respuesta:

> PRÍNCIPE: ¡Ya está lanzada la gran palabra! ¡El amor! ¿Pero qué entendéis vos de estos asuntos?...
> BEATRIZ: ¡Oh, habláis del corazón como de una mercancía!
> PRÍNCIPE: Yo no hablo del corazón para nada, porque no gusto de perder mi tiempo discutiendo cosas baldías. El amor no es otra cosa sino la ocupación de los pobres de espíritu.

Y un poco más adelante se burla abiertamente de todo lo romántico, para poner la ironía muy por encima del sentimentalismo:

> BEATRIZ: ¡Ah, es verdad, ya se me olvidaba que vivimos en pleno contrato... envueltos en el halo poético de la diplomacia!...
> PRÍNCIPE: Os prefiero así, como ahora, irónica y burlona, a sentimental y romántica. La ironía es propia de los cerebros fuertes, mientras que el sentimentalismo es el hipo de la vacuidad...

También en este mismo diálogo aparece un motivo característico de la obra entera: el conflicto y la oposición entre lo práctico y lo ideal, eje estructural del cuento, en torno del cual gira la acción misma:

> BEATRIZ: ... ¿Acaso no me repetís [la gouvernante] a cada instante que las cosas de la imaginación son casi siempre más valederas que las de la realidad?...
> GOUVERNANTE: Os exaltáis, princesa, y ya sabéis que eso os perjudica. Toda la obra de mi educación, si algún mérito tiene, consiste en haber dado un gran tijeretazo a vuestras alas... pero todavía quedan, todavía quedan. Habéis heredado el temperamento poético de vuestra madre (q. D. g.), y valiéndome del dicho de vuestro augusto padre, la fantasía, como la mala hierba, hay que cortarla a cercén...

No sólo presta una cualidad especial a la historia la advertida oscilación entre lo serio y lo burlesco, lo romántico y lo utilitario, sino que se establece también un fuerte contraste entre el pasado (lo cortesano del cuento de hadas) y el mundo contemporáneo evocado de muy diversos modos (por ejemplo, el tren en que hace su viaje al Estado de Moravia). Veamos cómo se confunden los antecedentes intelectuales y sociales de Dimitrio con una semblanza que es inicialmente convencional en obras cortesanas de este tipo:

El caballero Dimitrio es un hombre plenamente joven. Lucen en él todos los garbos de la primavera de la vida. Es claro, esplendente y lírico, como una mañana de abril. Y si no fuera por la frente, empinada y abrupta, ensombrecida de ordinario, y como si tras ella se desencadenaran ciclones, del caballero Dimitrio podría hacerse ese grande elogio que consiste en decir que es un ser formado todo de armonías. De su vida se susurraban en la corte del príncipe frases misteriosas, decires romancescos, que eran como el albor de una leyenda...

El tono cambia a medida que avanza el lector en el conocimiento del caballero:

... Contaban que quizá no fuera alemán, sino ruso; que tal vez fuera más conocido en los centros revolucionarios de Kiew y de San Petersburgo que en sus sendas Universidades, y que en su naturaleza polar lucían con rojos exclusivismos las auroras boreales que eran anuncio de las próximas e inevitables hecatombes. Decían también que su álgebra mental no se conformaba con la de todo el mundo, y que tenía tan rara concepción de la Historia, que colocaba sobre Napoleón, y aun sobre Federico el *Grande*, de Prusia, a Kant o a Laplace, a un obrero cualquiera de la evolución humana. Llegaban a más: llegaban a insinuar que aquel hombre era un fervoroso creyente de las más locas utopías: el derecho al pan y el derecho a la dignidad y al espacio; el derecho a la vida, como él osaba afirmar en una síntesis que tenía la pretensión de alumbrar como un haz de rayos. Decían...

En otro momento la princesa recibe un artículo periodístico, publicado en *una hoja revolucionaria*, en el que el autor, al referirse al matrimonio, piensa en la vieja fábula de la oruga enamorada de una rosa. Los leves anacronismos dan a este cuento de hadas una dimensión inesperada. En aquel mundo idealista y embellecido de la corte, de ensueño y de muelles prácticas, aparece la disonancia de un mundo más moderno. Ni siquiera falta la nota caricaturesca. De la *gouvernante* se lee, por ejemplo:

(La buena señora de *Solling* extrae con una de sus antenas, del fondo del bolsillo, el estuche de unas gafas con montura dorada, que después de asegurarlas tras de las orejas, las cala sobre la punta de su nariz impertinente. Así el búho parece mejor un loro profesional y sabihondo. Revisa las hojas de un *carnet* de estudio que le alarga la princesa. Y chirría mejor que dice).

Por último, Alejandro Sawa escribe en una temprana crónica («Notas», *Don Quijote*, VI, núm. 32, 6 de agosto de 1897) una breve parábola, que se convertirá con el tiempo en una verdadera representación simbólica de su propia existencia. Se la había referido en sus años juveniles un hada negra. Parece que en alguna isla vivían dos clases de hombres: unos hablaban mucho y holgaban siempre; los otros trabajaban sin descanso. A la casa del ocioso llegaba la riqueza, pero en la del obrero «no podía contemplarse otra visión que la de la miseria permanente, con sus dientes largos amarillos». Transcurridos infinitos años, un Dios bueno pasó por allí y sepultó la isla de injusticias en lo más hondo del océano. Al momento brotó del mar un nuevo continente, perfecto en todos los sentidos, «adornado de una flora sin espinas, de una fauna sin tigres ni alimañas feroces y de una humanidad sin organismos parasitarios». Nuestro autor, sin embargo, según el pronóstico de la negra hada, jamás conocerá ese hermoso continente:

... Y por eso no río nunca voluntariamente, y por eso también estas cuantas líneas terminan con una imprecación de rebeldía. Porque estoy condenado al bárbaro suplicio, de, enamorado, vivir ¡siempre! lejos de mi ideal, y hombre libre agitarme en una sociedad de verdugos y de esclavos.

Consideraciones finales sobre la prosa de Sawa

Mi principal propósito en este capítulo ha sido hasta ahora describir algunos aspectos de la prosa escrita por Alejandro Sawa para los muchos diarios donde colaboró en las distintas épocas de su vida literaria. Tras un intento inicial de clasificación, necesariamente provisional, mi estudio ha atendido sobre todo a la temática; me propuse destacar de modo especial en este cuerpo nutrido de textos las semblanzas y retratos como algunas de las más logradas páginas de nuestro autor. Aun cuando la prosa de Sawa, en sus momentos más felices, alcance una indudable calidad lírica, siempre fugaz, él no era un escritor de gran talento imaginativo. Quizá sería más justo decir que tendía a supeditar su expresión a lo que tuviera que decir, sin revestir la prosa de brillantes imágenes. Su estilo es eficaz en la expresión directa de los pensamientos ideológicos; ya se habrá notado en los textos transcritos cómo influye a menudo un cierto tono desmesurado en la frase y hasta en la selección de las mismas palabras.

Sin embargo, para terminar este capítulo, ya muy extenso, me gustaría recoger en forma sumaria algunos fragmentos en los que Sawa revela ciertas energías estilísticas que podrían pasar inadvertidas si no lo hiciera aquí. Antes que nada, quiero llamar la atención sobre dos buenos pasajes tomados de las páginas incluidas en *Iluminaciones*:

(a) Sobre la mesa en que escribo y frente a mí tengo el reloj, del que no he de tardar en separarme. Marca en este momento las diez y cuarto, y apenas haya recorrido dos cifras más la manecilla que señala las horas, ya no será mío sino nominalmente... No caben en mil cuartillas lo que me ha enseñado, ni yo podría en diez años de palabrear decir cuánto su sociedad me reconforta. Lo amo por su forma deliciosamente curva (senos de mujer, lineamientos altivos de caderas, magnífica ondulación del vientre); por su color de gloria y de opulencia; por su esfera blanca que encierra la eternidad en doce números; por la fijeza, que aturde, de sus opiniones, y por lo invariable de su ritmo sagrado. Lo amo también porque su corazón, siendo inconmovible, es superior al mío y me sirve de ejemplo (pp. 24-25).

(b) ... Los muebles hablan, y mientras más viejos, mejor; los muebles tienen alma, saben historias, dicen decires, conocen cronologías íntimas del pasado, colaboran en nuestras empresas de amores y de odios, forman parte de la familia, han sido clementes para la debilidad del anciano y del año, han amorosamente auxiliado al guerreador en sus amargos trances de fatiga, viven, que por eso mueren también, y completan magníficamente nuestra fisonomía. Una cama no sólo es un armazón de hierros o madera, sino un altar también. ¡Y cuántas veces un trono! Ese viejo sofá, lo que un grupo de palmeras en el desierto a la hora plúmbea del sesteo; ese cuadro de la Virgen, un eterno refugio para el duelo; el retrato del hijo, una promesa viva de inmortalidad, y esos libros amontonados, con su aspecto inerte de cosas que fueron, cosas que son, cosas que son perennemente, verbos imperiales, sustantivos que son de carne y hueso, lujosos adjetivos, adverbios ágiles como articulaciones, vocablos enhiestos y altivos como luchadores dispuestos a la pelea... (pp. 141-142).

En ambos casos el autor percibe metafóricamente en el objeto (reloj, muebles) toda una serie de resonancias afectivas y líricas, extrayendo del mismo «enlaces de representaciones y de sentimientos que están lejos de hallarse en él», y tratándole «como si tuviera vida propia, y, por cierto, en la dirección de sentimientos y pensamientos del poeta» (41). En esos momentos de vivificación, Sawa llega a confundir los procedimientos impresionistas y expresionistas en una síntesis imaginativa de primer orden, que le permite una expresión personal y subjetiva, al

---

(41) Elisa Richter, «Impresionismo, expresionismo y gramática», en *El impresionismo en el lenguaje* (Buenos Aires, 1936), p. 103.

transformar imaginativamente el objeto, partiendo de una realidad concreta que le hiere la sensibilidad. Quizás un poco más convencionales, pero no por ello menos poéticos son los dos textos, también de *Iluminaciones*, que a continuación copio:

> (a) Comenzaba a alborear. Palidecían hasta extinguirse las trémulas luminarias del cielo. Pero la noche, tenaz, continuaba aferrada en nosotros. La voz de negación, lenta, sin inflexiones, me penetraba piel adentro hasta los sesos, como un vapor de fiebre... Me ahogaba..., quise cambiar el rumbo de aquel monólogo asolador; pero habiéndolo notado mi confidente, no por torpeza mía, sino por la acuidad de sensaciones que es propia de los organismos en crisis, se me agarró al cuello con estas palabras, expresivas de una poderosa voluntad de presa... (p. 39).

> (b) La nieve no deja ver los hondos horizontes, y es sabido que todas las lejanías soberanamente bellas son azules: la montaña, el mar, el cielo... En mis lutos, yo me plazco viviendo en lo azul, y en él me envuelvo, y de él me lleno y me embriago, y no se me aparece la muerte fea si el sudario que como una atmósfera invisible ha de cubrir mi cuerpo es azul, azul como la montaña y el mar y el cielo, azul como todas las lejanías hermosas de la vida (pp. 152-153).

En el primer ejemplo, lo que de inmediato salta a la vista, en ese momento de luz indecisa y cambiante del alba, es la energía con que la realidad exterior (noche, voz del hablante) penetra violenta y sensorialmente en el autor, que escucha el monólogo de su compañero. Hasta se siente *físicamente* agarrado por las palabras que oye y casi víctima también de la poderosa descarga verbal. En el otro pasaje vemos que ya no existen entre el sujeto y la realidad las relaciones normales dictadas por la lógica. En una especie de fusión mutua, el escritor vive inmerso en lo azul, y lo azul se adentra en él al mismo tiempo. La hermosa perspectiva de la lejanía se impone desde un primer momento; con esa misma visión termina el texto. Hasta la horrible presencia de la muerte llega a embellecerse en el pensamiento de Sawa a través del color azul de la montaña, del mar y del cielo, que sirve de protección contra las frías alburas de la nieve. El uso de colores simbólicos, portadores de los sentimientos del autor, no es infrecuente en la prosa de Sawa. Acabamos de leer un ejemplo de blanco-azul; he aquí otro de rojo:

> Amo el color rojo; así es la sangre y el fuego, y la aurora, y en lo social, los rubíes, la púrpura y el odio; las vírgenes sienten arreboles en sus mejillas cuando las auras al pasar les insi-

311

núan misterios amorosos y los más bellos y las más bellas anécdotas del género humano, grises, ácromas en sus comienzos, se
tornan rojas al explotar en fecundidad y en gloria...
    Yo amo, como una bestia carnicera la sangre, el magnífico
color rojo, la imperial sanción de la sangre (*Ibídem*, pp. 106-107).

A veces, los colores y sus matices se confunden para alcanzar una inesperada expresividad, como en aquel fragmento ya citado en que Sawa asigna un color especial a
los poetas: Verlaine, negro; Baudelaire, cárdeno y verdo-
so; Hugo, rojo; etc. (*Ibídem*, pp. 191-192).

Creo, además, que algunos de los aciertos metafóricos
de nuestro autor se deben principalmente a las equivalencias imaginativas que sabe establecer mediante un uso
hábil de los sustantivos. Veamos unas cuantas muestras
de este procedimiento expresivo, todas ellas tomadas de
Iluminaciones en la sombra:

(a) Isócronamente, monótonamente, los hombres, desde el más
    confuso alborear de las edades, balbucean las letras inicia-
    les del amor, sin llegar a formar con ellas *un alfabeto ra-
    cional* nunca... (p. 32).

(b) El sol es *un gran cínico*; cierto: lo cuenta todo y lo enseña
    todo. Pero la niebla, esa gran taimada que se filtra sin sen-
    tir por todas partes, y además, en el hombre, piel adentro,
    ¿no es como *la condensación visible* del *llanto universal*,
    del viejo y eterno luto humano? (p. 117).

(c) ...Es una gran *llama* dentro de un aparente frágil vaso de
    alabastro... (p. 118) ...Tan pequeñita, tan demacrada, casi
    podría decirse de ella que era como una *pavesa humana*...
    (p. 121).

(d) ...Los Estados Unidos alargaban sus tentáculos hacia nues-
    tras antiguas colonias, y de allí volvían en lúgubres carava-
    nas flotantes, como *coágulos de nuestra hemorragia*, por
    centenares, por miles, los mismos soldados... (p. 216).

(e) ...llegó a dominar *motines de sus nervios y borrascas de
    su sangre*, al extremo de aparecer siempre en la vida social
    con el aspecto sereno... (p. 228).

Podrían citarse muchos casos en que la palabra *ácido*,
con uso metafórico, da un énfasis especial a la frase. Veamos algunos ejemplos:

(a) Pero el caso, no por lo común menos interesante, que yo
    desearía grabar a punzón, si me fuera posible, es el de esa
    bella joven que, lacerada por los *ácidos* de un amor no co-
    rrespondido... (pp. 52-53).

(b) Y andar, andar. ¿Hacia dónde?, ¿por qué? Allá vamos, con nuestros orgullos, con nuevas vanidades, a confundirnos con los *ácidos* de la carroña que son nuestro último aliento mortal. Allá vamos, sin saber por qué (p. 92).

(c) ... esa visión de mis recuerdos, ya un tanto esfumados en mi memoria por los *ácidos* del tiempo (p. 120).

Con la misma marcada predilección con que utiliza Sawa la palabra *ácido*, en su sentido destructivo o corrosivo, solía también emplear el adjetivo o el adverbio *vertical* o *verticalmente*, cuantas veces quería dar una idea de dignidad, honradez o ejemplaridad dentro de los contextos más variados (personas, naciones, conceptos).

Se ha repetido bastante en el presente ensayo que Alejandro Sawa era un escritor enfático, según dijo en alguna ocasión Pío Baroja. Y es verdad: gustaba del superlativo y de las frases hiperbólicas. Quiero copiar, pues, finalmente algunos trozos en los cuales se ve cómo tiende siempre a escoger la palabra fuerte o desmesurada, de acuerdo con una tendencia que da una tónica especial a la entonación de su prosa:

(a) ... Y con el Zodíaco corresponden muchas almas humanas. José Santos Chocano viene del sol. La raza autóctona de su país lo amaba. Los viejos incas, por firogénitos, le presentaban adoración. Helios lucía igualmente en los cielos que sobre los altares. En el instrumento métrico de Chocano, donde la cuerda broncínea no excluye, cual compete a todo verdadero poeta, la cuerda casi viva que parece formada por una fibra de corazón humano, hay también uno, un rayo de sol, que el poeta ha logrado guardar perennemente cautivo en su lira. Así, cuando el instrumento vibra al unísono, es cosa sorprendente oír cómo se funde y se confunde en un exclusivo salmo de belleza aquella masa orquestal que llega a parecerse en ocasiones a una fuerza eurítmica de la Naturaleza (pp. 180-181).

(b) Con un joven dios ha sido [Musset] frecuentemente comparado. Y yo añadiría que con un joven dios de las viejas teogonías nordiales. Era un efebo rubio, azul y blanco: en jaspe, oro y mármoles polícromos para el basamento debería ser tallada su estatua. Jorge Sand, su inmortan amada, lo conoció así, en aquel esplendor. Su amor, obra fue de un deslumbramiento. Quedó cegada ante aquel magnífico ejemplar de la gracia cuando se transforma en criatura mortal. Y, herida de muerte, sangró lágrimas toda su vida (p. 44).

(c) Mi perra prefiere sentarse sobre mi rodilla escuálida, a tomar el sol haciendo la roca y ofreciendo sus ubres con voluptuosidad a las caricias del azul del cielo. Ella sabe lo que se hace. Yo tengo calor de soles en mi pecho para los

313

que aman, y azul, mucho azul, enormidades cerúleas, para los ingenuos que me ayudan en mi miseria y acomodan su vida a las mutaciones de mi alma (pp. 70-71).

(d) ... Como si llevara una hoguera en las entrañas, sus palabras eran ígneas, y al salir a borbotones como chorros de vapor, de sus labios, me producían una impresión candente. Yo busco siempre para mi vida moral temperaturas de amor y de concordia.

Y huí de aquel hombre, del incendio de su palabra, hacia fuera, hacia la vida... Una estrella, que ardía más alta que las otras, me dijo mi pequeñez y la inanidad de nuestros medios cuando tratamos de rectificar las invisibles cifras del Destino (p. 92).

Por último, recordemos que el propio Sawa dijo una vez categóricamente que le interesaban más las águilas que los ratones; de ahí su amor a todo lo sublime y su tendencia al engrandecimiento de todo.

PALABRAS FINALES

He procurado en este ensayo ofrecer una imagen literaria de un escritor español malogrado, que no acertó a realizar plenamente sus grandes aptitudes artísticas. Le he estudiado desde dos perspectivas distintas: primero como personaje dentro del mundo en que se movía; luego en su propia obra de novelista y de periodista. Como tantas otras figuras menores de aquella época de transición de finales del siglo, Alejandro Sawa es un escritor hasta cierto punto olvidado hoy, no obstante haber sido una persona relevante en la bohemia literaria de su tiempo. Logró de modo indirecto una mínima porción de inmortalidad por ser en gran parte el modelo vivo del personaje de Max Estrella en *Luces de bohemia,* una de las obras más geniales de Valle-Inclán, en las que se mezclan la vida y la literatura en frases que ocultan sobreentendidos y verdades para el enterado. Sawa perteneció a una generación un poco anterior a la del 98; es natural que su obra haya quedado disminuida y marginada junto a las grandes realizaciones de quienes llegaron después y dieron nuevo brillo a las letras españolas. Me atrevo, sin embargo, a pensar que para escribir la historia literaria definitiva de aquel período de intensa creación es necesario que los estudiosos se ocupen con seriedad de otros escritores, quizá no de la calidad estética conseguida por las figuras más excelsas, pero tan interesantes como ellas —y este es el caso de Alejandro Sawa—, para así completar nuestros conocimientos de la época.

Aunque nadie niega que Sawa sea una figura menor dentro del florecimiento artístico que se manifiesta en los primeros años del siglo actual, existen a mi juicio ciertas razones histórico-literarias, y de modo especial su propia persona, que hacen de él un escritor digno de mejor suerte bibliográfica. Mi intención en el presente libro ha sido, por tanto, el llamar la atención de nuevo acerca de su obra, poco conocida hoy, y sobre su ubicación en la literatura española en aquel momento de aguda crisis en la vida nacional, durante el cual la indecisión y la decrepitud precipitaron al desmoronamiento de una fatigada sociedad. El caso de Sawa no es único, desde luego, y se repite en todas las literaturas: es el de un escritor que goza de importancia decidida en su tiempo y cuya obra constituye una promesa para la juventud intelectual. Pero la estrella de Sawa sufre un rápido eclipse. Por sus hábitos de vida bohemia, y más tarde por las circunstancias adversas de su quebrantada salud, tiene que apartarse cada vez más de la vida literaria del día. Muy pronto sobreviene el olvido. Mientras tanto va cobrando mayor cohesión el brillante equipo del noventa y ocho, en cuya obra múltiple se verificará la verdadera renovación artística en los comienzos del siglo XX.

Alejandro Sawa fue un personaje muy consciente del papel que desempeñaba en la vida. Según advirtió Rubén Darío, era un gran actor que por desdicha no representó sino la tragicomedia de su propia existencia (1). Aunque siempre abatido por las circunstancias, que jamás correspondieron a las cumbres ideales entrevistas confusamente desde su situación humana, tenía Sawa por lo visto algo de heroico, incluso en los últimos años de su vida, cuando ciego y loco llega a conocer los abismos de la miseria y del olvido. Gallardo y teatral en su juventud, cayó desde muy alto; indudablemente se sentía, como tantas veces dijo, *extemporáneo* en un mundo ajeno. A juzgar por los testimonios de quienes lo trataron, era una figura impresionante, de estirpe romántica en sus gestos e indumentaria, pero a la vez exageradamente vanidosa y orgullosa. «Envenenado de literatura y de bohemia», según frase feliz de Zamora Vicente (2), Sawa vivía en un mundo literarizado; grandilocuente y altisonante en sus modos expresivos, hasta el punto de que un personaje de *Luces de bohemia* (escena VI) observa: «Su hablar es como de

---

(1) Rubén Darío, «Alejandro Sawa», *Iluminaciones en la sombra*, página 9.
(2) Alonso Zamora Vicente, edición citada de *Luces de bohemia*, página XXXIV.

otros tiempos.» Insumiso e intransigente en su idealismo y en su amor al arte, este hombre vivía en pugna con el medio ambiente y sus convencionalismos. No cabe duda de que era un individuo sumamente difícil, pronto para alterarse o exaltarse, y con el transcurso de los años se operó en su ser una especie de autodestrucción a causa de la falta de una firme voluntad que le hubiera permitido rehacer su vida en forma tal vez más disciplinada. Y como es evidente que desperdició su talento, hoy se le recuerda más por su leyenda de personaje singular que por sus realizaciones artísticas.

No debiera, sin embargo, menospreciarse la importancia histórico-literaria de Sawa. Dejando aparte el posible mérito intrínseco de su producción (novela, teatro, prosa periodística), esa importancia es doble. En su primera etapa, que abarca aproximadamente diez años (1880-1890), de fuerte tendencia naturalista, Sawa destaca como novelista; autor de unas obras singularmente atrevidas dentro del naturalismo español, que nunca solía llegar a los excesos y libertades revelados por los escritores franceses de la misma escuela. Es en esa época de malestar colectivo, anterior a su expatriación, cuando la juventud veía en él la promesa y el triunfo para el futuro. Marcha a París, donde permanecerá unos seis o siete años; hace allí nuevas amistades literarias; vive intensamente la vida artística del Barrio Latino. Fueron aquellos los buenos tiempos de Sawa, como él gustaba decir, cuando le era dulce y grato el vivir. A su regreso a Madrid, lleva la nueva estética simbolista directamente desde París. Es, pues, el innegable, aunque no el único introductor en España del culto por Verlaine y de otras novedades importadas del país vecino. Creo que además contribuye, junto con Valera, Clarín y Salvador Rueda, al temprano conocimiento que los escritores peninsulares tuvieron de Rubén Darío.

Entonces comienza la última y más dolorosa etapa de la vida de Sawa; una odisea de diez o doce años transcurridos enteramente en Madrid. No sin ironía, se inician esos años finales con el modesto triunfo de su adaptación escénica de *Los reyes en el destierro*, de Alfonso Daudet, en 1899. El derrumbamiento físico y moral es progresivo; las tribulaciones más agudas de Sawa encuentran su perfecta expresión en las páginas misceláneas de su libro póstumo *Iluminaciones en la sombra* (1910). Como escritor, se dedica casi exclusivamente al periodismo; colabora en los diarios más prestigiosos del día y en algunas revistas literarias del nuevo grupo. Se trata, pues, de la época de los últimos destellos del genio de Sawa, autor incompleto sin duda en muchos aspectos y conocido personaje pintoresco del mundo literario madrileño.

Con la desaparición prematura de Alejandro Sawa, en 1909, pasó algo que no podría repetirse y que difícilmente existiría más dentro del siglo xx. Es que había algo grande en su bohemia y en su miseria. Con todas sus claras debilidades humanas y su carácter encendido, este hombre quijotesco no deja de inspirar, al fin y al cabo, una compasión verdadera. De las muchas imágenes que guardo en mi propia «iconografía» de Sawa, hay dos que aparecen y reaparecen con cierta insistencia: la primera es de su figura juvenil y aristocrática, que en la buena época atravesaba con señorío y arrogancia la Puerta del Sol rumbo a las más selectas tertulias literarias del tiempo; asimismo, años más tarde creo verle todavía con el cuerpo erguido y altivo el gesto, a pesar de sus dolencias, cuando algún amigo generoso lo llevaba del brazo por la misma ruta de antes. En la otra imagen, tal como se le ve en uno de sus últimos retratos, Sawa aparece sentado a la mesa de trabajo en su despacho, con la mirada siempre algo vaga; le rodean recuerdos de su vida literaria; detrás de él cuelgan de la pared unas fotografías, entre ellas las de Verlaine y Baudelaire, así como su propia caricatura hecha por Tovar para adornar la portada del número de *El cuento semnal*, en que se publica en 1907 el cuento «Historia de una reina».

Quiero pensar que esta desdichada figura, cuya orgullosa dignidad no le permitió transigir ni conformarse con su condición, haya encontrado al fin el apacible lugar al sol que buscaba, y que haya podido descansar allí de su atormentado viaje por el mundo en el que muy pocos le extendieron una generosa mano de auxilio en su último trance.

BIBLIOGRAFIA (1)

Obras de Sawa (2)

Alejandro Sawa [Martínez], *El Pontificado y Pío IX (Apuntes históricos)*. Imprenta del Centro Consultivo, Málaga, 1878, pp. 55.
— *La mujer de todo el mundo*. Establecimiento Tipográfico de Ricardo Fe, Madrid, 1885, pp. 218.
— *Crimen legal*. Biblioteca del Renacimiento Literario, Madrid [1886], . páginas 247.
— *Declaración de un vencido*. Minuesa de los Ríos, impresor. Madrid, 1887, pp. 239.
— *Noche*. Biblioteca del Renacimiento Literario, Madrid [1888], páginas 294 (3).
— *La sima de Igúzquiza*. Novelas de *El Motín*, Madrid, 1888, pp. 98.
— *Criadero de curas*. Novelas de *El Motín*, Madrid, 1888 (4).
— *Los reyes en el destierro*. Drama en tres actos y en prosa. R. Velasco, Imp., Madrid, 1899, pp. 66.
— «Historia de una reina», *El Cuento Semanal* (I, núm. 18, 3 de mayo de 1907), sin numeración. [«Historia de una reina» se reproduce posteriormente en *El cuento azul* (Vol. VII, núm. 46), pp. 59.]
— «Calvario» [adaptación de *Jack*, de Alfonso Daudet, al español], *El Cuento Semanal* (IV, núm. 166, 22 de julio de 1910), sin numeración.
— *Iluminaciones en la sombra*. Biblioteca Renacimiento, Madrid, 1910, páginas 255.

---

(1) En esta bibliografía se recogen solamente los títulos de las obras principales de Alejandro Sawa y de la crítica especializada que se ha escrito sobre él. Por lo general, con muy pocas excepciones, no se incluyen las obras de consulta sobre la época y los trabajos menos específicos, cuyas señas bibliográficas se indican en las notas al texto.
(2) Respecto a las novelas de Sawa, algunas tuvieron varias ediciones. Aquí señalo tan sólo la fecha de la primera edición. Una descripción más completa de las cuatro novelas principales de Sawa y de las ediciones que he manejado se halla en la nota 1, capítulo VI.
(3) En el caso de *Noche*, quisiera mencionar que se hizo una nueva edición en un número de homenaje en *La novela corta*, III (núm. 135, agosto de 1918), acompañada de una semblanza del autor, por Cristóbal de Castro. Quisiera agradecer a Ildefonso-Manuel Gil el ejemplar que me remitió de esta nueva edición de la novela de Sawa.
(4) Hasta ahora no he podido localizar ningún ejemplar de *Criadero de curas*; véase sobre el particular la nota 50, capítulo VI.

319

Prólogos y otras páginas (5)

«Una carta», en *A los hijos del pueblo*, *Versos socialistas*, de Francisco Salazar y Tomás Camacho, Madrid, 1885, pp. 90-95.
«A modo de prólogo», en *El estudiante*, de José Fraguas (1890), pp. 8-14.
«Carta liminar», en *Sevilla pura*, de L. Cornellá de las Veneras (1905), páginas 7-9.
«Carta liminar», en *Como la vida (Versos)*, de Federico Gil Asensio, Madrid (1906), pp. 7-10.

Sobre Alejandro Sawa (6)

Alvarez, Dictino, *Cartas de Rubén Darío* (Madrid, 1963), pp. 57-73.
Anónimo, «Libros nuevos»: *Noche, Los Lunes de El Imparcial*, 18 de febrero de 1889.
Arroyo, G. P., «Un poeta muerto», *El País*, 25 de agosto de 1901.
Arbó, Juan Sebastián, *Pío Baroja y su tiempo*, 2.ª ed. (Barcelona, 1969), páginas 275-279 y pp. 509-512.
Azorín, *Charivari* (1897), en *Obras completas*, t. I (Madrid, 1947), páginas 271-272.
Barga, Corpus, «Del hombre raro de Getafe (Silverio Lanza)», *Papeles de Son Armadans*, IX (núm. 100, julio de 1964), pp. 9-39.
Bark, Ernesto, «El naturalismo español», *Germinal*, I (núm. 19, 10 de septiembre de 1897), pp. 5-6.
— *Modernismo* (Madrid, 1901), pp. 64 y ss.
— *La santa bohemia* (Madrid, 1913), pp. 38 [con una fotografía de Sawa en la portada del libro].
Baroja, Pío, «La enemistad póstuma de Sawa», *Juventud, egolatría* (Madrid, 1917), pp. 263-267.
— *Desde la última vuelta del camino* (Barcelona, 1970), vol. I: pp. 553-558, y vol. II: pp. 116-120.
Baroja, Ricardo, *Gente de la generación del 98* (Barcelona, 1969).
Bello, Luis, «Los malogrados: Alejandro Sawa», *El Mundo*, 3 de marzo de 1909.
Blasco, R., «Comedia. *Los reyes en el destierro*», *La Correspondencia de España*, 22 de enero de 1899.
Bonafoux, Luis, «Sawa, su perro y su pipa», *Heraldo de Madrid*, 8 de marzo de 1909 [artículo publicado originalmente en *El Español*, donde aparece también la contestación del propio Sawa].
— *De mi vida y milagros*, *Los Contemporáneos*, I (núm. 26, 25 de junio de 1909).
Cansinos-Assens, Rafael, «Alejandro Sawa, el gran bohemio», *Indice*, XV (núm. 149, mayo de 1961), pp. 22-23.
Candamo, Bernardo G. de, «Influencias literarias. Rubén Darío. *El canto errante*», *El Mundo*, 30 de octubre de 1907.
Darío, Rubén, «Alejandro Sawa», *Iluminaciones en la sombra* (Madrid, 1910), pp. 7-15.

---

(5) Solamente figuran aquí algunos de los prólogos escritos por Sawa. En el texto se incluyen los datos bibliográficos de otras muchas prosas de Sawa no recogidas nunca en libro.
(6) He eliminado de la bibliografía las notas necrológicas, generalmente anónimas, publicadas en la prensa madrileña, el 3 de marzo de 1909; de algunas de ellas me ocupo en el capítulo primero de este libro.

— «Notas teatrales», *España contemporánea, Obras completas*, III (Madrid, 1950), p. 57.
— *Autobiografía, Obras completas*, I (Madrid, 1950), pp. 102-106.
— «Adiós a Moréas», *Obras completas*, I (Madrid, 1950), pp. 542-543.
— «Novelas y novelistas», *Obras completas*, II (Madrid, 1950), p. 1119.
— «Historia de un sobretodo», *Cuentos completos* (México, 1950), páginas 165-171.
Dicenta, Joaquín, «Para Sawa», *El Liberal*, 22 de enero de 1899.
— «De mi bohemia», prólogo al libro *De un periodista* (Madrid, 1897), de Ricardo Fuente, pp. 9-16.
— *Idos y muertos. Páginas autobiográficas, Los Contemporáneos*, I (núm. 37, 10 de septiembre de 1909).
Amo, Javier del, «Alejandro Sawa, puritano de la noche y de la pobreza», *Ya*, 11 de marzo de 1974.
Dunn, Peter N., «Baroja y Valle-Inclán: la razón de un plagio», *Revista Hispánica Moderna*, núms. 1-2 (abril de 1967), pp. 30-37.
Fernández Molina, Antonio, «Alejandro Sawa, escritor y personaje valleinclanesco», *Indice literario* de *El Universal*, 1967 [sólo poseo el recorte].
Frollo, Claudio [Ernesto López], «Alejandro Sawa», *Heraldo de Madrid*, 22 de enero de 1899.
Ghiraldo, Alberto, «La tragedia de Alejandro Sawa», *El archivo de Rubén Darío* (Buenos Aires, 1943), pp. 213-215.
Gil, Ildefonso-Manuel, «De Baroja a Valle-Inclán», *Valle-Inclán, Azorín y Baroja* (Madrid, 1975), pp. 9-46.
Gómez Carrillo, Enrique, *Esquisses* (Siluetas de escritores y artistas) (Madrid, 1892), p. 75.
— «Una visita a Paul Verlaine», *Almas y cerebros* (París, 1925), páginas 171 y ss.
— «Día ·por día: notas parisienses», *La vida literaria* (núm. 5, 4 de febrero de 1899), pp. 90-91.
— «El café literario», *Cómo se pasa la vida* (París, sin año, ¿1907?).
Gómez de la Serna, Ramón, *Don Ramón María del Valle-Inclán* (Buenos Aires, 1944), pp. 38-45.
Gullón, Antonio [Sobre *Iluminaciones en la sombra*], *La Publicidad de Granada*, 21 de julio de 1910.
González Aurioles, Norberto, «Teatro de la Comedia. *Los reyes en el desierto*», *El Correo*, 22 de enero de 1899.
González Blanco, Andrés, *Historia de la novela en España desde el romanticismo a nuestros días* (Madrid, 1909), p. 701.
— «Movimiento literario», *Nuestro tiempo*, XI (núm. 152, agosto de 1911), pp. 190-192.
Granjel, Luis S., «Maestros y amigos del 98: Alejandro Sawa», *Cuadernos hispanoamericanos* (núm. 195, marzo de 1966), pp. 430-444.
Hernández Luquero, Nicasio, «Alejandro Sawa, muerto», *El País*, 7 de marzo de 1909.
— «Una disensión literaria», *Fotos*, XIII, núm. 773, 22 de diciembre de 1951.
— «Un gran prosista olvidado: Alejandro Sawa», *Pueblo*, 11 de junio de 1953.
— «Evocación de Alejandro Sawa», *El Norte de Castilla* (Valladolid), 15 de febrero de 1967.
— «Recuerdo literario»: Alejandro Sawa», *El Diario de Avila*, 2 de marzo de 1967.

— «Un recuerdo a Cornuty», *Ceres* (Valladolid), agosto de 1967.
— «Fernando López Martín», *El Norte de Castilla* (Valladolid), 7 de junio de 1970.
— «La muerte de Max Estrella», *El Norte de Castilla* (Valladolid), 21 de noviembre de 1971.
— «Alejandro Sawa, un olvidado», *A B C*, 22 de mayo de 1974.
Iglesias Hermida, Prudencio, «Alejandro Sawa», *De mi museo* (Madrid, 1909), pp. 83-93.
— *La España trágica* (Madrid, 1913). [Contiene larga dedicatoria a la memoria de Alejandro Sawa.]
— «Rubén Darío», *La palabra libre*, III (núm. 63, 10 de marzo de 1912).
Laserna, José de, «Los teatros. Comedia. *Los reyes en el desierto*, *El Imparcial*, 22 de enero de 1899.
Lerroux, A., *Mis memorias* (Madrid, 1963), p. 290.
Llanas Aguilàniedo, J. María, «Modernismo artístico», *El País*, 15 de mayo de 1899.
«L-B», «Estreno en la Comedia. *Los reyes en el destierro*, *Heráldo de Madrid*, 22 de enero de 1899.
Lida, Clara E., «Literatura anarquista y anarquismo literario», *Nueva revista de filología hispánica*, XIX (núm. 2), pp. 360-381.
López Bago, Eduardo, Apéndice: «Análisis de la novela» [*Crimen legal*]», Madrid [1886], pp. 251-280.
Macein, Francisco, «Bohemios españoles: Alejandro Sawa», *La revista blanca*, I (¿núm. 14?, 15 de febrero de 1899), pp. 398-400.
Machado, Manuel, *La guerra literaria* (Madrid, 1913), pp. 27-28.
— *Un año de teatro* (Ensayos de crítica dramática), Madrid, sin fecha, ¿1918?, pp. 55-59.
— «A Alejandro Sawa (Epitafio)», *El mal poema* (Madrid, 1909).
Maeztu, Ramiro de, «El alma del noventa y ocho», *Nuevo Mundo*, XX (núm. 1000, 6 de marzo de 1913).
— «La obra del noventa y ocho», *Nuevo Mundo*, XX (núm. 1001, 13 de marzo de 1913.
«Miss-Teriosa», «Teatro de la Comedia. *Los reyes en el destierro*, *El Día*, 22 de enero de 1899.
Palomo, Juan, «Los estrenos. *Los reyes en el destierro*, *El Globo*, 22 de enero de 1899.
París, Luis, «Alejandro Sawa», *Gente nueva* (Madrid, sin fecha [1888]), páginas 103-117.
Peña, H. R. de la, «Un gran señor de la literatura, de la palabra y del gesto: Alejandro Sawa», *La Esfera* [sólo poseo el recorte].
Pérez de la Dehesa, Rafael: *El grupo Germinal: una clave del 98* (Madrid, 1970).
Phillips, Allen W., «Sobre la génesis de *Luces de bohemia*», *Insula* (núms. 236-237, julio-agosto de 1966), p. 9.
— «Las cartas de Valle-Inclán a Rubén Darío», *El Nacional* (México), 29 de mayo de 1966.
— «Sobre *Luces de bohemia* y su realidad literaria», *Ramón del Valle-Inclán. An Appraisal of his Life and Works* (Nueva York, 1968), páginas 601-614.
— «Rubén Darío y Valle-Inclán: historia de una amistad literaria», *Revista Hispánica Moderna*, XXXIII (núms. 1-2, enero-abril de 1967), páginas 1-29.
Ruiz Contreras, Luis, *Memorias de un desmemoriado* (Madrid, 1961).
Ruiz Molinari, «Indiscreciones literarias», *El País*, 8 de mayo de 1899.

Sainz de Robles, Federico Carlos, «Breve historia de la promoción de *El cuento semanal*», *Raros y olvidados* (Madrid, 1971), pp. 9-17.

San Germán Ocaña, José, «Alejandro Sawa», *Nuevo Mundo*, XVI (número 793, 18 de marzo de 1909).

Senabre, Ricardo, «Baroja y Valle-Inclán, en dos versiones de la muerte del poeta Alejandro Sawa, *Despacho literario* (Zaragoza), 1960, página 10.

Torré, Guillermo de, «Valle-Inclán o el rostro y la máscara», *La difícil universalidad española* (Madrid, 1965), pp. 138-140.

Vidal, Fabián, «Un libro póstumo [Sobre *Iluminaciones en la sombra*]», *La Correspondencia de España*, 7 de julio de 1910.

«X», «Memorándum. Alejandro Sawa [Sobre *Los reyes en el destierro*]», *La época*, 23 de enero de 1899.

Zamora Vicente, Alonso, *Asedio a «Luces de bohemia», primer esperpento de Ramón del Valle-Inclán* (Madrid, 1967).

— *La realidad esperpéntica (Aproximación a «Luces de bohemia»)* (Madrid, 1969).

— «Tras las huellas de Alejandro Sawa (Notas a *Luces de bohemia*)», *Filología*, XIII, 1968-1969, pp. 383-395.

— «Prólogo», *Luces de bohemia* (Madrid, 1973), pp. IX-LXVIII.

Zamacois, Eduardo, *Un hombre que se va* (Buenos Aires, 1969), páginas 173-177.

Zavala, Iris: «Fin de siglo: modernismo, 98 y bohemia», *Cuadernos para el diálogo*, Col. Los Suplementos (núm. 54, Madrid, 1974), página 38 (7).

«Zeda», «Veladas teatrales. Teatro de la Comedia. *Los reyes en el destierro*», *La Epoca*, 22 de enero de 1899.

---

(7) Terminado ya mi libro, me manda gentilmente Iris Zavala el indicado trabajo que quisiera comentar brevemente aquí. Excelente es su aporte al estudio del tema de la bohemia anarquista de fin de siglo, y de la misma autora se espera próximamente una nueva edición de *Iluminaciones en la sombra*, con extenso prólogo sobre Sawa y su obra.

Desde luego, en estas páginas publicadas en *Cuadernos para el diálogo* se habla varias veces de Sawa, prototipo del artista finisecular hundido por la sociedad, y de otras figuras, que en su rebelión levantaron las banderas del evangelio social. Sin embargo, la autora se concentra en el estudio, siempre preciso y útil, de tres revistas de la época. Se ocupa, primero, de *Don Quijote* (1892-1903), atrevido semanario dirigido por Miguel Sawa durante muchos años (pp. 8-20). Como se ha visto ya, textos de Alejandro Sawa aparecieron con cierta regularidad en *Don Quijote*. Contaba entre sus colaboradores con los más insignes liberales de la época, que pugnaban por la creación de una España digna del más alto grado de civilización. Hace muy bien (p. 15) Iris Zavala al señalar que una primera versión del excelente cuento de Rubén Darío titulado «D.Q.» se publicó en la revista. Se dedican otras páginas, menos numerosas (pp. 21-25) a *Nuestro tiempo* (1903-1926?) y *La Anarquía literaria* (1905).

Finalmente se recogen en una breve antología (pp. 27-38) unas páginas de la época que corresponden a Pi y Margall, Pompeyo Gener, Menéndez Pelayo, Alfredo Calderón, Benavente, Valle-Inclán, Barrantes, Juan Ramón Jiménez, y finalmente el artículo de Sawa titulado «La historia que miente» (pp. 37-38), texto a que he aludido anteriormente.

INDICE GENERAL